HISTÓRICOS PARA TODOS

HISTÓRICOS PARA TODOS

JOSUÉ, JUÍZES E RUTE

JOHN GOLDINGAY

Título original: *Joshua, Judges, and Ruth for everyone*
Copyright © 2011 por John Goldingay
Edição original por Westminster John Knox Press, Louisville, Kentucky.
Todos os direitos reservados.
Copyright da tradução © Vida Melhor Editora S.A., 2022.

As citações bíblicas são traduções da versão do próprio autor, a menos que seja especificada outra versão da Bíblia Sagrada.

Os pontos de vista desta obra são de responsabilidade de seus autores e colaboradores diretos, não refletindo necessariamente a posição da Thomas Nelson Brasil, da HarperCollins Christian Publishing ou de sua equipe editorial.

Publisher	*Samuel Coto*
Editor	*André Lodos Tangerino*
Tradutor	*José Fernando Cristofalo*
Copidesque	*Josemar de Souza Pinto*
Revisão	*Carlos Augusto Pires Dias*
Diagramação	*Sonia Peticov*
Capa	*Rafael Brum*

DADOS INTERNACIONAIS DE CATALOGAÇÃO NA PUBLICAÇÃO (CIP)
(Benitez Catalogação Ass. Editorial, MS, Brasil))

G571h

    Goldingay, John

    Históricos para todos: Josué, Juízes e Rute / John Goldingay; tradução José Fernando Cristófalo. — 1.ed. — Rio de Janeiro: Thomas Nelson Brasil, 2022.
    272 p.; 12 x 18 cm.

    Tradução de *Joshua, judges and Ruth for everyone*.
    ISBN 978-65-5689-446-1

    1. Bíblia — Antigo Testamento. 2. Bíblia — Ensinamentos. 3. Bíblia. A.T. Josué — História e interpretação. 4. Bíblia. A.T. Juízes — História e interpretação. 5. Bíblia. A.T. Rute — História e interpretação. I. Cristófalo, José Fernando. II. Título.

11-2021/18   CDD: 221.6

Índice para catálogo sistemático:
1. Antigo Testamento: Bíblia: Interpretação e crítica   221.6

Aline Graziele Benitez — Bibliotecária — CRB-1/3129

Thomas Nelson Brasil é uma marca licenciada à Vida Melhor Editora LTDA.
Todos os direitos reservados à Vida Melhor Editora LTDA.
Rua da Quitanda, 86, sala 218 — Centro
Rio de Janeiro — RJ — CEP 20091-005
Tel.: (21) 3175-1030
www.thomasnelson.com.br

⌐ SUMÁRIO ⌐

Agradecimentos	9
Introdução	11
Mapas	19
Josué 1:1-18 • Apenas um rio para cruzar	21
Josué 2:1-24 • Enquanto isso, no bordel	26
Josué 3:1-17 • Sobre molhar os pés	31
Josué 4:1—5:1 • Olhando para a frente e para trás	35
Josué 5:2-15 • De que lado você está? Nenhum	40
Josué 6:1-21 • Soem as trombetas	44
Josué 6:22—7:15 • Quem são os verdadeiros cananeus?	49
Josué 7:16-26 • A cobiça pode matar	54
Josué 8:1-21 • A importância de um plano de jogo	59
Josué 8:22-35 • Está acabado mesmo quando ainda não terminou	64
Josué 9:1-21 • Como se deixar enganar	69
Josué 9:22—10:11 • Como engolir o seu orgulho	73
Josué 10:12-27 • Sem compromisso	77
Josué 10:28-43 • Bem-vindo ao oeste selvagem	82
Josué 11:1-15 • Bem-vindo ao norte selvagem	86
Josué 11:16—12:24 • Por que eles foram tão estúpidos?	91
Josué 13:1—14:15 • A terra que resta ser possuída é muito grande	95
Josué 15:1—17:11 • Vivendo como mulheres num mundo de homens	99
Josué 17:12—19:51 • Raízes; ou: lar é onde a sua porção está	104

JOSUÉ 20:1—21:45 • Tudo se tornou verdade 108

JOSUÉ 22:1-34 • O universal e o local 113

JOSUÉ 23:1-16 • O perigo da fé dos outros povos 118

JOSUÉ 24:1-33 • "Vocês não podem servir
a *Yahweh*." "Sim, podemos!" 122

JUÍZES 1:1-36 • A vida real é mais complicada 128

JUÍZES 2:1—3:4 • O poder do esquecimento 132

JUÍZES 3:5-31 • Salvadores improváveis 137

JUÍZES 4:1-24 • Três mulheres fortes e três homens fracos (I) 142

JUÍZES 5:1-31A • Três mulheres fortes e três homens
fracos (II) 146

JUÍZES 5:31B—6:24 • Sobre a irrelevância
do discernimento espiritual 151

JUÍZES 6:25-40 • Como ser uma pessoa confusa 156

JUÍZES 7:1-25 • Como aumentar as chances contra si mesmo 161

JUÍZES 8:1-35 • Eu não sou o herói; Deus é 165

JUÍZES 9:1-57 • O homem que seria rei 170

JUÍZES 10:1—11:29 • Quando Deus acha difícil ser severo 175

JUÍZES 11:30—12:15 • O homem cuja promessa faz
o sangue gelar 179

JUÍZES 13:1-25 • Entretendo anjos sem saber 184

JUÍZES 14:1—15:20 • Querida, resolvemos o enigma 188

JUÍZES 16:1-21 • Amor de verdade 193

JUÍZES 16:22-31 • Mas o cabelo de Sansão
começou a crescer novamente 197

JUÍZES 17:1-13 • Todos faziam o que era certo aos seus
próprios olhos 202

JUÍZES 18:1-31 • Dã desesperado 207

JUÍZES • A história atinge o seu ponto mais baixo (I) 212

JUÍZES 20:1-48 • A história atinge o seu ponto mais
baixo (II) 217

Juízes 21:1-25 • Como não salvar a situação	221
Rute 1:1-9 • Como a vida de Noemi desmorona	226
Rute 1:10-19a • A escolha	231
Rute 1:19b—2:9 • Ela é moabita, pelo amor de Deus!	236
Rute 2:10-23 • O Deus das coincidências	241
Rute 3:1-18 • Como não deixar a iniciativa para o homem	246
Rute 4:1-10 • Como não se sobrecarregar com imóveis	251
Rute 4:11-22 • Como Davi ganhou um avô	255
Glossário	260
Sobre o autor	270

⌐ AGRADECIMENTOS ⌐

A tradução no início de cada capítulo (e em outras citações bíblicas) é de minha autoria. Tentei me manter o mais próximo do texto hebraico original do que, em geral, as traduções modernas, destinadas à leitura na igreja, para que você possa ver, com mais precisão, o que o texto diz. Embora prefira utilizar a linguagem inclusiva de gênero, deixei a tradução com o uso universal do gênero masculino caso esse uso inclusivo implicasse em dúvidas quanto ao texto estar no singular ou no plural. Em outras palavras, a tradução, com frequência, usa "ele" onde em meu próprio texto eu diria "eles" ou "ele ou ela". A restrição de espaço não me permite incluir todo o texto bíblico neste volume; assim, quando não há espaço suficiente para o texto completo, faço alguns comentários gerais sobre o material que fui obrigado a suprimir. Ao final do livro, há um glossário dos termos-chave recorrentes no texto (termos geográficos, históricos e teológicos, em sua maioria). Em cada capítulo (exceto na introdução), a ocorrência inicial desses termos é destacada em **negrito**.

As histórias que seguem a tradução, em geral, envolvem meus amigos, assim como minha família. Todas elas ocorreram, de fato, mas foram fortemente dissimuladas para preservar as pessoas envolvidas, quando necessário. Por vezes, o disfarce utilizado foi tão eficiente que, ao relê-las, levo um tempo para identificar as pessoas descritas. Nas histórias, Ann, a minha esposa, aparece com frequência. Ela faleceu enquanto eu escrevia este volume, após negociar com a esclerose múltipla durante 43 anos. Compartilhar os cuidados e o desenvolvimento de sua enfermidade e crescente limitação, ao longo desses anos, influencia tudo o que escrevo, de maneiras facilmente perceptíveis ao leitor, mas também de formas menos óbvias. Agradeço a Deus por Ann e estou feliz por ela, mas não por mim, pois ela pode, agora, descansar até o dia da ressurreição.

Sou grato a Matt Sousa por ler o manuscrito e me indicar o que precisava corrigir ou esclarecer no texto. Igualmente, sou grato a Tom Bennett por conferir a prova de impressão.

⌐ INTRODUÇÃO ⌐

No tocante a Jesus e aos autores do Novo Testamento, as Escrituras hebraicas, que os cristãos denominam de Antigo Testamento, *eram* as Escrituras. Ao fazer essa observação, lanço mão de alguns atalhos, já que o Novo Testamento jamais apresenta uma lista dessas Escrituras, mas o conjunto de textos aceito pelo povo judeu é o mais próximo que podemos ir na identificação da coletânea de livros que Jesus e os escritores neotestamentários tiveram à disposição. A igreja também veio a aceitar alguns livros adicionais, os denominados **"apócrifos"** ou "textos deuterocanônicos", mas, com o intuito de atender aos propósitos desta série, que busca expor "o Antigo Testamento para todos", restringimos a sua abrangência às Escrituras aceitas pela comunidade judaica.

Elas não são "antigas" no sentido de antiquadas ou ultrapassadas; às vezes, gosto de me referir a elas como o "Primeiro Testamento" em vez de "Antigo Testamento", para não deixar dúvidas. Quanto a Jesus e os autores do Novo Testamento, as antigas Escrituras foram um recurso vívido na compreensão de Deus e dos caminhos divinos no mundo e conosco. Elas foram úteis "para o ensino, para a repreensão, para a correção e para a instrução na justiça, para que o homem de Deus seja apto e plenamente preparado para toda boa obra" (2Timóteo 3:16-17). De fato, foram para todos, de modo que é estranho que os cristãos pouco se dediquem à sua leitura. Meu objetivo, com esses volumes, é auxiliar você a fazer isso.

Meu receio é que você leia a minha obra, não as Escrituras. Não faça isso. Aprecio o fato de esta série incluir grande parte do texto bíblico, mas não ignore a leitura da Palavra de Deus. No fim, essa é a parte que realmente importa.

UM ESBOÇO DO ANTIGO TESTAMENTO

A comunidade judaica, em geral, refere-se a essas Escrituras como a Torá, os Profetas e os Escritos. Embora o Antigo Testamento contenha os mesmos livros, eles são apresentados em uma ordem diferente:

- Gênesis a Reis: Uma história que abrange desde a criação do mundo até o exílio dos judeus para a Babilônia.
- Crônicas a Ester: Uma segunda versão dessa história, prosseguindo até os anos posteriores ao exílio.
- Jó, Salmos, Provérbios, Eclesiastes, Cântico dos Cânticos: Alguns livros poéticos.
- Isaías a Malaquias: O ensino de alguns profetas.

A seguir, há um esboço da história subjacente a esses livros (não forneço datas para os eventos em Gênesis, o que envolve muito esforço de adivinhação).

1200 a.C. Moisés, o êxodo, Josué
1100 a.C. Os "juízes"
1000 a.C. Saul, Davi
 900 a.C. Salomão; a divisão da nação em dois reinos: Efraim e Judá
 800 a.C. Elias, Eliseu
 700 a.C. Amós, Oseias, Isaías, Miqueias; Assíria, a superpotência; a queda de Efraim
 600 a.C. Jeremias, o rei Josias; Babilônia, a superpotência

INTRODUÇÃO

500 a.C. Ezequiel; a queda de Judá; Pérsia, a
           superpotência; judeus livres para retornar ao lar
400 a.C. Esdras, Neemias
300 a.C. Grécia, a superpotência
200 a.C. Síria e Egito, os poderes regionais puxando Judá
           de uma forma ou de outra
100 a.C. Judá rebela-se contra o poder da Síria e obtém a
           independência.
  0 a.C. Roma, a superpotência

JOSUÉ

Josué assume a história a partir do término de Deuteronômio, no qual os israelitas estavam posicionados às portas da terra que lhes fora prometida; Moisés, o líder deles até ali, tinha morrido, e Josué o sucedera como a pessoa designada por Deus para conduzir os israelitas no acesso à terra. A primeira metade do livro de Josué relata como ele logrou uma série de vitórias, mas também alguns reveses, e sem completar muitos aspectos da tarefa. O livro enfatiza a conquista, porém nas entrelinhas ele reconhece quanto os cananeus permaneceram no controle da região. Descobertas arqueológicas ocasionais indicam que alguém obteve uma grande vitória em alguma parte daquele território, e Hazor constitui um exemplo magnífico (veja Josué 11), mas elas, em geral, sugerem que a ascensão de Israel como povo e nação dominante naquela área foi um processo gradual.

A segunda metade do livro descreve como Josué repartiu a terra entre os doze clãs israelitas, novamente reconhecendo nas entrelinhas que eles, em contrapartida, recebem uma missão em relação à real tomada de posse da sua respectiva porção. Em suas derradeiras páginas, o livro termina de uma forma similar à Torá, com o líder (agora Josué, não Moisés) desafiando o povo de Israel a comprometer-se em aliança com Deus para o futuro.

Muitas pessoas modernas não gostam da maneira como o livro retrata a liderança de Josué, levando os israelitas a matarem muitos cananeus, mas não há nenhuma indicação de que o Novo Testamento compartilhe desse desconforto moderno. Ao contrário, o Novo Testamento apresenta Josué como um grande herói (veja Hebreus 11) e retrata a violenta desapropriação dos cananeus como parte do cumprimento do propósito divino na salvação (veja Atos 7). Se, por um lado, há certa contradição entre a instrução de amar os inimigos e sermos pacificadores e a missão cumprida por Josué pela ordem de Deus, do outro, essa contradição inexiste aos olhos do Novo Testamento.

É preciso separar dois fatos ao consideramos o questionamento que tudo isso suscita. O primeiro é que o Novo Testamento enxerga os cananeus como debaixo do juízo de Deus por causa do proceder maligno deles. A ideia de que Deus julga o povo por suas transgressões percorre os dois Testamentos; Jesus é ainda mais duro quanto a isso ao retratar Deus enviando pessoas não apenas para a primeira morte, mas para o inferno, no qual há choro e ranger de dentes. No contexto da modernidade, não nos preocupamos com essa ideia, mas precisamos notar a sua proeminência no pensamento de Jesus Cristo.

O segundo fato é que o Antigo Testamento vê Deus usando os israelitas como agentes de julgamento. Não sei ao certo por que não gostamos dessa ideia, mas a preocupação que as pessoas, frequentemente, expressam é que isso poderia se tornar uma justificativa para entrar em guerra contra outro país. No entanto, Israel mesmo jamais viu a comissão de Deus para desapropriar os cananeus como um precedente para as suas relações com outros povos. Muito menos o livro de Josué implica que a ação desse líder seria um padrão a ser seguido por Israel no futuro. Tomar posse de Canaã e ser um meio de trazer o juízo de Deus sobre os cananeus constituiu um evento único na história inicial de Israel.

Não sabemos quem foi o autor do livro de Josué ou mesmo quando ele foi escrito. Assim como ele retoma o relato a partir de Deuteronômio, leva a Juízes, Samuel e Reis. O livro lembra uma temporada de uma duradoura série de TV, cujos autores sabem que estão deixando pontas soltas que precisarão ser amarradas antes de a série terminar por completo. Gênesis a Reis, como um todo, conduz a história de Israel para o exílio e, portanto, não poderia ser levado a uma conclusão (pelo menos em uma versão remasterizada) antes desse tempo, embora fosse possível haver uma edição anterior mais básica. Nessa série especial, Deuteronômio define a agenda de Josué até Reis e fornece aos leitores pistas para compreender o motivo de a história seguir esse curso.

JUÍZES

O livro de Juízes abrange outra temporada nessa narrativa épica, abordando Israel a partir da morte de Josué até a véspera da ascensão de Saul ao trono de Israel como seu primeiro rei. O título deriva da forma de liderança descrita pelo livro, embora o termo "juízes" não seja de grande auxílio nessa relação. Embora a palavra para "julgar" possa denotar o cumprimento de um papel na administração de justiça, essa atividade constitui um subconjunto do exercício de autoridade ou liderança, em um sentido mais amplo, e, assim, *líderes* ou *governantes* seriam equivalentes mais claros, em nosso idioma, ao sentido do termo em hebraico. Durante o período de Josué a Saul, Israel não possui nenhum líder à frente de todo o povo da mesma forma que tinha com Moisés e Josué e, depois, com Saul e Davi. Todavia, de tempos em tempos, Deus levanta líderes para lidar com crises particulares em determinadas regiões de Israel. Todos eles possuem capacidade de liderança, mas, na maioria, detêm pouca sensibilidade moral ou religiosa. O desenvolvimento linear da narrativa quase inexiste; em geral, trata-se de uma sequência de histórias paralelas sobre desobediência a Deus, castigo, misericórdia e restauração. O livro, portanto, ilustra formas nas quais o relato de Deuteronômio sobre as dinâmicas potenciais da história de Israel funciona na prática. Nesse sentido, Deuteronômio providencia a estrutura para Juízes, assim como para Josué.

Juízes é um dos livros mais desagradáveis na Escritura, pois é uma desanimadora história de rebelião contra Deus e de violência entre os seres humanos, sem contar de violência contra mulheres (e, às vezes, de violência perpetrada por mulheres). O texto discorre, específica e poderosamente, sobre um mundo caracterizado por essa violência. À medida que se lê, o relato se torna ainda mais desalentador e, próximo ao fim da leitura, você pode desejar não ter se dado a esse trabalho. Contudo, ele é importante por uma razão, e talvez tenha sido esse o motivo que levou Deus a querer um livro tão desagradável na Bíblia: ele nos força a fazer as pazes com a realidade de como as coisas são no mundo e, com frequência, na igreja. O livro resume o modo pelo qual a Bíblia não é literatura escapista, nem simplesmente focada em mim e em minha relação pessoal com Deus.

O grande dilema do livro é saber o que pode ser feito a respeito do horror que ele mesmo analisa. Mais precisamente, o seu dilema é que a liderança tanto pode ser o problema quanto a solução. Por um lado, ele sabe que Deus deve ser o rei de Israel; assim, um herói como Gideão se recusa a ser feito

INTRODUÇÃO

rei. Por outro lado, o crescente colapso moral e social que se intensifica próximo ao fim de Juízes ocorre em um contexto no qual as pessoas faziam "o que era certo aos seus próprios olhos" porque "não havia rei em Israel". Nesse aspecto, o livro prepara o caminho para a introdução da monarquia, o que ocorre em 1Samuel.

RUTE

Rute é a história sobre como a vida de uma mulher desmorona em decorrência da fome, do deslocamento forçado e da morte de seu marido e de seus filhos e, então, de como ela é restaurada novamente por meio do extraordinário amor de sua nora e de um parente distante. Trata-se de uma espécie de nota paralela à história de Israel, a narrativa em escala maior que percorre os livros de Josué, Juízes, Samuel e Reis. Em outras palavras, na série original, Juízes leva direto a 1Samuel. Na ordem dos livros da Bíblia judaica, a história de Rute aparece muito mais tarde, na companhia de alguns outros livros mais breves, como Ester e Cântico dos Cânticos. Essa sequência provavelmente sugere que foi escrito tempos depois, na época posterior ao exílio, a exemplo daqueles outros livros. Um aspecto de sua importância, que viria à tona naquele contexto, é o relato que faz de uma mulher estrangeira comprometendo-se com sua parente israelita e com o Deus de Israel. Embora o texto não questione a ideia de que Israel precisa estar atento quanto à influência dos estrangeiros e sua religião contrária a Deus, ele lembra os israelitas de que o Deus deles deseja ser o Deus de todo o mundo e que eles precisam estar abertos aos estrangeiros que queiram unir-se a eles em sua adoração ao Deus de Israel.

A nossa Bíblia tradicional segue a ordem dos livros quando eles foram traduzidos para o grego e posiciona Rute em um contexto diferente que também faz sentido, mas de um modo distinto. As primeiras palavras do livro de Rute nos contam que a história ocorre "na época dos juízes". (Precisamos nos lembrar sempre de que o tempo referido na narrativa bíblica pode ser muito distante daquele no qual ela foi escrita.) Após o crescente horror de Juízes, Rute oferece um retrato mais encorajador da vida de Israel e suaviza um pouco o gosto ruim na boca deixado pelo livro anterior. Igualmente, conecta-se perfeitamente ao que vem a seguir, em 1 e 2Samuel, logrando isso de duas formas: esse quadro mais alentador da vida israelita cotidiana (especialmente com respeito à vida das mulheres) conduz à similar história de Ana, em 1Samuel 1 e 2, e encerra-se com a revelação de que o filho que Rute carrega em seu ventre é ninguém menos do que o avô do futuro rei Davi.

© Karla Bohmbach

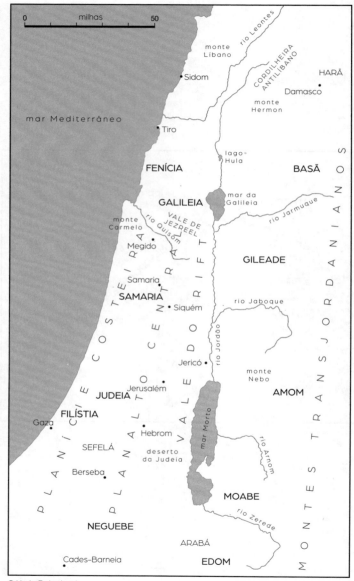

JOSUÉ

JOSUÉ 1:1–18
APENAS UM RIO PARA CRUZAR

¹Após a morte de Moisés, servo de *Yahweh*, disse *Yahweh* a Josué, filho de Num, assistente de Moisés: ²"Moisés, meu servo, está morto. Suba, agora, atravesse esse Jordão, você e todo este povo, à terra que estou dando para eles, para os israelitas. ³Todo lugar que pisar a planta de seu pé, tenho dado a vocês, como declarei a Moisés. ⁴Desde o deserto e do Líbano aqui, ao Grande Rio, o rio Eufrates, toda a terra dos hititas, ao Grande Mar, no oeste, será o seu território. ⁵Ninguém se posicionará diante de você todos os dias de sua vida. Como eu estive com Moisés, estarei com você. Não falharei com você nem o abandonarei. ⁶Seja forte, fique firme, porque você capacitará este povo a possuir esta terra que prometi dar aos seus ancestrais. ⁷Simplesmente seja forte, fique muito firme, tomando o cuidado de agir de acordo com todo o ensinamento que Moisés, meu servo, lhe ordenou. Não se desvie disso para a direita ou para a esquerda, de modo que possa ser bem-sucedido aonde quer que vá. ⁸Este rolo de ensino não deve deixar a sua boca. Recite-o dia e noite para que tenha o cuidado de agir de acordo com tudo o que está escrito nele, porque, então, fará a sua vida ir bem e será bem-sucedido. ⁹Não lhe ordenei: 'Seja forte, fique firme?' Não entre em pânico, não tenha medo, porque *Yahweh*, o seu Deus, estará com você aonde quer que vá."

¹⁰Assim, Josué ordenou aos oficiais do povo: ¹¹"Passem pelo meio do acampamento e ordenem ao povo: 'Preparem provisões para vocês mesmos, porque em três dias vocês irão atravessar o Jordão aqui, entrarão e tomarão posse da terra que *Yahweh*, o seu Deus, lhes está dando para tomar posse.'" ¹²Aos rubenitas, gaditas e metade do clã de Manassés, Josué disse: ¹³"Estejam atentos acerca do que Moisés, servo de *Yahweh*, ordenou a vocês: '*Yahweh*, o seu Deus, está permitindo que

vocês se estabeleçam e lhes está dando essa terra.' **14**As suas esposas, os seus jovens e o seu rebanho podem permanecer na terra que Moisés lhes deu, do outro lado do Jordão, mas vocês devem atravessar, organizados em companhias à frente de seus irmãos, todos os guerreiros. Devem ajudá-los **15**até *Yahweh* permitir que os seus irmãos se assentem como vocês e eles também tomem posse da terra que *Yahweh*, o seu Deus, lhes está dando. Então, vocês podem retornar à terra que devem possuir e tomar posse, a terra que Moisés, servo de *Yahweh*, lhes deu do outro lado do Jordão, a leste." **16**Eles responderam a Josué: "Tudo o que você nos ordenar, faremos, e para onde nos enviar, iremos. **17**Assim como ouvimos a Moisés, o ouviremos. Simplesmente, que *Yahweh* esteja com você assim como esteve com Moisés. **18**Qualquer pessoa que se rebelar contra o que você disser e não der ouvidos às suas palavras, com respeito a tudo o que você lhe ordenar, deve ser morta. Simplesmente, seja forte e fique firme."

Enquanto escrevo, costumo ouvir música, pelo menos parcialmente. Não presto muita atenção na letra, mas, ocasionalmente, algumas palavras atraem a minha atenção. Certo dia, o título de uma canção de Jimmy Cliff, *Many Rivers to Cross* [Muitos rios para atravessar], teve esse efeito sobre mim e passei a escutar a letra mais atentamente. A canção fala sobre a existência desses muitos rios para cruzar e que apenas a força de vontade do cantor é que o mantém vivo. Talvez ele sobreviva apenas por causa de seu orgulho. Ele diz: "A solidão não me deixará sozinho" porque a pessoa que ele amava foi embora, toda sorte de tentações o assalta e tudo o que lhe resta é procurar por meios de atravessar os rios. A letra me levou às lágrimas porque descrevia a minha vida na época. Agora, isso me faz refletir sobre uma aluna que esta semana me fez um relato da sua vida. Ela enfrenta uma ou duas questões de saúde que necessitam ser investigadas mais a fundo e deveria estar finalizando a sua aplicação para um programa de doutorado. Além disso, ela tem as demandas regulares de seu curso no seminário e do emprego que torna possível pagar os custos escolares. Decerto, ela tem diante de si muitos rios para atravessar.

Josué e Israel têm apenas um. Em termos literais, isso não impressiona muito. Durante grande parte do ano, à medida que se aproxima do mar Morto, o rio Jordão é raso e lamacento. Todavia, simbolicamente, a sua travessia constitui um grande passo. Na outra margem desse rio estão todos aqueles povos **cananeus**, cujo tamanho assustou os espias israelitas, uma geração atrás (veja Números 13—14). Do ponto de vista histórico, eles são povos, de fato, muito mais fortes e sofisticados do que os israelitas. Dos doze clãs de Israel, dois clãs e meio escolheram ficar na terra a leste do Jordão, onde Israel está acampado no momento ("do outro lado do Jordão", da perspectiva das pessoas que contavam a história, mais tarde). Esses clãs consideraram que a terra era muito boa e pediram para que pudessem se estabelecer lá. Pode-se imaginar que os demais nove e meio clãs também estariam questionando se haveria espaço suficiente para eles no lado leste. No entanto, a verdadeira Terra Prometida situava-se no lado oeste do Jordão. Há um rio a ser atravessado.

Deus mantém o foco em Josué, apesar de nos versículos 3 e 4 abordar todo o povo. Em seguida, no versículos 5 e 6 volta a atenção novamente a Josué. De modo típico, Deus entrelaça promessas e exortações. A promessa "estarei com você" soa rotineira, mas não deve ser ignorada. É a promessa feita por Deus a Isaque (Gênesis 26:3) e repetida a Moisés, ao anunciar a sua implausível comissão (Êxodo 3:12). É uma promessa que Deus reiterará a Israel, durante o **exílio**, e repetirá a Maria, ao também lhe dar uma comissão implausível. Ainda, é a promessa repetida por Jesus ao enviar os seus discípulos a fazer novos seguidores em todo o mundo. Em nosso idioma contemporâneo, a sentença "estarei com você" tende a sugerir que sentiremos que Deus está conosco, porém na Bíblia ela sugere algo objetivo, não meramente subjetivo. Significa que Deus irá garantir que tudo dê certo. Aqui, Deus expressa as implicações da promessa. Josué terá êxito na tarefa que tem diante de si. Isso é que o capacitará a ser forte e permanecer firme.

As exortações também estão relacionadas com essa possibilidade. A chave para uma liderança vitoriosa é seguir estritamente o ensinamento que Moisés transmitiu a ele. Poder-se-ia esperar que Deus lhe dissesse para manter esse ensino na mente; na verdade, Deus diz a Josué para guardar esse ensinamento em sua boca. Em outras palavras, ele deve "recitá-lo". A palavra usada por Deus denota meditação, mas não uma meditação restrita apenas ao interior da mente de Josué. Quando as crianças estão aprendendo a ler, em geral elas leem em voz alta; somente mais tarde é que elas aprendem a ler em silêncio. Quando os judeus leem as Escrituras, eles pronunciam as palavras. Essa prática pode parecer menos sofisticada, porém significa que a leitura envolve não apenas a mente, como também o corpo e, portanto, toda a pessoa. Isso pode, então, aumentar a possibilidade de influenciar toda a vida de quem assim lê. O fato de Josué manter o ensino de Moisés em seus lábios não está relacionado com sua instrução ao povo. Antes, é o fundamento de sua própria vida como discípulo de Moisés e de Deus. Os Salmos principiam com uma bênção sobre a pessoa que recita o ensinamento de Deus dessa forma, declarando que a vida dessa pessoa será bem-sucedida (Salmos 1). Josué está sendo lembrado de que a chave para o seu sucesso como líder é ele simplesmente ser um discípulo comprometido. Por implicação, Deus igualmente coloca esse princípio diante dos líderes posteriores que leem essa história. Um rei como Josias, em cuja época um manuscrito como Deuteronômio é descoberto, é desafiado a considerar seriamente essa mesma exortação como chave para o exercício de seu reinado.

Os nove clãs e meio não podem evitar a travessia do rio, e os dois clãs e meio restantes devem atravessar também, mesmo que, depois, retornem para ocupar o território na margem leste do Jordão. Uma vez que todo o povo esteja assentado na terra, nunca mais terá a unidade que teve lá. A narrativa em Juízes ilustrará esse ponto; nenhum dos eventos relatados por este livro envolverá todo o povo. A geografia, por si só, exclui essa unidade. Contudo, Israel permanece um único povo, e o momento de entrar na terra, situada à margem ocidental do Jordão, a terra originariamente designada como a Terra Prometida, é o momento em que essa unidade deva estar simbolizada. Uma parte do corpo não pode ficar indiferente ao destino do todo. Individualmente, os clãs israelitas não podem agir como se o destino dos demais clãs não seja do interesse deles. Similarmente, as congregações cristãs individuais, denominações ou igrejas nacionais, não podem se comportar como se o destino das outras congregações, denominações ou da igreja, em qualquer nação, não lhes diga respeito.

Embora a Terra Prometida situe-se no lado ocidental do Jordão, Deus fala de suas dimensões como extensivas até o rio Eufrates, como ocorreu no reinado de Salomão. O Antigo Testamento possui formas diversas de descrever a extensão da Terra Prometida, expressas em termos das variadas situações políticas, de diferentes contextos. Não se trata de um conceito com fronteiras fixas. Isso pode auxiliar na reflexão sobre as questões políticas atuais envolvendo o Oriente Médio.

JOSUÉ **2:1–24**
ENQUANTO ISSO, NO BORDEL

1De Acácias, Josué, filho de Num, enviou silenciosamente dois homens para investigar: "Vão e examinem a terra e Jericó." Eles foram e chegaram à casa de uma mulher que era prostituta, chamada Raabe, e dormiram ali. **2**O rei de Jericó foi avisado: "Ora, alguns homens vieram aqui, esta noite, israelitas, para investigar a terra." **3**Então, o rei de Jericó enviou a Raabe: "Apresente os homens que vieram a você, que vieram à sua casa, pois vieram investigar toda a terra." **4**A mulher tinha tomado e escondido os dois homens. Então, ela disse: "Sim, os homens vieram a mim. Eu não sabia de onde tinham vindo. **5**O portão estava prestes a ser fechado, já escuro, e os homens saíram. Não sei para onde eles foram. Persiga-os logo, porque ainda podem alcançá-los." **6**Assim, embora ela os tivesse levado ao telhado e escondido entre os talos de linho que estavam dispostos no telhado, **7**os homens [do rei] os perseguiram na estrada rumo ao Jordão, aos vaus, e o portão foi fechado depois que os homens que os perseguiam saíram.

8Antes de aqueles homens irem dormir, ela subiu até eles no telhado. **9**Ela disse aos homens: "Eu reconheço que *Yahweh* lhes deu a terra e que o terror de vocês tem caído sobre nós e que todas as pessoas que vivem na terra têm se dissolvido de medo diante de vocês, **10**porque ouvimos como *Yahweh* secou as águas do mar de Juncos à frente de vocês quando saíram do Egito e como vocês agiram com Seom e Ogue, os dois reis amorreus do outro lado do Jordão, a quem devotaram. **11**Quando ouvimos isso, a nossa resolução derreteu. Não resta espírito em ninguém por causa de vocês, porque *Yahweh*, o seu Deus, é Deus em cima nos céus e embaixo na terra. **12**Então, agora, prometerão a mim, por *Yahweh*, porque

JOSUÉ 2:1-24 • ENQUANTO ISSO, NO BORDEL

mostrei comprometimento com vocês, que também mostrarão comprometimento com a casa de meu pai? Deem-me um sinal verdadeiro **13**de que vocês deixarão o meu pai e a minha mãe viverem, e meus irmãos e irmãs, e todos os que pertencem a eles, e que salvarão a vida deles da morte." **14**Os homens disseram a ela: "A nossa vida em lugar da de vocês, se não contar sobre a nossa atividade aqui. Quando *Yahweh* nos der a terra, mostraremos comprometimento e fidelidade com você."

15Assim, pela janela, ela os desceu por uma corda, porque a sua casa ficava no muro da fortificação e ela estava vivendo na fortificação. **16**Ela lhes disse: "Vão para as montanhas, para que os perseguidores não venham sobre vocês, e escondam-se lá por três dias, até que os perseguidores retornem. Depois, podem seguir o seu caminho."

[Nos versículos 17-24, os homens falam a Raabe para deixar uma corda vermelha em sua janela, de modo que os israelitas saibam onde ela e sua família estão, quando eles vierem tomar a cidade. Após se esconderem conforme ela disse, eles retornaram ao acampamento e reportaram o terror do povo local, uma indicação de que Yahweh *lhes deu a terra.]*

Neste comentário, Josué 2 é o único capítulo para o qual não tentei providenciar uma história de abertura, de acordo com o formato usual da série *O Antigo Testamento para todos*. Como poderia eu competir com a história real sobre a aventura desses dois bons rapazes judeus naquele prostíbulo, em Jericó (a mesma dinâmica se aplica à narrativa, em Gênesis 29, sobre Jacó acordando de manhã e descobrindo que desposara a garota errada), resultante da missão que lhes fora confiada por Josué?

O que, afinal, Josué pensa que está fazendo? Por que ele precisa enviar uma dupla de espias para investigar as coisas

JOSUÉ 2:1-24 • ENQUANTO ISSO, NO BORDEL

em Jericó? É como se o seu exército fosse atacar a cidade. Todavia, tudo o que Israel irá fazer é empreender uma procissão religiosa, soar as suas trombetas de chifre de carneiro e observar a queda dos muros da cidade. Será similar ao evento do **mar de Juncos**. Então, qual o motivo do reconhecimento? A questão recebe um ponto adicional pelo contraste com a anterior e malfadada história envolvendo espias, presente em Números 13 e 14. Naquela ocasião, a expedição fora ordenada por Deus, não por Moisés, embora os motivos de Deus para essa comissão não sejam claros, e pode-se até questionar se é uma espécie de teste; certamente, foi assim que terminou. Além disso, o próprio Moisés, mais tarde, falou dessa aventura como tendo sido ideia do povo (Deuteronômio 1:22). Desse modo, a iniciativa de Josué levanta certo questionamento.

Jericó é um oásis deslumbrante em uma paisagem árida, cerca de 300 metros abaixo do nível do mar, excessivamente quente no verão, mas agradável no inverno. Apesar de cercada por um deserto estéril, Jericó em si possui água em abundância; apenas algumas páginas antes, no Antigo Testamento, ela foi descrita como a Cidade das Palmeiras (Deuteronômio 34:3). Aparentemente, era como uma cidade do Velho Oeste norte-americano, com o *saloon* funcionando também como hospedaria para os viajantes ocasionais que passavam por Jericó, durante as suas viagens de norte ao sul, ao longo do vale do Jordão ou ainda, na rota leste-oeste, entre **Canaã** e Moabe (Elimeleque e Noemi, mais tarde, seguirão por essa rota, e Noemi retornará por ela com Rute), onde as mulheres que administravam o local também atuavam como cafetinas. As cidades cananeias, em geral, possuíam muros duplos, com espaço para moradias entre eles. Raabe, evidentemente, vive nesse local. Os rapazes não têm nenhuma opção, exceto permanecer ali, e o xerife sabe onde procurar por estrangeiros na cidade.

JOSUÉ 2:1-24 • ENQUANTO ISSO, NO BORDEL

Canaã compreende uma coleção de cidades-estado, cada qual com seu respectivo "rei" (ou xerife ou prefeito, como preferir), e com o controle da região ao redor dela. Tais cidades são independentes entre si, porém na época de Josué estavam sob o controle do Egito. Evidentemente, o xerife local sabe tudo sobre os israelitas posicionados no outro lado do Jordão. O comentário de Raabe sobre a cidade estar paralisada pela possibilidade de os israelitas cruzarem o rio a qualquer momento pode ser exagerado, mas o xerife sabe que não deve ignorá-los. Assim, ele possui delegados de olhos bem abertos para identificar estrangeiros com aparência suspeita, um dos quais manterá uma permanente vigilância defronte ao estabelecimento de Raabe. Ela compartilha da avaliação da situação pelo xerife, mas reage a ela distintamente.

A diferença pode refletir a relação de Raabe com a cidade. Diz-se que os homens têm sentimentos ambíguos sobre mulheres que disponibilizam os seus favores sexuais; eles tanto as utilizam quanto as desaprovam. Fatores econômicos, em geral, levam as mulheres ao comércio do sexo. Talvez Raabe fosse uma viúva. Obviamente, ela possui uma família pela qual se preocupar, mas é possível que tenham enfrentado tempos financeiros difíceis, e essa foi a maneira que ela aprendeu de sobreviver sem depender deles. Uma mulher como Raabe será uma figura marginal no seio da sociedade; parte dela, mas não, de fato, pertencente a ela. Assim, talvez seja mais fácil a ela reagir distintamente ao que as pessoas estão dizendo sobre os israelitas, do mesmo modo que será possível a mulheres como Maria Madalena reagir a Jesus de uma forma que a maioria dos pilares masculinos da sociedade não é capaz. Como as parteiras em Êxodo 1 ou outras mulheres na história de Israel, ela não se sente obrigada a contar às

JOSUÉ 2:1-24 • ENQUANTO ISSO, NO BORDEL

autoridades masculinas a verdade, quando não há nenhuma veracidade na maneira de eles próprios se comportarem.

Quando o rei ouve sobre um evento como a catástrofe ocorrida no mar de Juncos, ou sobre o destino dos reis do outro lado do Jordão (veja Deuteronômio 2—3), ele resolve duplicar os seus esforços para resistir aos invasores. Raabe está aberta a fazer deduções diferentes. Raabe, a cananeia, reage da mesma forma que Jetro, um homem midianita, ao ouvir sobre o milagre no mar de Juncos (veja Êxodo 19). Inúmeros outros homens e mulheres não israelitas acompanharam Israel, na saída do Egito, unindo-se a eles em sua peregrinação ao Sinai e, então, rumo à Terra Prometida; Jetro e Raabe fornecem a essas pessoas um nome e um rosto. Eles nos lembram que, desde o princípio, Israel não é um povo etnicamente exclusivo. Qualquer um preparado a reconhecer que *Yahweh* está por trás de tudo isso é livre para unir-se ao povo de *Yahweh*. Raabe lembra Rute na maneira pela qual os relacionamentos de **compromisso** mútuo entre ela e esses membros de Israel são a sua rota de reconhecimento de que *Yahweh* não é um mero deus tribal de Israel, mas "é Deus acima nos céus e embaixo na terra".

A **Torá** não tinha dado nenhuma indicação de que *Yahweh* faria qualquer exceção em sua decisão de expulsar os cananeus da terra ou que Israel deveria fazer exceções ao **devotar** os cananeus, mas os dois homens assumiram como certo que não há motivo para expulsar ou devotar qualquer um que se submeta a *Yahweh*. Tal como a declaração de Jonas de que toda a cidade de Nínive deve ser destruída, sempre que Deus acena com a destruição, a ameaça sempre pressupõe "a menos que você se arrependa". Raabe exemplifica a maneira sensível de reagir às ameaças de punição por parte de Deus. Ao lado de Rute, ela aparecerá na genealogia de Jesus em Mateus 1.

JOSUÉ **3:1–17**
SOBRE MOLHAR OS PÉS

¹Josué começou cedo de manhã. Eles se moveram de Acácias e chegaram ao Jordão, ele e todos os israelitas, mas pararam ali, antes de atravessarem. ²Após três dias, os oficiais passaram pelo acampamento ³e ordenaram ao povo: "Quando vocês virem o baú da aliança de *Yahweh*, o seu Deus, sendo carregado pelos sacerdotes levitas, vocês mesmos devem se mover de seus lugares e o seguirem ⁴(no entanto, deve haver uma distância entre vocês e o baú, cerca de 900 metros — não se aproximem dele), para que possam saber o caminho a seguir, porque vocês não passaram por este caminho antes." ⁵Josué disse ao povo: "Santifiquem-se, porque amanhã *Yahweh* fará maravilhas em seu meio." ⁶Josué disse aos sacerdotes: "Levantem o baú da aliança e sigam à frente do povo." Então, eles levantaram o baú da aliança e foram à frente do povo.

⁷*Yahweh* disse a Josué: "Neste dia começarei a tornar você grande aos olhos de todo o Israel para que possam reconhecer que eu estou com você assim como estive com Moisés. ⁸Você mesmo deve ordenar aos sacerdotes que carregam o baú da aliança: 'Quando chegarem à beira das águas do Jordão, fiquem no Jordão.'"

⁹Josué disse aos israelitas: "Venham aqui e ouçam as palavras de *Yahweh*, o seu Deus." ¹⁰Josué disse: "Por isto vocês reconhecerão que o Deus vivo está no seu meio e que ele despojará totalmente, diante de vocês, os cananeus, os hititas, os heveus, os ferezeus, os girgaseus, os amorreus e os jebuseus. ¹¹Ora, o baú da aliança do Senhor de toda a terra está passando para o Jordão à frente de vocês. ¹²Então, agora, escolham doze homens dos clãs israelitas, um homem para cada clã. ¹³Quando a planta dos pés dos sacerdotes carregando o baú de *Yahweh*, Senhor de toda a terra, pousar nas águas do Jordão, a água do Jordão quebrará rio acima e acumulará como um único monte." ¹⁴Então, o povo moveu-se de suas tendas para atravessar o

JOSUÉ 3:1-17 • SOBRE MOLHAR OS PÉS

Jordão, com os sacerdotes carregando o baú da aliança à frente do povo. **¹⁵**Quando as pessoas carregando o baú chegaram ao Jordão e os pés dos sacerdotes carregando o baú mergulharam na beira da água (o Jordão transborda em ambas as margens durante todo o período da colheita), **¹⁶**a água no Jordão parou rio acima. Ela subiu como um único monte, bem longe em Adã, uma cidade perto de Zaretã. Descendo para o mar da Estepe (o mar Morto), ela diminui completamente.

Assim, o povo atravessou perto de Jericó. **¹⁷**Os sacerdotes carregando o baú da aliança de *Yahweh* ficaram firmes em solo seco, no meio do Jordão, enquanto todo o Israel atravessava em solo seco, até que toda a nação tinha terminado de atravessar o Jordão.

Trata-se de uma bela imagem, "molhar os pés". Penso que sua origem reside nessa história. Em geral, não é possível alcançar, experimentar ou aprender algo sem assumir um compromisso que parece arriscado. Seria melhor ter uma prova de que tudo ficará bem antes de assumir o compromisso, porém a vida não funciona assim. Caso ceda à ansiedade de compromisso, viverá sem perigo, mas também sem vida. Desde a primeira vez que vimos pessoas voando de asa-delta nos Alpes franceses, a minha breve lista de coisas que gostaria de fazer antes de morrer passou a incluir "voar de asa-delta". Depois de algum tempo, na companhia de um amigo, dirigi até o sopé das montanhas situadas a nordeste de onde moro, a uma pista de pouso, onde deixamos o nosso carro, para sermos conduzidos por uma trilha íngreme e estreita, desprovida de proteção lateral, ao longo da encosta de uma montanha até o seu topo achatado (lembro-me de haver pensado que seria mais provável morrer com a *van* saindo da trilha do que voando de asa-delta). Depois de amarrado atrás de um instrutor experiente, corremos para a beira de um penhasco e saltamos. Para concretizar as suas ambições, em algum ponto, é preciso mergulhar de cabeça.

Quando os israelitas saíram do Egito, o salmo 114 recorda, "o mar olhou e fugiu, e o Jordão retrocedeu". Ao ler esse salmo, pode-se inferir que as travessias dos israelitas pelo **mar de Juncos** e pelo rio Jordão foram dois eventos ocorridos quase simultaneamente. Na realidade, foram separados por uma geração e, assim, ocorreram a duas gerações diferentes do povo, mas eles estão ligados entre si. Constituem os primeiros e os derradeiros passos de uma história, A travessia do mar de Juncos sucedeu a saída do Egito; a travessia do Jordão antecedeu a entrada em **Canaã**. A passagem pelo mar de Juncos conecta-se à ação de Deus para colocar os egípcios em seu devido lugar; a passagem pelo Jordão conecta-se à ação de Deus para fazer o mesmo com os cananeus. Os egípcios perderam o direito de reter os israelitas pela atitude que adotaram diante deles e de seu Deus. Os cananeus nada tinham feito contra os israelitas, pelos menos não até o povo de Israel bater à porta deles (veja as histórias em Números 20—21), e há uma percepção de que eles não podem ser acusados por então tomarem a iniciativa. Os cananeus e os israelitas não são inimigos naturais e não se mantêm em inimizade. No entanto, os cananeus perderam o direito à manutenção de seu território por causa da transgressão e da incredulidade da vida das pessoas, da sua ordem social e da sua religião — adotando, por exemplo, a prática de sacrificar os próprios filhos aos seus deuses (Gênesis 15:16; Deuteronômio 9.4; 12:31). É chegado o momento do julgamento deles, assim como ocorreu com os egípcios.

A lista das sete nações é bem tradicional. *Cananeu*s é um termo geral para os povos da região; os ***amorreus*** podem ter uma referência similar, mas, aqui, provavelmente, a menção denota o povo situado na margem leste do Jordão, a quem os israelitas já haviam derrotado. Os hititas, incluídos na passagem, será o povo ao redor de Hebrom, citado em conexão com Abraão. Os heveus desempenharão um importante papel no capítulo 9. Os jebuseus constituem o povo que vive em Jerusalém e são, por consequência, sobremodo relevantes à luz da futura importância dessa cidade. *Girgaseu* é apenas um nome, assim como *ferezeus*, embora etimologicamente o termo implique "aldeões", de maneira que pode não se referir a um grupo étnico, mas a um grupo social.

Josué 3 nos conta essa história para mostrar como ela traça um paralelo com a narrativa do mar de Juncos. Uma vez mais, Deus está operando "maravilhas". De novo, águas se levantam em uma "pilha" e as pessoas atravessam em "solo seco". Como a **libertação** no mar de Juncos levou o povo a confiar em Moisés, assim esses prodígios engrandecerão o novo líder aos olhos do povo. Josué 3 também nos relata essa história para mostrar o emparelhamento com a história mais ampla do êxodo-Sinai. Em preparação ao aparecimento de Deus no Sinai, os israelitas passaram três dias santificando a si mesmos. As preparações, aqui, serão similares àquelas do Sinai: os israelitas se manterão distantes de qualquer coisa que os tornaria tabu e incapazes de se aproximar de Deus (coisas como a morte ou transgressões morais e sexuais, porque são estranhas ao próprio ser de Deus). Eles precisam permanecer santos dessa maneira para testemunharem o agir de Deus. As instruções de Deus no Sinai, com frequência, alertam sobre chegar perto demais da presença real do assombroso e transcendente Deus, assim como os súditos, apropriadamente, hesitam em se aproximar em demasia de um rei. O povo deve permanecer por perto, no sentido de que devem estar comprometidos a seguir com atenção, porém devem ter na mente que estão na presença do Deus assombroso e transcendente. Ao mesmo tempo, a história tem avançado, desde que estavam no mar de Juncos. Agora, os israelitas possuem o **baú da aliança** para levar com eles. Trata-se de um símbolo mais concreto do que a coluna de nuvem e de fogo, que já não aparece mais.

A aparente referência aos israelitas atravessando no período da colheita é confusa. Ela, naturalmente, faria alguém pensar no alto verão ou no outono, mas o capítulo 5 localiza a travessia no tempo da Páscoa, na primavera, o que faz mais sentido. É na primavera que o rio está em sua cheia, após as chuvas de inverno; quanto mais próximo do verão, mais raso o rio se torna. Talvez a referência tenha em mente o início da longa temporada de colheita, que começa na Páscoa e segue até o outono. A travessia é um evento momentâneo, mas, mesmo na Páscoa, o rio seria transitável e atravessá-lo não demandaria um milagre. Como na libertação do mar de Juncos (necessária apenas por causa da estranha rota que Deus fez Israel tomar), o milagre do Jordão é uma extravagância por parte de Deus. Similar ao milagre no mar de Juncos, é uma expressão do poder e do compromisso de *Yahweh*, designado a encorajar os israelitas diante de tudo o que virá a seguir. Como o milagre do mar de Juncos, este também está aberto a ser "explicado" como um evento natural (um fortuito terremoto rio acima), embora isso tanto anule o ponto da história quanto torne a sua ocorrência menos miraculosa, naquele preciso momento.

JOSUÉ **4:1—5:1**
OLHANDO PARA A FRENTE E PARA TRÁS

[1]Quando toda a nação tinha terminado de atravessar o Jordão, *Yahweh* disse a Josué: [2]"Pegue doze homens dentre o povo, um de cada clã, [3]e lhes ordene: 'Carreguem doze pedras daqui, do

JOSUÉ 4:1–5:1 • OLHANDO PARA A FRENTE E PARA TRÁS

meio do Jordão, do lugar no qual os pés dos sacerdotes ficaram firmes. Levem-nas com vocês e as coloquem no lugar onde permanecerem para a noite.'" ⁴Assim, Josué convocou doze homens a quem ele indicou dentre os israelitas, um homem de cada clã. ⁵Josué lhes disse: "Atravessem à frente do baú de *Yahweh*, o seu Deus, ao meio do Jordão, e levantem por si mesmos, cada homem, uma pedra em seu ombro, de acordo com o número dos clãs israelitas, ⁶para que possam ser um sinal em seu meio. Quando os seus filhos, no futuro, perguntarem: 'O que são essas pedras para vocês?', ⁷devem dizer a eles: 'As águas do Jordão retrocederam diante do baú da aliança de *Yahweh*; quando ele passou pelo Jordão, as águas do Jordão retrocederam.' Essas pedras serão um memorial para os israelitas em perpetuidade." ⁸Os israelitas fizeram como Josué ordenou. Eles carregaram doze pedras do meio do Jordão, como *Yahweh* falou a Josué, de acordo com o número dos clãs israelitas, as levaram com eles para o lugar no qual ficariam e as colocaram ali. ⁹As doze pedras que Josué levantou (no meio do Jordão, no lugar onde os pés dos sacerdotes que carregavam o baú da aliança tinham ficado) estão lá até hoje. ¹⁰Os sacerdotes que carregavam o baú permaneceram no meio do Jordão até que tivesse terminado tudo o que *Yahweh* tinha ordenado a Josué dizer ao povo, de acordo com tudo o que Moisés ordenara a Josué. O povo atravessou rapidamente, ¹¹e, quando todo o povo tinha terminado a travessia, o baú de *Yahweh* e os sacerdotes atravessaram, diante do povo. ¹²Os rubenitas, gaditas e a metade do clã de Manassés atravessaram organizados em companhias, à frente dos israelitas, como Moisés lhes tinha falado. ¹³Cerca de quarenta mil homens, equipados para uma campanha, atravessaram diante de *Yahweh*, às planícies de Jericó, para a batalha. ¹⁴Naquele dia, *Yahweh* fez Josué grande aos olhos de todo o Israel. Eles o reverenciaram, assim como reverenciaram Moisés, todos os dias de sua vida.

¹⁵*Yahweh* disse a Josué: ¹⁶"Ordene aos sacerdotes que carregam o baú da declaração para saírem do Jordão." ¹⁷Então, Josué

JOSUÉ 4:1–5:1 • OLHANDO PARA A FRENTE E PARA TRÁS

ordenou aos sacerdotes: "Saiam do Jordão", [18]e, quando os sacerdotes que carregavam o baú da declaração de *Yahweh* saíram do meio do Jordão e a planta dos pés dos sacerdotes se levantou do solo seco, as águas do Jordão retornaram ao seu lugar e cobriram as margens como antes. [19]Quando o povo saiu do Jordão, no décimo dia do primeiro mês, eles acamparam em Gilgal, na fronteira leste de Jericó. [20]Aquelas doze pedras que eles tinham tirado do Jordão, Josué erigiu em Gilgal. [21]Ele disse aos israelitas: "Quando os seus filhos, no futuro, perguntarem aos seus pais: 'O que são essas pedras?', [22]digam aos seus filhos: 'Em terra seca Israel atravessou o Jordão, aqui', [23]porque *Yahweh*, o seu Deus, fez secar as águas do Jordão diante de vocês até vocês atravessarem, como *Yahweh*, o seu Deus, fez ao mar de Juncos, secando-o diante de nós até atravessarmos, [24]para que todos os povos da terra possam reconhecer quão poderosa é a mão de *Yahweh* e para que vocês possam reverenciar *Yahweh*, o seu Deus, todos os seus dias."

CAPÍTULO 5

[1]E, quando todos os reis amorreus, no lado oeste do Jordão, e todos os reis cananeus perto do mar [Mediterrâneo] ouviram como *Yahweh* secou as águas do Jordão diante dos israelitas até eles atravessarem, a resolução deles derreteu, e não havia mais espírito deixado neles por causa dos israelitas.

Ontem, eu estava compartilhando com uma mulher que perdeu o pai no mesmo mês em que perdi a minha esposa. Ela mencionou que a sua mãe não estava preparada para olhar para a frente, para imaginar como seria o futuro, mas conseguia somente olhar para trás, relembrar o que havia sido, enquanto ela, como filha, estava interessada em olhar para a frente, não para trás. "Estou do lado da sua mãe!", eu disse, para sua leve consternação. A conversa me ajudou a compreender a pergunta que uma terapeuta amiga me havia feito sobre que coisas novas eu imaginava poder fazer agora. Pareceu-me uma pergunta simplesmente estranha. Eu estava mais interessado em olhar para o passado, em alimentar lembranças, em recapturar o que passou (acabei de pendurar na parede, próxima à minha escrivaninha, algumas fotos de Ann, antes de sua enfermidade). Agora, percebo que, para algumas pessoas, essa era uma pergunta natural, mas não para mim no momento. Ambos, expectativa e lembrança são importantes. Pessoas como eu, propensas a relembrar, devem ser apoiadas, mas também encorajadas a ter expectativas; pessoas que são inclinadas a viver no futuro devem ser apoiadas, mas, igualmente, encorajadas a relembrar o passado.

Pelo bem da geração que está entrando em **Canaã**, Josué está cheio de expectativas com respeito ao que virá; pelo bem das futuras gerações, a lembrança é enfatizada. Na história posterior de Israel, Gilgal é um local de adoração importante. Com a perda de importância da antiga cidade de Jericó, esse local, situado no extremo de seu território, pode se tornar relevante para Israel como um local que celebra a sua chegada a Canaã. Ali, Samuel lidera Israel na confirmação da indicação de Saul como rei; por duas vezes, durante o tempo de Saul, este é um local de sacrifício (1Samuel 11—15); ali, Elias e Eliseu mantiveram uma base (2Reis 1—4); e Oseias e Amós citam Gilgal como lugar de sacrifício e peregrinação. Pode-se imaginar o cenário de Josué sendo concretizado enquanto famílias israelitas se reúnem ali para um festival e as crianças apontando para as doze pedras e perguntando o que elas significam. E, caso elas não o façam por estarem muito ocupadas brincando e nadando no rio, de qualquer maneira, os seus pais lhes contarão quando se assentarem para jantar.

A história, agora, torna explícito o paralelo entre as travessias do Jordão e do **mar de Juncos**, bem como o evento maior do êxodo. À semelhança da primeira travessia, no mar de Juncos, esta é designada a demonstrar o poder de *Yahweh* para todo o mundo, e a descrição dos reis **amorreus** e **cananeus** dissolvendo-se em medo confirma o relato de Raabe sobre a disposição deles e indica que as palavras de Josué estão se cumprindo. Por sua vez, esse reconhecimento de *Yahweh* por outros povos tem como objetivo provocar uma submissão obediente por parte de Israel que perdure por toda a vida. Da mesma forma que o evento do mar de Juncos levou Israel a reverenciar Moisés, o episódio ocorrido no Jordão levou o povo a reverenciar Josué. Assim com os israelitas empreenderam a sua jornada do Egito ao mar de Juncos "organizados em companhias", igualmente os rubenitas, gaditas e metade do clã de Manassés cruzaram o Jordão "organizados em companhias" (a expressão aparece somente nesses dois contextos). Como os israelitas cruzaram o mar de Juncos em "solo seco", assim também eles atravessaram o Jordão "em solo seco" (a maioria das ocorrências dessa expressão aparece em uma dessas conexões). As águas do mar de Juncos retornaram ao seu lugar usual assim que os israelitas atravessaram, fato que se repetiu com as águas do Jordão. Ainda, os israelitas cruzaram o rio e levantaram acampamento em Gilgal no dia que significava o início da observância da Páscoa, com sua celebração mais ampla da saída do Egito.

Israel não desenvolveu nenhuma tradição de peregrinação ao lugar onde eles foram **libertos** no mar de Juncos (ou ao Sinai, cuja localização, por consequência, tornou-se incerta). A longa distância pode ser um dos motivos. Localizar as doze pedras em Gilgal e retratar a travessia do Jordão como uma repetição do evento do mar de Juncos significava que uma peregrinação a Gilgal poderia se tornar uma lembrança tanto da libertação no mar de Juncos quanto da chegada do povo em Canaã. É possível imaginar os sacerdotes reencenando e revivendo o evento diante do povo. Talvez isso explique parte da irregularidade e salto na narrativa — por exemplo, superficialmente o relato parece falar das doze pedras erigidas no meio do rio, assim como as doze pedras edificadas em Gilgal, embora o mais provável é que ambas as citações façam referência ao mesmo conjunto. Trata-se de um relato tanto de uma comemoração anual quanto do próprio evento.

JOSUÉ **5:2–15**
DE QUE LADO VOCÊ ESTÁ? NENHUM

²Naquele tempo, *Yahweh* disse a Josué: "Faça facas de pederneira e circuncide os israelitas novamente, uma segunda vez." ³Então, o próprio Josué fez facas de pederneira e circuncidou os israelitas na colina dos Prepúcios. ⁴Essa é a razão pela qual Josué os circuncidou. Todo o povo que saiu do Egito, os homens, todos (os homens no exército) tinham morrido no deserto, a caminho, após saírem do Egito. ⁵Embora todo o povo que saiu tenha sido circuncidado, eles não tinham circuncidado as pessoas nascidas no deserto, a caminho, após saírem do Egito. ⁶Porque, durante quarenta anos, os israelitas tinham perambulado no deserto até que toda a nação (os homens no exército que saíram do Egito) se foi, as pessoas que não tinham ouvido a voz de *Yahweh* e a quem *Yahweh* tinha jurado não deixar ver a terra que *Yahweh* prometeu aos seus ancestrais nos dar, uma terra que mana leite e mel. ⁷Mas ele criou os seus filhos no lugar deles. São esses que Josué circuncidou, pois eram incircuncisos, porque não tinham sido circuncidados no caminho. ⁸Quando terminaram de circuncidar toda a nação, eles permaneceram onde estavam no acampamento até se recuperarem. ⁹*Yahweh* disse a Josué: "Hoje, rolei para longe a vergonha dos egípcios sobre vocês." Aquele lugar tem sido

chamado de Gilgal ["Rolante"] até este dia. **10**Os israelitas acamparam em Gilgal e observaram a Páscoa no décimo quarto dia, à tarde, nas planícies de Jericó. **11**Eles comeram o produto da terra no dia após a Páscoa, pão asmo e grão torrado, naquele mesmo dia. **12**O maná parou no dia seguinte após eles comerem o produto da terra. Não houve mais maná para os israelitas, mas eles comeram, naquele ano, da produção de Canaã.

13Quando Josué estava em Jericó, ele olhou para cima e viu um homem parado em frente dele, com a espada desembainhada na mão. Josué foi a ele e disse: "Você é por nós ou por nossos inimigos?" **14**Ele disse: "Não, porque é como comandante do exército de *Yahweh* que eu, agora, venho." Josué caiu ao chão diante dele, prostrou-se e lhe disse: "O que, meu senhor, irás dizer ao teu servo?" **15**O comandante do exército de *Yahweh* disse a Josué: "Tire os sapatos dos seus pés, porque o lugar onde você está é sagrado." Josué assim o fez.

Nesta semana, discutimos o livro de Jó em sala de aula. Abandonei a ideia de dar uma palestra já definida sobre o livro porque, ao lerem o livro como tarefa preparatória, os alunos vieram para a aula repletos de questões e assuntos que gostariam de discutir. Assim, achei por bem adotar essa forma de agenda para a aula. Um dos estudantes mostrou-se preocupado pelo fato de Jó, como indivíduo, parecer apenas um peão na história, bem como pela tratativa de Deus com o mundo. Em nossa cultura, isso parece ser obviamente errado, porque é o indivíduo que importa, e concluímos que essa seja a perspectiva bíblica. Ironicamente, alguém mencionou João 3:16, nessa conexão: "Porque Deus tanto amou o mundo", como se o apóstolo estivesse dizendo: "Porque Deus amou cada indivíduo." Na verdade, João escreve que Deus amou o *kosmos*, o mundo como um todo, o mundo como um sistema.

Claro que Deus ama cada um de nós, como indivíduos, porém essa não é a única prioridade divina. Na realidade, esse é um ponto que Deus, ocasionalmente, expressa a Jó. Ele, como indivíduo, não é o centro do mundo. Existem outros aspectos para a atividade de Deus no mundo do que assegurar que Jó tenha uma vida confortável e inteligível.

O comandante do exército de Deus estabelece um ponto similar no fascinante diálogo com Josué. A sua aparição diante de Josué fornece outro paralelo com a história de Moisés, já que equivale à presença de Deus na sarça ardente, embora, dessa vez, ela afirme uma autoridade sobre Josué distinta daquela aplicada a Moisés. Além disso, embora ficasse imediatamente evidente a Moisés que ele estava sendo confrontado por algo extraordinário, não há nada claramente sobrenatural na aparição do comandante. Ele é apenas um guerreiro. Assim, ele está do lado de Israel ou dos adversários? Josué questiona. O homem se recusa a aceitar essa formulação da questão. Josué precisa considerar mais seriamente que ele e seu exército são parte de um quadro maior.

Aquela parte final do capítulo leva diretamente à história da queda de Jericó. A ordem de Deus para Moisés retirar as sandálias porque ele está pisando em solo sagrado leva à declaração da intenção de **libertar** Israel do Egito e à comissão de ir ao faraó dizer-lhe para deixar Israel ir. O paralelo da ordem do comandante a Josué conduz à declaração de Deus da intenção de entregar Jericó ao seu poder e à ordem para rodear a cidade, com o objetivo de forçar a sua rendição a Israel.

O relato da circuncisão e da Páscoa conclui a transição do deserto para a chegada do povo a Canaã. Existem, ainda, paralelos adicionais em relação ao êxodo. No episódio anterior, os israelitas celebraram a Páscoa antes de Deus, de fato, fazer algo para tirá-los do Egito; tratou-se de uma encenação empreendida pela fé e como uma expressão da convicção quanto ao que Deus estava prestes a realizar. Aqui, os israelitas celebram a Páscoa no dia determinado e comem pão asmo, segundo o padrão. Eles estão, portanto, comendo o produto da Terra Prometida. A ação deles corrobora o fato de terem chegado à terra que Deus lhes prometeu e de não mais precisarem da provisão especial recebida no deserto. Todavia, trata-se de um ato de fé e esperança ultrajante. Eles atravessaram o Jordão e entraram na terra, mas de forma que pareceram apenas como alguns imigrantes mexicanos que se arrastaram para cruzar a fronteira norte-americana. Os seus problemas estão apenas no início. Os israelitas estão se comportando como se a ocupação da terra estivesse concluída, quando, na realidade, ainda não enfrentaram nenhum dos habitantes locais daquela região.

Talvez isso enfatize ainda mais a importância da circuncisão em massa que precede a celebração da Páscoa. Não é possível celebrar a Páscoa sem ser circuncidado, pois é o sinal do compromisso de Deus com o povo, por meio de **aliança**, e o sinal do compromisso responsivo do povo, em aliança. É surpreendente descobrir que ninguém foi circuncidado desde a saída do povo do Egito. Nenhum deles havia recebido o sinal da aliança! A passagem, talvez, implique que a falha em circuncidar os filhos seja outra demonstração da transgressão da geração do deserto. Assim, agora, é como se a circuncisão fosse instituída uma segunda vez, e o recebimento desse sinal por parte deles significa que os israelitas estão, definitivamente, restabelecidos como o povo da aliança, a quem Deus está prestes a cumprir a segunda metade daquele compromisso declarado no Egito. O estágio um os levou para fora da terra onde serviram ao governo egípcio; o estágio dois os levará à terra onde servirão a Deus. Talvez a "reprovação aos egípcios" tenha ligação com isso. Eles olhavam o mundo como se Deus fosse incapaz de levar Israel à sua nova terra ou simplesmente os tivesse abandonado, e Moisés, mais de uma vez, imaginou os egípcios afirmando isso (por exemplo, Deuteronômio 9:28). A chegada do povo à terra e o restabelecimento do sinal da aliança removem a base para qualquer suposição equivocada. Deus enfatiza esse ponto por meio de um jogo de palavras característico. O nome Gilgal lembraria o povo de uma palavra hebraica para "rolar para longe", *galal*. A circuncisão em massa, em Gilgal, é como se Deus houvesse rolado para longe qualquer sugestão de ter abandonado o povo.

O repentino "nos dar", no versículo 6, chama a atenção para o fato de que ler Josué não significa meramente ler um pedaço de história objetiva. Essa é uma história escrita para as pessoas ouvirem, pessoas que se identificam com os israelitas envolvidos nos eventos. Para alguns leitores israelitas, essa seria uma história de como Deus cumpriu as promessas feitas a "nós" sobre "nos" dar a terra da qual desfrutamos. Para outros leitores israelitas, seria a história sobre como Deus cumpriu aquelas promessas com respeito à terra que "nós", entretanto, não mais desfrutamos porque fomos expulsos dela, assim como os **cananeus** o foram, e pelos mesmos motivos. Todavia, talvez esse não seja o fim da história. É possível que a misericórdia de Deus pelos filhos da geração do deserto seja um padrão que pode ser repetido com relação à geração do **exílio**...

JOSUÉ **6:1–21**
SOEM AS TROMBETAS

¹Ora, Jericó estava fechada por dentro e por fora por causa dos israelitas. Ninguém estava saindo e ninguém estava entrando. ²Mas *Yahweh* disse a Josué: "Veja, entreguei Jericó e seu rei [e]

JOSUÉ 6:1-21 • SOEM AS TROMBETAS

seus homens de luta em suas mãos. ³Todos os guerreiros devem ir ao redor da cidade, circulando a cidade uma vez. Devem fazer isso por seis dias, ⁴enquanto sete sacerdotes carregam sete trombetas de chifre de carneiro à frente do baú. No sétimo dia, vocês devem ir ao redor da cidade sete vezes, enquanto os sacerdotes soam as trombetas. ⁵Ao soar da trombeta de chifre de carneiro, quando ouvirem o barulho da trombeta, toda a companhia deve dar um grande grito, e o muro da cidade cairá e a companhia subirá, cada pessoa em frente."

⁶Então, Josué, filho de Num, convocou os sacerdotes e lhes disse: "Carreguem o baú da aliança enquanto sete sacerdotes carregam sete trombetas de chifre de carneiro à frente do baú de *Yahweh*." ⁷Ele disse à companhia: "Passem adiante, vão ao redor da cidade, enquanto as pessoas equipadas para uma campanha passam adiante do baú de *Yahweh*." ⁸Quando Josué tinha falado ao povo, os sete sacerdotes carregando as sete trombetas de chifre de carneiro passaram diante de *Yahweh* e sopraram as trombetas, com o baú da aliança de *Yahweh* os seguindo, ⁹e as pessoas equipadas para uma campanha indo à frente dos sacerdotes que sopravam as trombetas, e a retaguarda continuando a seguir o baú, com as trombetas soando. ¹⁰Josué ordenou à companhia: "Vocês não gritarão, não farão ouvir a sua voz, nenhuma palavra sairá de sua boca, até a hora que eu lhes disser: 'Gritem!', e vocês gritarão." ¹¹Assim, ele fez o baú de *Yahweh* ir ao redor da cidade, circulando-a uma vez; então, eles vieram ao acampamento e passaram a noite no acampamento. ¹²Josué levantou-se cedo, na manhã seguinte, e os sacerdotes levaram o baú de *Yahweh*, ¹³enquanto os sete sacerdotes carregando as sete trombetas de chifre de carneiro seguiam à frente do baú de *Yahweh* e tocavam as trombetas, com as pessoas equipadas para uma campanha indo à frente deles e a retaguarda continuando a seguir o baú de *Yahweh*, e com as trombetas soprando. ¹⁴Eles foram ao redor da cidade uma vez, no segundo dia, e retornaram ao acampamento. Assim eles fizeram por seis dias.

JOSUÉ 6:1-21 • SOEM AS TROMBETAS

[15]No sétimo dia, eles começaram cedo, ao amanhecer, e foram ao redor da cidade, de acordo com essa rotina, sete vezes; somente naquele dia eles foram ao redor da cidade por sete vezes. [16]Na sétima vez, os sacerdotes soaram as trombetas, e Josué disse à companhia: "Gritem, porque *Yahweh* lhes entregou a cidade. [17]A cidade deve ser um objeto devotado a *Yahweh*, ela e tudo nela, exceto Raabe, a prostituta, que deve permanecer viva, ela e todos com ela na casa, porque ela escondeu os ajudantes que enviei. [18]Somente vocês tenham cuidado quanto àquilo que deve ser devotado para que não se tornem algo que deve ser devotado. Se pegarem alguma coisa do que deve ser devotado, vocês tornarão o acampamento israelita em algo que deve ser devotado. Trarão problemas sobre ele. [19]Toda prata, todo ouro e os objetos de bronze e de ferro são santos a *Yahweh*. Eles devem ir para o tesouro de *Yahweh*."

[20]Então, a companhia gritou quando eles soaram as trombetas. Ao ouvir o som da trombeta, a companhia deu um grande grito, o muro caiu, e a companhia subiu à cidade, cada pessoa em frente, e capturaram a cidade. [21]Eles devotaram tudo na cidade, homem e mulher, jovem e velho, boi, ovelha e jumento, a fio de espada.

Em Nova Orleans, durante uma reunião no fim de semana (eu tenho um emprego muito difícil), conversei com Tom Wright, autor da série *O Novo Testamento para todos*, e com a equipe dos editores. Na ocasião, enfatizei que o aspecto mais exigente desse projeto é ter uma história para iniciar cada capítulo. Então, alguém perguntou se eu seria capaz de incluir uma referência a Nova Orleans. Cumprir essa tarefa foi deveras fácil, porque também passei algum tempo ouvindo os trompetistas locais. No *Preservation Hall*, acompanhei uma banda com uma configuração do autêntico e tradicional *jazz*, com a linha de frente composta de clarinete, trompete e trombone, antes de o saxofone ser importado das bandas de dança. Ao ar livre, na *Bourbon Street*, havia uma banda com uma característica antiga, uma tuba em lugar do baixo. Essa música começou como música de marcha; não é possível marchar e tocar baixo ao mesmo tempo.

Aqui está Josué com uma banda de marcha original, soprando chifres literais (feitos de chifre de carneiro para fazer barulho, não tocar uma melodia), não trompetes de metal (eles aparecem somente mais tarde em Israel). *"Joshua fit the battle of Jericho"* [Josué lutou na batalha de Jericó], diz a letra de uma canção que não ouvi uma dessas bandas tocar, porém Josué não lutou. Não houve batalha em Jericó. Se houve alguém que lutou em Jericó, assim como no **mar de Juncos**, não foram os israelitas, mas Deus. Os israelitas simplesmente marcham, soam trombetas e gritam bem alto. Embora haja, de fato, uma procissão por uma banda marcial, o envolvimento essencial dos sacerdotes torna o ato mais parecido com as procissões nos arredores das paróquias que as igrejas, às vezes, promovem. A presença do **baú da aliança** significa a presença de Deus. Quando os israelitas realizam a sua malfadada tentativa de conquistar **Canaã** por sua própria força, houve uma ligação entre o fracasso deles e o fato de não levarem o baú com eles (Números 14:44). No entanto, em uma ocasião posterior, eles o levaram em outra malsucedida expedição, e isso não funcionou (1Samuel 4). Se o projeto for de Deus, o baú como símbolo do relacionamento de aliança com Deus será um sinal efetivo da presença divina.

Então, eles **devotaram** as coisas e o povo de Jericó. Devotar coisas significa entregá-las a Deus. Isso, algumas vezes, implica entregá-las para o serviço de Deus, mas em outras ocasiões implica a execução delas, e ambos os significados se aplicam a essa narrativa. O saque de Jericó deve ser guardado no tesouro do santuário; os viventes devem ser executados. Na introdução, observamos como isso, usualmente, suscita questionamentos por parte de cristãos e judeus no contexto da modernidade e sugerimos algumas considerações a serem levadas em conta nessa reflexão. Retornaremos a elas em conexão com Josué 10:22-27.

Há outro assunto relacionado. Como outras cidades da Antiguidade, Jericó engloba uma enorme colina formada pelas ruínas de uma sequência de cidades acumuladas ao longo dos séculos, como as camadas de um bolo. Cada vez que uma cidade é destruída por um incêndio ou uma guerra, o seu povo cobre as ruínas e constrói novamente sobre elas. Assim, descobrimos a história de uma cidade por meio de escavações nessas camadas e buscando interpretar as suas ruínas. Ao visitar Jericó, você permanece no topo das ruínas de um monte e olha para baixo, em direção às áreas escavadas que são, paradoxalmente, muito mais velhas que o lugar onde você está posicionado.

Antes de ir à Nova Orleans, planejei introduzir esse capítulo com uma história da visita que, certa feita, fiz a Jericó, onde a cidade moderna foi edificada ao longo da cidade antiga. Com bom humor, porém certa dose de seriedade, um guia turístico local garantiu ao seu grupo que, se eles descessem à escavação e olhassem pelos muros ali, seria possível encontrar a trombeta de Josué. Os muros para os quais ele estava apontando eram, na realidade, alguns milhares de anos mais antigos que os muros dos tempos de Josué. Não existem ruínas de Jericó pertencentes à época de Josué. Parece não haver habitantes em Jericó nesse período. Isso sugere que a história da conquista de Jericó por Josué é apenas uma história, uma sugestão que tanto pode nos causar ansiedade ou nos dar alívio. Não estou certo se é para tanto. Esse fato não nos livra do gancho das questões sobre a moralidade da história. Essa é a história que Deus se agradou em ter em seu livro, e é ela que as pessoas leem; poucas leem os relatórios arqueológicos. Aparentemente, Deus apreciou registrar a história com seu relato sobre como os cananeus mereciam o juízo e como Deus utilizou Josué para exercer esse juízo sobre eles.

Caso se trate de uma história mais ou menos fictícia, em algum estágio os israelitas devem ter sabido. Então, porque eles a contaram? Uma resposta plausível é que a narrativa simboliza vividamente o fato de a terra ter sido entregue a Israel por Deus. Israel não obteve o controle da terra por seus próprios esforços. Tudo o que eles fizeram foi marchar em volta, soar as trombetas e gritar. E, por ser verdade que Deus entregou a terra a Israel e ela não ter sido conquistada pelos esforços israelitas, não importa muito quão factual seja a história vívida e concreta que ilustra aquela verdade. Podemos, então, reconhecidamente, questionar como ter certeza de que Deus entregou a terra a Israel se não for com base na veracidade dessa história. Devemos lembrar, então, que, mesmo que a queda de Jericó tenha ocorrido, de fato isso ainda não constitui uma prova de que Deus deu a terra aos israelitas. Isso envolve um passo de fé. Na realidade, aceitar que Deus entregou Canaã a Israel constitui parte de um passo maior de fé envolvido em seguir a história mais abrangente do Antigo e do Novo Testamentos.

JOSUÉ **6:22—7:15**
QUEM SÃO OS VERDADEIROS CANANEUS?

[22]Mas, aos dois homens que tinham investigado a terra, Josué disse: "Vão à casa da prostituta e tirem de lá a mulher e todos os que pertencem a ela, como lhe prometeram." [23]Assim, os

JOSUÉ 6:22–7:15 • QUEM SÃO OS VERDADEIROS CANANEUS?

jovens que tinham feito a investigação foram e trouxeram Raabe, o pai e a mãe dela, seus irmãos e todos os que lhe pertenciam. Eles trouxeram toda a sua família e os colocaram fora do acampamento israelita. ²⁴Então, queimaram a cidade e tudo nela, exceto a prata, o ouro e os objetos de bronze e ferro, que colocaram no tesouro da casa de *Yahweh*, ²⁵mas Josué deixou Raabe, a prostituta, viver, com a casa de seu pai e todos o que lhe pertenciam. Ela viveu no meio de Israel até este dia, porque escondeu os ajudantes de Josué enviados para investigar Jericó.

²⁶Naquele tempo, Josué jurou: "Maldito diante de *Yahweh* seja o homem que se comprometer a construir essa cidade de Jericó. Ao custo de seu primogênito, possa ele fundar isso, e ao custo de seu mais novo possa ele colocar seus portões." ²⁷*Yahweh* estava com Josué, e sua fama se espalhou por toda a terra.

CAPÍTULO 7

¹Mas os israelitas quebraram a fé com respeito a devotar as coisas quando Acã, filho de Carmi, filho de Zabdi, filho de Zerá, do clã de Judá, pegou algumas das coisas que deviam ser devotadas, e a ira de *Yahweh* se acendeu contra os israelitas.

²Josué enviou homens de Jericó a Ai, que fica perto de Bete--Áven (a leste de Betel), dizendo-lhes: "Subam e investiguem a terra." Então, os homens subiram, investigaram Ai, ³volta-ram a Josué e lhe disseram: "Toda a companhia não deveria subir. Uns dois ou três mil homens deveriam subir e derrubar Ai. Não deveria cansar toda a companhia ali, porque eles são uma comunidade pequena." ⁴Assim, uns três mil da compa-nhia subiram, mas eles fugiram diante dos homens de Ai. ⁵Os homens de Ai derrubaram cerca de 36 deles e os perseguiram [desde] a frente do portão até as pedreiras e os derrubaram na encosta. A resolução do povo derreteu e se tornou em água, ⁶e Josué rasgou as suas roupas e prostrou-se com o rosto em terra, diante do baú de *Yahweh* até o anoitecer, ele e os anciãos israelitas, e colocaram terra sobre a cabeça. ⁷Josué disse:

JOSUÉ 6:22–7:15 • QUEM SÃO OS VERDADEIROS CANANEUS?

"Ó Senhor *Yahweh*, por que trouxeste este povo através do Jordão, afinal, a fim de nos entregar na mão dos amorreus para nos destruir? Antes nos contentássemos em viver do outro lado do Jordão. ⁸Quanto a mim, Senhor, o que devo dizer após Israel ter dado as costas diante de seus inimigos? ⁹Os cananeus e todos os habitantes da terra ouvirão e se voltarão contra nós e cortarão o nosso nome da terra, e o que farás quanto ao teu grande nome?"

¹⁰*Yahweh* disse a Josué: "Levante-se. Por que você está prostrado aí? ¹¹Israel errou. Sim, eles violaram a minha aliança que lhes ordenei. Sim, pegaram algumas das coisas que deviam ser devotadas. Sim, roubaram coisas. Sim, agiram enganosamente. Sim, colocaram as coisas em seus sacos. ¹²Os israelitas não serão capazes de ficar em pé diante de seus inimigos. Eles darão as costas diante de seus inimigos porque se tornaram em algo a ser devotado. Não estarei com vocês novamente, a não ser que destruam de seu meio a coisa que deve ser devotada. ¹³Levante-se, santifique o povo. Diga: 'Santifiquem-se para amanhã, porque *Yahweh*, o Deus de Israel, disse isso: "Há algo a ser devotado em seu meio, Israel. Vocês não podem ficar em pé diante de seus inimigos até que tenham removido o que deve ser devotado de seu meio." ¹⁴De manhã, vocês devem se apresentar por seus clãs. O clã que *Yahweh* escolher deve se apresentar por grupos de parentesco. O grupo de parentesco que *Yahweh* escolher deve se apresentar por famílias. A família que *Yahweh* escolher deve se apresentar homem por homem. ¹⁵Aquele que for apanhado na rede deve ser queimado no fogo, ele e todos os que pertencem a ele, porque ele transgrediu a aliança de *Yahweh* e porque cometeu uma afronta em Israel.'"

Tenho tentado confrontar Deus, mas isso não tem funcionado bem, porque Deus é capaz de confrontar de volta (como Jó descobriu). Certa feita, quando estava exasperado por causa da enfermidade de minha esposa, eu disse a Deus: "Não confio em ti com relação a Ann"; e senti Deus replicando: "Confiaria em você com relação a Ann caso você fosse eu?" (a resposta, claro, foi "Não"). Em outra ocasião, eu disse a Deus: "Não concordo muito com a maneira de lidares com a Ann"; e senti Deus respondendo: "O modo de eu tratar Ann é entre ela e mim; não respondo a você." Foi uma resposta dura, decerto, mas estranhamente útil. Ao falar com franqueza, é possível que receba uma resposta igualmente franca, mas isso é melhor do que falar indiretamente e, por conseguinte, não obter uma resposta que expresse o pensamento de Deus e faça você pensar sobre as coisas de um modo diferente.

Josué conclui que não há problemas em confrontar Deus; ele também descobre que Deus confronta de volta. O seu argumento sobrepõe-se ao de Moisés, quando Deus ameaçou abandonar Israel; o nome de Deus será desacreditado por essa ação. Todavia, Moisés sabia que o povo de Israel estava errado. Em certo sentido, não se pode acusar Josué por desconhecer isso, mas por simplesmente assumir que o problema reside em Deus. Ou, talvez, seja assim que as coisas, com frequência, funcionam numa relação. Posso, facilmente, presumir que estou certo e que o erro está na outra pessoa, mas, quando expresso o que penso, descubro que a outra pessoa possui uma perspectiva distinta da situação, uma que me faz engolir as minhas próprias palavras. É possível que, em teoria, pudesse ter refletido mais sobre isso e sido menos confrontador, mas o mais importante é que o assunto seja resolvido. Há momentos para o protesto e momentos para a autoanálise, mas a pessoa pode descobrir que esse autoexame ocorre apenas quando tratamos o conflito como um tempo para o protesto.

Em Josué 6 e 7, Raabe e Acã são justapostos, uma **cananeia** que não se comporta como uma cananeia e um israelita que não age como um israelita. Na verdade, Raabe é uma versão extrema de um cananeu, já que ela incorpora a propensão à imoralidade sexual que os israelitas associam com os cananeus, enquanto Acã vem do coração de Israel, do clã do qual Davi procede. Israel sabia que a distinção entre Israel e Canaã era étnica, mas também que isso era verdade apenas no plano superficial. A **Torá** vê Israel como uma comunidade aberta. Pessoas oriundas de outros grupos étnicos, comprometidas com o Deus de Israel (convertidas, se preferir), tornavam-se membros efetivos de Israel. Às vezes, ocorre de serem refugiados, imigrantes ou estrangeiros residentes, que passam a viver em uma comunidade israelita e escolhem unir-se a ela no sentido mais apropriado do que simplesmente permanecer ali como forasteiro. Em outras, são pessoas como Jetro, o sogro de Moisés, ou Raabe, que ouviram o que Deus fez por Israel e sabem que devem responder a isso.

Desde antes dos tempos do Novo Testamento, o judaísmo tem sido, com frequência, uma religião missionária e, por diversos motivos, muitas pessoas têm se unido ao povo judeu. Muitos judeus, vivos hoje, não são fisicamente descendentes de Jacó e de seus filhos. Isso não os torna membros inferiores de Israel. A adoção torna você membro genuíno de uma família. Reconhecidamente, as coisas parecem ser um pouco diferentes com relação a Raabe. Da mesma forma que outras pessoas na história do Antigo Testamento, como Rute, "a moabita", e Urias, "o hitita", as pessoas sempre souberam o histórico étnico de Raabe, e uma função de sua história é explicar como essa família cananeia, em particular, veio a ser parte de Israel "até este dia", o dia das pessoas que contam a história. Essa narrativa relembrava o povo de que, apesar de toda a conversa sobre destruir ou **devotar** os cananeus, Deus nunca foi contra os cananeus em si. Sempre seria possível a eles acreditarem em **Yahweh** e se comprometerem com a filiação a Israel.

Ao contrário, apenas o fato de ser fisicamente um israelita não o eximia de ser devotado nesse sentido fatal. De todo modo, o compromisso supera a etnia. Da mesma forma, Deus não lida com as pessoas separadamente de suas famílias. Quão grande salvadora Raabe foi! Por meio de seu envolvimento no comércio sexual, ela salvou a sua família da pobreza ou da servidão e, então, salvou os espias israelitas. Depois, salvou a sua família por se comprometer com *Yahweh*. Por outro lado, Acã trouxe o tipo errado de devotação sobre a sua família pela quebra da fé com *Yahweh*. Indivíduos podem se dissociar de suas famílias; a esposa de Ló fez isso, assim como Rute. Todavia, a história relembra às culturas individualistas que não somos apenas indivíduos isolados. Ter fé e quebrar a fé tende a manter a família unida.

JOSUÉ **7:16–26**
A COBIÇA PODE MATAR

[16]Cedo, na manhã seguinte, Josué levou Israel a se apresentar por seus clãs, e o clã de Judá foi escolhido. [17]Ele fez o clã de Judá se apresentar e tomou o grupo de parentesco de Zerá. Ele fez o grupo dos zeraítas se apresentarem, homem por homem, e Zabdi foi escolhido. [18]Ele fez a sua família se apresentar, homem por homem, e Acã, filho de Carmi, filho de Zabdi, filho de Zerá, da tribo de Judá, foi escolhido. [19]Josué disse a Acã: "Meu filho, você dará honra a *Yahweh*, o Deus de Israel, e fará confissão a ele? Irá me contar o que você fez? Não esconda isso de mim." [20]Acã replicou a Josué: "É verdade. Eu sou aquele que fez mal contra *Yahweh*, o Deus de Israel. Isso foi o que eu fiz. [21]Vi no espólio uma fina capa de Sinear, duzentos siclos de prata e uma barra de ouro, pesando cinquenta siclos. Eu os

JOSUÉ 7:16-26 • A COBIÇA PODE MATAR

cobicei e os tomei. Estão enterrados no chão, dentro de minha tenda, com a prata por baixo." ²²Josué enviou ajudantes, e eles correram à tenda, e ali estavam enterrados em sua tenda, com a prata por baixo. ²³Eles os pegaram de dentro da tenda, os levaram a Josué e a todos os israelitas, colocando-os diante de *Yahweh*. ²⁴Josué tomou Acã, filho de Zerá, a prata, a capa, a barra de ouro, seus filhos, suas filhas, seu boi, seu jumento, seu rebanho, sua tenda, tudo o que ele tinha, e, com todo o Israel, ele os levou ao vale do Problema. ²⁵Josué disse: "Como você nos trouxe problemas! *Yahweh* trará problema sobre você este dia." Então, todo o Israel atirou pedras nele. Eles os queimaram no fogo e os atingiram com pedras, ²⁶levantando uma grande pilha de pedras sobre eles até este dia. E *Yahweh* se afastou de sua ira ardente. Eis por que aquele lugar tem sido chamado de vale do Problema até este dia.

Hoje, enquanto escrevo estas palavras, é a chamada Black Friday, quando as lojas esperam transformar suas contas negativas em positivas, à medida que o fim do ano se aproxima. As pessoas passarão a noite em filas ou amargarão horas de loucura para comprar uma TV de última geração por um preço promocional. No ano passado, um funcionário do Walmart foi pisoteado até a morte quando as portas da sua loja foram abertas. Sim, a cobiça pode matar ou, pelo menos, causar ataques do coração ou tensões familiares. Quando eu tinha nove anos, meus pais administravam uma pequena loja, e eu costumava roubar dinheiro da caixa registradora. Certa ocasião, a minha mãe me flagrou e me obrigou a confessar o delito ao meu pai. Fiz isso com contrição, mas o que realmente sentia era remorso por ter sido descoberto e não parei imediatamente; passei simplesmente a agir com mais cuidado e menos frequência (na verdade, parei logo depois).

Como nós, O Antigo Testamento assume que os indivíduos são responsáveis por sua própria vida e, especialmente, por suas transgressões. Os pais não devem ser condenados à morte por causa dos filhos, nem os filhos, por causa dos pais; uma pessoa deve ser sentenciada à morte por sua própria transgressão (Deuteronômio 24:16). Esse princípio é subjacente a todas as leis do Antigo Testamento, assim como a nossa legislação penal. Contudo, sabemos que a vida é mais complexa que isso. Quando um tribunal sentencia uma mãe ou um pai à prisão, ele impõe uma punição sobre os filhos também, porque os seres humanos estão vinculados na teia da vida. Se eu vivo como alguém que considera importante a aquisição de "coisas", isso terá um efeito negativo sobre os meus filhos de inúmeras formas. O modo pelo qual somos feitos como seres humanos significa que os pecados dos pais são visitados em seus filhos, embora (de acordo com os cálculos de Deus nos Dez Mandamentos) eles não sejam tão extensivamente visitados quanto as influências dos aspectos positivos dos pais em seus filhos. A história de Acã mostra que o destino das famílias está vinculado em conjunto.

Talvez a família de Acã tenha participado ou sido cúmplice em sua apropriação indevida da pilhagem, porém a história não se preocupa em esclarecer esse ponto; o seu foco reside em outro lugar. Se o que ocorreu à família de Acã parecer injusto e desejarmos tirar Deus ou a Bíblia desse enrosco, podemos questionar se Josué mostra algumas limitações em seu modo de olhar as coisas. Ele o fez em sua suposição de que deveria protestar pela derrota em Ai em lugar de considerar isso como uma indicação de que o povo poderia estar em falta. Já observamos a estranheza de ele enviar homens para o reconhecimento de Jericó, o que os levou a acabar no prostíbulo. Em breve, leremos sobre Josué se deixar enganar por não consultar Deus quanto ao avanço dos heveus. Na narrativa de Raabe, o bem resulta dessa ação e, discutivelmente, isso também aconteceu no episódio envolvendo os heveus. Aqui, da mesma forma, Deus aceita a ação de Josué; isso leva ao aplacamento da ira divina. O relacionamento de Deus conosco envolve nos aceitar como somos em vez de insistir em não tomar nenhuma atitude até estarmos absolutamente certos (o que significaria, portanto, esperar eternamente). Assim, é possível que Deus não estivesse tão entusiasmado com a forma pela qual Josué tratou a família de Acã.

Talvez a concessão de Deus para conosco esteja envolvida na própria ideia de **devotar** os inimigos, que surge em Números 21 como sendo uma ideia de Moisés, não de Deus, embora Deus tenha concordado com ela, como ocorre aqui. Portanto, um significado para a história de Acã é que a ideia de devotar coisas não é aplicada unicamente a outros povos, por Israel, mas aplica-se aos próprios israelitas. É o oposto do fato de que uma **cananeia** como Raabe e sua família podem escapar de serem devotados e mortos. Israel consagrou Jericó a Deus e deve entregá-la a Deus. Josué havia indicado que a apropriação de qualquer objeto dessa cidade significaria que a consagração e a exigência de devotação seriam contagiosas. Uma vez mais, isso envolveu que Josué, pelo menos, colocasse o pingo nos "is" quanto ao que Moisés diz em Deuteronômio, mas isso constitui um forte desestímulo à pilhagem e, por conseguinte, à própria guerra, seja o que for que a nação possa obter com ela. Você nada pode ganhar com a guerra. O que pode obter para você mesmo pertence a Deus.

A ação de Josué também parece injusta ao próprio Acã. O Antigo Testamento, usualmente, assume que uma pessoa, ao reconhecer a sua transgressão e se arrepender, encontra perdão e tem a sua vida poupada, embora isso nem sempre funcione. Não funcionou com Saul nem com Davi; Deus, na verdade, poupa Davi da execução que seria aplicada adequadamente por ele tramar a morte de Urias, mas Deus permite que o seu bebê morra e que o resto da vida de Davi se desintegre. Aqui, o contágio da devotação atinge Acã, sua família, seus animais e sua casa, e, por essa razão, a confissão de Acã não o leva a ser perdoado e poupado. É possível que, nos três casos, a confissão e o arrependimento não sejam suficientemente sérios e, na atitude deles, haja mais remorso do que arrependimento genuíno. Como de costume, prefiro pensar que o mais importante é sentir gratidão por ser uma pessoa comum vivendo em tempos comuns. Para líderes e pessoas que vivem em períodos cruciais, as apostas são elevadas, e esse fato cativa Acã, assim como capturará Saul e Davi. Contudo, o destino deles também nos lembra que, mesmo para pessoas comuns vivendo em tempos triviais, há erros cujas consequências não podem ser desfeitas. Um homem promíscuo que contrai o vírus do HIV, infecta sua esposa e, então, converte-se não fica, provavelmente, curado por causa da sua conversão, tampouco sua esposa. Uma mulher que faz uso de drogas durante a gravidez e, então, se arrepende pode ser que dê à luz um bebê com dependência química.

A terrível história de Acã incidentalmente nos fornece um retrato de como as inter-relações funcionavam em Israel, quando o povo, como um todo, era dividido em clãs (ou tribos como são, normalmente, denominados), grupos de parentesco e famílias. Na realidade, a história fala de seis níveis de relacionamento — Acã, Carmi, Zabdi, Zerá, **Judá** e Israel, como um todo. Segundo Gênesis, Jacó/Israel era o pai de Judá, sendo este o pai de Zerá. Zabdi é, aparentemente, o cabeça atual deste grupo de parentesco. Talvez Carmi tenha morrido (já que ele é mencionado apenas como o pai de Acã), e Acã é, portanto, o cabeça de uma família dentro do grupo de parentesco, quiçá um homem de meia-idade. A família é a menor unidade em Israel, encabeçada pelo membro do sexo masculino mais velho. A família de Acã seria constituída de seus filhos e suas noras, bem como, possivelmente, de alguns filhos e filhas solteiros. Os filhos pertencentes aos seus filhos e noras também fariam parte desse lar, embora nenhum seja citado em seu caso. Portanto, é mais como uma família estendida no pensamento do Ocidente. Os próprios irmãos de Acã, que também eram filhos de Carmi, seriam cabeças de famílias similares dentro do grupo de parentesco. Seria dentro dessa parentela, como um todo, que o cabeça de uma família procuraria por esposas para seus filhos, e elas, então, se uniriam a esse núcleo familiar. Em contrapartida, quando suas filhas se casassem, elas é que se uniriam às famílias de seus respectivos maridos, dentro do grupo de parentesco. O tamanho dessa família implicaria que seus membros não moravam todos dentro da mesma casa física (ou tenda, nesse estágio), e escavações em vilas israelitas revelam que as casas eram situadas em aglomerados (o que significaria que as pessoas de uma mesma família poderiam evitar umas às outras!).

JOSUÉ **8:1–21**
A IMPORTÂNCIA DE UM PLANO DE JOGO

[1]*Yahweh* disse a Josué: "Não tenha medo. Não desanime. Leve toda a força de luta com você. Parta e suba a Ai. Veja, entreguei em sua mão o rei de Ai, a sua cidade, o seu povo e a sua terra. [2]Deve tratar Ai e seu rei como tratou Jericó e seu rei; apenas a sua pilhagem e seu gado podem tratar como espólio para vocês mesmos. Prepare uma emboscada para a cidade, atrás dela." [3]Então, Josué e toda a força de combate partiram em direção a Ai. Josué escolheu trinta mil homens, lutadores

JOSUÉ 8:1-21 • A IMPORTÂNCIA DE UM PLANO DE JOGO

fortes, e os enviou à noite. **⁴**Ele lhes ordenou: "Veja, vocês irão armar uma emboscada para a cidade, atrás da cidade. Não fiquem muito longe da cidade e todos vocês fiquem em alerta. **⁵**Eu e todo o povo, que está comigo, nos aproximaremos da cidade, e, quando eles saírem para nos enfrentar como fizeram da primeira vez, fugiremos diante deles. **⁶**Eles virão atrás de nós até os termos atraído para longe da cidade, porque dirão: 'Eles estão fugindo diante de nós como fizeram da primeira vez.' Quando fugirmos diante deles, **⁷**vocês mesmos sairão de sua emboscada e tomarão a cidade. *Yahweh*, o seu Deus, a entregará em sua mão. **⁸**Quando tiverem tomado a cidade, incendeiem-na. Devem fazer conforme disse *Yahweh*. Vejam, eu lhes ordenei."

⁹Então, Josué os enviou, e eles foram para a emboscada e se estabeleceram entre Betel e Ai, a oeste de Ai. Josué passou a noite no meio do povo. **¹⁰**Cedo, de manhã, Josué reuniu a companhia, e ele e todos os anciãos subiram à frente da companhia para Ai. **¹¹**Toda a força de combate, que estava com ele, subiu. Eles se aproximaram e chegaram em frente da cidade e acamparam ao norte de Ai. Havia um vale entre eles e Ai. **¹²**Ele tomou cinco mil homens e os colocou como uma emboscada entre Betel e Ai, a oeste da cidade. **¹³**Assim, estabeleceram a força de combate, como um todo, ao norte da cidade, e a emboscada a oeste da cidade, e Josué foi, naquela noite, ao meio do vale.

¹⁴Quando o rei de Ai viu isso, cedo, de manhã, os homens da cidade rapidamente saíram para envolver Israel em batalha, ele e toda a sua companhia, no local definido, diante da Estepe. Ele não sabia que havia uma emboscada para ele atrás da cidade. **¹⁵**Josué e todo o Israel se deixaram ser batidos diante deles e fugiram na direção do deserto. **¹⁶**Toda a companhia em Ai chamou uma à outra para persegui-los. Então, eles perseguiram Josué e foram arrancados da cidade. **¹⁷**Nenhum homem foi deixado em Ai ou em Betel que não tenha ido atrás de Israel. Eles deixaram a cidade aberta e perseguiram Israel. **¹⁸***Yahweh*

JOSUÉ 8:1-21 • A IMPORTÂNCIA DE UM PLANO DE JOGO

disse a Josué: "Segure a lança em sua mão na direção de Ai, porque eu a entregarei em sua mão." Então, Josué segurou a lança em sua mão na direção da cidade, [19]enquanto a emboscada rapidamente saía de seu lugar. Eles correram quando ele estendeu a sua mão, entraram na cidade e a tomaram. Rapidamente, incendiaram a cidade, [20]e os homens de Ai se voltaram e viram: eis que a fumaça da cidade subia aos céus e não havia como escapar, de um jeito ou de outro, pois o povo que fugia para o deserto se transformou em perseguidores, [21]quando Josué e todo o Israel viram que a emboscada tinha tomado a cidade e que a fumaça estava subindo da cidade. Então, eles se voltaram e derrotaram os homens de Ai.

Há três semanas, fui a um jogo de futebol americano pela primeira vez. Igualmente, foi a minha primeira experiência de confraternizar no estacionamento antes da partida, debaixo de um sol quente, *burritos* no café da manhã, que, acompanhados de algumas mimosas, constituíram o ponto alto do dia. Interessei-me em comparar o futebol americano com o rúgbi, que costumava jogar na adolescência. Por exemplo, no rúgbi os jogadores podem chutar para a frente, mas não passar com as mãos; no futebol americano, a regra é oposta. O jogo é tão longo quanto o rúgbi ou uma partida de futebol, embora dure, na realidade, três vezes mais, porque para e recomeça continuamente. Nessas paradas e recomeços, contaram-me, um papel-chave é desempenhado pelas jogadas idealizadas pelo técnico e ensaiadas pela equipe. Há um pouco disso no futebol também. No rúgbi, os chamados três-quartos (grosseiramente equivalentes ao *quarterback*) podem parecer como se estivessem correndo numa direção, mas, de repente, mudam para outra, num movimento em diagonal. Contudo, os truques ou jogadas táticas são muito mais importantes no

JOSUÉ 8:1-21 • A IMPORTÂNCIA DE UM PLANO DE JOGO

futebol americano, assim como as estratégias específicas para as diferentes partes do jogo em seu todo. (Pergunto-me se este seria o motivo de os técnicos serem tão bem remunerados.)

Em Jericó e em Ai, Deus entregou a Josué os planos de jogo, bem diferentes entre si, para as duas cidades, embora ambos expressassem que não seria pela força militar que Israel conquistaria **Canaã**. Em Jericó, o exército israelita não desempenhou papel algum. Deus fez os muros da cidade colapsarem. Em contraste, o plano para Ai não envolveu a intervenção divina. Se você estivesse lá e as coisas acontecessem como relatado na Bíblia, provavelmente você estaria se perguntando como as muralhas de Jericó caíram e sentiria pesar pela população daquela cidade. No caso de Ai, sentiria admiração pelo estratagema de Josué e um pouco de pena de o povo ter sido tão ingênuo. Algumas vezes, Deus age por meio de milagres e, em outras, age por meios humanos.

Igualmente, se admiraria da energia dos israelitas. Ao entrarem na terra pela travessia do Jordão, eles precisariam prosseguir, subindo ao coração da cordilheira montanhosa de Canaã, via Ai e Betel, situada nas imediações (a moderna estrada principal, que conecta Jericó a Jerusalém, não era uma rota importante naqueles dias). Percorri aquela estrada e não a recomendo a pessoas propensas ao nervosismo. Sobe-se encostas íngremes, de trezentos metros abaixo do nível do mar até quase mil metros acima. Então, caso estivesse com Josué, estaria esperando lutar em uma batalha.

Como Deus revelou a Josué a ideia do estratagema que ele devia implementar? Imagino Josué indo à tenda do encontro, como Moisés fazia quando necessitava da orientação divina, embora, julgando com base no início deste capítulo, não fosse lá o lugar onde Josué estava no início do diálogo; pelo menos, não foi onde Deus começou a conversa. O episódio com Acã tinha sido profundamente desencorajador. Por consequência, o olhar de Josué para a expedição mostrou-se errado quando ele enviou homens para um reconhecimento da região e, então, usou cálculos militares comuns para definir como tomar a cidade (três mil homens lograrão fazer o mesmo).

Deus sabe que Josué precisa de encorajamento. A história de Ai mostra que, se você resolver as coisas com Deus, pode experimentar um novo começo. Esse tema é recorrente ao longo de todo o Antigo Testamento e percorre o Novo Testamento. A confecção do bezerro de ouro por Israel no Sinai; os filhos de Arão oferecendo fogo estranho no santuário; os israelitas em Cades, incapazes de acreditar que podem entrar em Canaã (e, então, tentam fazer isso quando Deus os proíbe); Judas traindo a Jesus; Pedro negando conhecê-lo; Ananias e Safira sendo mortos por terem fraudado os seus votos... As coisas estão sempre dando errado, porém Deus jamais permite que esse seja o fim da história. Desse modo, Deus começa encorajando Josué a se levantar, sacudir a poeira e dar a volta por cima, não por ele possuir recursos para fazer isso, mas porque Deus ainda está comprometido com ele. Num testemunho paradoxal desse ponto, não é um número calculado de pessoas que sobe para tomar a cidade. Todo o povo está tomando posse da terra, e todo o povo é envolvido naquela ação, com os anciãos, não os comandantes militares, à frente da procissão. Na realidade, agora os israelitas recebem permissão para ficar com a pilhagem. Quando Israel compreende que é propriedade de Deus, é possível ser mais condescendente.

Ali, na tenda do encontro, Deus ministra a Josué, e ali, na tenda, Josué tem uma ideia. Ele não consegue acreditar que seja mera coincidência o fato de a ideia surgir quando ele busca a orientação de Deus sobre o que fazer agora. Ou, talvez, saiba que a ideia tenha vindo de sua própria mente (ou, quiçá, de um de seus comandantes) e consulta Deus sobre a ideia ser boa ou não por meio do Urim e do Tumim (estes eram meios de consultar sobre algo a Deus, cuja resposta divina poderia ser sim ou não) e, dessa vez, Deus respondeu de maneira positiva.

Ainda mais claramente que no caso de Jericó, fica evidente que, nos dias de Josué, ninguém vivia em Ai. O próprio nome revela o jogo: "Ai" significa "ruína". Ela tem sido uma ruína por mil anos nos dias de Josué. O primeiro livro de Reis 16:34 confirma que Jericó ficou em ruínas durante séculos após os dias de Josué, como esse líder disse que ficaria. Assim, é possível imaginar os israelitas descendo a Gilgal para celebrar a maneira pela qual Deus lhes entregou a terra, passando por essas ruínas e fazendo delas o assunto de narrativas que expressavam, em termos vívidos, o fato de Deus lhes haver dado a terra. Não há evidências de como essas histórias vieram a existir, porém elas fazem sentido pelos dados.

JOSUÉ **8:22–35**
ESTÁ ACABADO MESMO QUANDO AINDA NÃO TERMINOU

²²Ora, estes [israelitas] saíram da cidade para envolvê-los e, em relação a Israel [o povo de Ai] estava no meio, alguns [israelitas] de um lado e alguns do outro. Eles os derrubaram de modo que não deixaram ninguém permanecer como sobrevivente ou fugitivo. ²³O rei de Ai, eles pegaram e o levaram vivo a Josué. ²⁴Quando Israel tinha terminado de matar todos os habitantes de Ai em campo aberto, no deserto onde os tinha perseguido, e todos eles tinham caído a fio de espada quando terminaram, todo o Israel voltou a Ai e a derrubou a fio de espada. ²⁵Todos os que caíram naquele dia, homens e mulheres, foram dois mil, toda a população de Ai. ²⁶Josué não recuou a sua mão, com a

qual segurava a sua lança, até ter devotado todos os habitantes de Ai. ²⁷Somente o gado e a pilhagem naquela cidade Israel tomou como espólio para si mesmo, de acordo com a palavra que *Yahweh* ordenou a Josué. ²⁸Josué queimou Ai e a tornou uma ruína permanente, uma desolação até este dia. ²⁹O rei de Ai, ele o empalou em uma árvore até o anoitecer. Ao pôr do sol, Josué ordenou, e eles desceram o seu corpo da árvore, o jogaram à entrada do portão da cidade e erigiram sobre ele uma grande pilha de pedras, até este dia.

³⁰Então, Josué construiu um altar para *Yahweh*, o Deus de Israel, no monte Ebal, ³¹como Moisés, o servo de *Yahweh*, ordenara aos israelitas, como está escrito no rolo do ensino de Moisés — um altar de pedras inteiras sobre as quais ninguém tinha empunhado ferro. Ofereceram sobre ele ofertas queimadas a *Yahweh* e sacrificaram ofertas de comunhão. ³²Ele escreveu ali, nas pedras, uma cópia do ensino de Moisés, que ele tinha escrito, na presença dos israelitas. ³³Todo o Israel, os anciãos, oficiais e juízes estavam em pé, de cada lado do baú, diante dos sacerdotes levitas que carregavam o baú da aliança de *Yahweh*, estrangeiros e nativos igualmente, metade deles defronte do monte Gerizim e metade deles defronte do monte Ebal, conforme Moisés, servo de *Yahweh*, tinha ordenado de antemão, para abençoar o povo de Israel. ³⁴Depois disso, ele leu todas as palavras do ensino, a bênção e a maldição, de acordo com tudo o que está escrito no rolo do ensino. ³⁵Não houve uma palavra de tudo o que Moisés ordenou que Josué não leu em frente da congregação de Israel, com as mulheres, os jovens e os estrangeiros que estavam no meio deles.

Na reunião da semana passada, o meu grupo de estudo bíblico ficou deprimido pela condição da igreja e do mundo, nem tanto por causa de como as coisas estão, neste lugar, em particular, e neste tempo específico, mas em razão da forma pela qual as coisas permanecem sendo no mundo em geral, dois mil anos depois de Jesus. Os escândalos e as falhas na igreja, bem como a contínua desobediência do mundo, tornam tentador pensar que a vinda de Jesus quase não fez diferença. Para ser sincero, eu é que estava com sentimentos lúgubres. Muitos dentre o grupo de estudo bíblico são jovens, com menos de trinta anos, olhos brilhantes e corpo atlético, e talvez eu necessite aprender com eles a enxergar o copo meio cheio em vez de vê-lo meio vazio. Na verdade, não tenho dúvidas de que a vinda de Jesus foi o evento crucial na história do mundo, que assegura o cumprimento do propósito divino para a humanidade, mesmo que esse cumprimento pareça tão distante.

No monte Gerizim e no monte Ebal, Josué faz uma presunção similar. Caso fosse narrada um pouco mais tarde no livro, essa celebração pareceria menos notável. Aqui, ela é extraordinária. Israel atravessou o Jordão e subiu ao cume da montanha, porém isso é apenas o começo. O que o povo de Siquém pensaria das ações dos israelitas nesse momento? Quando Israel tiver ocupado muito mais da terra, Deus observará, na velhice de Josué, que "ainda há muita terra para ser conquistada" (Josué 13:1). No entanto, aqui Josué se comporta como se a posse já tivesse sido concluída. Isso me faz recordar do jogo de futebol americano que descrevi no capítulo sobre o plano de jogo de Josué: muito antes de ser oficialmente encerrado, o jogo já terminou para o time local, cujos torcedores já estavam deixando o estádio para evitar o trânsito após o jogo. Talvez o advérbio "então", no versículo 30, não deveria ser tomado de modo tão literal e a cerimônia tenha ocorrido "mais tarde", quando a ocupação da terra estava mais avançada. O fato de o livro posicionar o evento aqui é, portanto, ainda mais significativo na sugestão

JOSUÉ 8:22-35 • ESTÁ ACABADO MESMO QUANDO AINDA NÃO TERMINOU

de que as vitórias iniciais de Israel realmente garantiram o cumprimento das intenções de Deus para eles.

A cerimônia, igualmente, coloca um desafio diante deles. Eles receberam a posse da terra em cumprimento à palavra dada a eles por Deus; assim, devem se comprometer a viver pela palavra de Deus que lhes foi dada. Fazer uma cópia do ensino de Moisés simboliza o compromisso deles em obedecer-lhe. Pelo fato de o **baú da aliança** conter as tábuas de pedra gravadas com as exigências básicas da aliança, o posicionamento nos dois lados do baú da aliança, durante a leitura das bênçãos e maldições da aliança, intensifica o simbolismo desse compromisso. A história enfatiza o envolvimento de todo o povo, mais ainda do que havia enfatizado em conexão com as vitórias iniciais, em Jericó e Ai. A cerimônia abrange tanto homens quanto mulheres, jovens e idosos, israelitas nascidos nativos e estrangeiros que escolheram se associar com Israel e fazer parte do povo de *Yahweh*. O sexo, a idade ou o histórico étnico não fazem diferença. Todos são beneficiados por aquilo que Deus fez; todos devem aceitar as obrigações consequentes.

Deuteronômio 27 registra a instrução de Moisés que Josué, aqui, está cumprindo. Os dois montes estão situados em ambos os lados de um amplo vale no qual está localizada a cidade de Siquém, a moderna Nablus, no coração da região norte da Cisjordânia. É aqui que o livro de Gênesis registra a chegada de Abraão em **Canaã**, onde Deus aparece a ele pela primeira vez e promete entregar a terra à sua descendência. Ainda, é o lugar no qual Abraão edifica um **altar**; ele, então, parte para acampar entre Betel e Ai. Desse modo, Josué e os israelitas estão repetindo a jornada de Abraão, na ordem necessariamente inversa, já que eles vieram da direção contrária. Igualmente, eles estão repetindo a ação de Abraão, com uma importância

JOSUÉ 8:22-35 • ESTÁ ACABADO MESMO QUANDO AINDA NÃO TERMINOU

similar, ao edificarem um altar que significa a presença de Deus nessa terra e a reivindicação de *Yahweh* sobre ela. Para ambos, Abraão e Josué, a chegada inicial na terra e a colocação de suas marcas num pequeno pedaço dela constituem uma espécie de garantia de que a promessa de Deus será cumprida quanto ao restante dela. Sim, o copo está meio cheio.

As ofertas queimadas e de comunhão são os dois tipos regulares de sacrifício. A cada entardecer e amanhecer, o povo de Israel apresenta ofertas queimadas no santuário, sugerindo a sua entrega pessoal e de tudo o que possuem a Deus, a entrega do dia que passou e do dia que está prestes a começar, bem como buscar a bênção divina para ele. As ofertas de comunhão não seguem essa rotina, porque as pessoas realizam esses sacrifícios quando têm algum motivo particular de gratidão a Deus por algo recebido, por uma resposta de oração ou as fazem como "ofertas voluntárias", quando desejam, simplesmente, expressar o seu amor por Deus. Aqui, as ofertas de comunhão dos israelitas refletirão a apreciação do povo pela conclusão simbólica de sua ocupação da terra, o cumprimento da promessa divina a eles.

Apesar da liberdade de ficar com a pilhagem de Ai, o fim do relato da vitória sobre a cidade enfatiza, igualmente, a natureza completa da obediência que Israel deve oferecer a Deus. Uma vez mais, Josué desempenha um papel como o de Moisés (em Êxodo 17), quando estende a sua mão e segura uma lança a fim de sugerir que está direcionando as forças do céu; aquela é mais do que uma batalha terrena. Israel atua como agente de Deus para trazer o juízo divino e exerce o poder de Deus ao fazer isso. A execução do rei é um ato judicial, realizado na maneira descrita por Deuteronômio 21:22-23. O seu empalamento em direção aos céus demonstra que o julgamento foi requerido. A remoção de seu corpo reconhece que mesmo a execução é um ato terrível; uma interpretação judaica observa que até mesmo um homem que merece ser executado é um homem feito à imagem divina.

Podemos, novamente, enfatizar que essa não é a maneira pela qual Deus espera que Israel se relacione com as demais nações. Houve aspectos especialmente terríveis na história inicial de Israel. Devemos respirar aliviados pelo fato de Deus não agir em juízo conosco da mesma forma que agiu no julgamento aos cananeus, porém também é adequado ficarmos um pouco assustados pelo fato de as nações modernas, das quais fazemos parte, merecerem receber juízo divino igual, especialmente à luz do que Jesus falou quanto ao julgamento de Deus sobre as nações quando houver a separação entre ovelhas e bodes.

JOSUÉ **9:1–21**
COMO SE DEIXAR ENGANAR

[1]Quando todos os reis do lado oeste do Jordão, nas montanhas, nas encostas e ao longo de toda a costa do mar Mediterrâneo, até perto do Líbano (os hititas, os amorreus, os cananeus, os ferezeus, os heveus e os jebuseus), ouviram, [2]eles se reuniram para lutar contra Josué e Israel, com um acordo. [3]Mas os habitantes de Gibeom ouviram o que Josué tinha feito a Jericó e Ai [4]e, de sua parte, agiram com astúcia. Eles foram como enviados e tomaram sacos desgastados para seus jumentos e odres velhos, rachados e remendados, [5]com sapatos remendados e gastos em seus pés, e roupas gastas sobre si mesmos; todo pão que tinham em suas provisões estava seco e duro. [6]Eles foram a Josué, no acampamento em Gilgal, e disseram a ele e aos israelitas: "Viemos de uma terra muito distante; então, agora, façam um tratado conosco."

[7]Os israelitas disseram aos heveus: "Talvez vocês venham a viver em nosso meio. Como podemos selar um tratado com

JOSUÉ 9:1-21 • COMO SE DEIXAR ENGANAR

vocês?" **8**Eles disseram a Josué: "Nós seremos seus servos." Josué lhes disse: "Quem são vocês? De onde vocês vêm?" **9**Eles lhe disseram: "Os seus servos vieram de uma terra muito distante por causa do nome de *Yahweh*, o seu Deus, porque ouvimos o relato sobre ele, sobre tudo o que ele fez no Egito, **10**e tudo o que fez aos dois reis amorreus, do outro lado do Jordão, o rei Seom, de Hesbom, e o rei Ogue, de Basã, em Asterote. **11**Nossos anciãos e todos os habitantes de nossa terra nos disseram: 'Levem provisões com vocês para a jornada, vão ao encontro deles e lhes digam: "Seremos os seus servos; então, agora, selem um tratado conosco."' **12**Este é o nosso pão: nós o trouxemos quente como nossa provisão de nossas casas, no dia em que saímos para vir a vocês, mas, agora —, aqui, está seco e duro. **13**Estes são os odres que enchemos novos — aqui, eles estão rachados. Estas são as nossas roupas e os nossos sapatos: eles estão gastos pela jornada muito longa."

14Então, os israelitas pegaram algumas de suas provisões e não consultaram *Yahweh*. **15**Josué fez paz com eles e selou um tratado com eles para deixá-los viver, e os líderes da comunidade lhes deram o seu juramento. **16**Três dias após selarem o tratado com eles, ouviram que eles vieram de perto, que estavam vivendo entre eles. **17**Assim, os israelitas partiram e chegaram às cidades deles no terceiro dia. As suas cidades eram Gibeom, Quefira, Poços e Cidade da Floresta. **18**Os israelitas não as derrubaram porque os líderes da comunidade lhes tinham dado o seu juramento por *Yahweh*, o Deus de Israel. Toda a comunidade reclamou dos líderes, **19**mas todos os líderes disseram à comunidade: "Nós mesmos lhes demos um juramento por *Yahweh*, o Deus de Israel. Não podemos, agora, tocá-los. **20**Faremos isso a eles. Nós os deixaremos viver, e não haverá ira contra nós por causa do juramento que juramos a eles." **21**Então, os líderes lhes disseram: "Eles viverão", e eles se tornaram lenhadores e carregadores de água para toda a comunidade, como os líderes lhes declararam.

JOSUÉ 9:1-21 • COMO SE DEIXAR ENGANAR

Conheço pessoas que parecem consultar Deus sobre cada detalhe de sua vida, desde o que comer no jantar até que cursos fazer no próximo trimestre, em que faculdade estudar, onde comprar uma casa e com quem se casar. Para ser honesto, eu mesmo consultei Deus sobre o último, mas suspeito que, usualmente, Deus é propenso a responder: "Não me pergunte; *você* é que terá que viver com ela." Deus se interessa passionalmente pelos detalhes da minha vida, assim como sou passionalmente interessado por esses detalhes na vida de meus filhos, porém isso não significa que quero tomar as decisões por eles. Pelo fato de Deus ser um Pai amoroso, presumo que ele adote a mesma atitude. Deus deseja que tomemos as decisões por nossa vida. No entanto, há ocasiões nas quais pode ser sábio da parte dos filhos consultar o seu pai ou a sua mãe (não me recordo de meus filhos fazendo isso, mas, ao lerem isso, com toda a certeza me enviarão um *e-mail*, questionando: "E quanto a x, y e z?"). Assim, torna-se um julgamento pessoal perceber quando é a ocasião de consultar. (Claro que, às vezes, Deus nos oferece um conselho não solicitado — pelo menos, Deus faz isso comigo; e estou certo de que meus filhos dirão que faço o mesmo com eles. Mas isso é outra história.)

"Bem, se deveríamos matar todos os **cananeus**, como é que todas essas pessoas de Gibeom, da Cidade da Floresta e de Quefira trabalham no templo?" As crianças podem fazer perguntas embaraçosas. "Ora, aquele rapaz, Josué, ele foi um grande cara, mas... Ele sempre foi corajoso. Sabe, poderíamos estar na Terra Prometida quase meio século antes se Josué nos tivesse liderado. Ele foi uma das duas únicas pessoas que espionaram a terra e reconheceram que seria possível a Deus nos fazer tomar posse dela, mas os demais falaram mais alto [esse relato está em Números 13—14]. Ele sempre foi assim. E ele era capaz de ser sábio aos domingos, às terças e às quintas-feiras, porém não era tão esperto às segundas, quartas e sextas-feiras. Era realmente comprometido com Deus, mas, de alguma forma, às vezes, ele não parecia enxergar as implicações desse compromisso. Isso é o que está por trás da presença dos heveus (eles são um subconjunto dos cananeus) entre nós."

De certa forma, é uma história engraçada. Se Josué foi muito ingênuo, os heveus foram muito espertos. Dessa forma, a história tanto é cômica quanto trágica, assim como alguns filmes e programas de TV. Sim, Josué foi deveras estúpido, mas o Antigo Testamento vê isso como uma falha moral e religiosa, não apenas como uma peculiaridade possivelmente interessante. A sabedoria está vinculada à reverência a Deus e à fidelidade a outras pessoas. Josué não agiu apenas de modo impensado, mas sem perguntar o que Deus pensava a respeito. A narrativa em Josué implica que esse tem sido um problema recorrente em ocasiões anteriores, como no caso do reconhecimento de Jericó e da primeira tentativa de conquistar Ai e a sua consequente presunção de que a falha era de Deus, quando, na verdade, ele é que falhara. Trata-se da primeira vez em que a história explicita o problema. Decerto, Josué poderia ter percebido que havia algo suspeito na história contada pelos heveus e ter perguntado a Deus o que fazer em vez de apenas provar o pão dormido deles e acreditar no relato vago que apresentaram (os heveus jamais falaram exatamente de onde supostamente vinham). Josué sabe que consultar Deus é o tipo de coisa que Moisés costumava fazer; ele era encarregado da tenda à qual Moisés ia para questionar Deus. Ignorando essa possibilidade, ele sela a paz por meio de um tratado. Essas são duas palavras poderosas. *Paz* ou *bem-estar* é uma das palavras-chave na descrição do relacionamento de Israel com Deus. *Tratado* é o termo que também se refere a uma **aliança** entre Deus e Israel. Tais palavras não devem ser aplicadas a relacionamentos com pessoas como os heveus (como Deuteronômio 7 e 20 deixam claro).

A história mostra o reconhecimento de que um líder deve ser especialmente perceptivo sobre quando consultar Deus. Josué era o pastor sênior que podia conduzir a equipe de liderança com ele e, então, encontrar a congregação como um todo reclamando da mesma forma que fizeram contra Moisés, com a diferença de que, dessa vez, eles o fazem com razão, ainda que tenham participado do engodo. É uma situação extremamente humilhante para Josué.

JOSUÉ **9:22—10:11**
COMO ENGOLIR O SEU ORGULHO

²²Então, Josué os convocou e lhes falou: "Por que vocês nos enganaram, dizendo: 'Vivemos muito longe de vocês', quando estão vivendo entre nós? ²³Pois, agora, vocês são amaldiçoados. Nenhum de vocês parará de ser um servo, lenhadores e carregadores de água para a casa de meu Deus." ²⁴Eles replicaram a Josué: "Porque repetidamente contaram aos seus servos que *Yahweh*, o seu Deus, tinha ordenado a Moisés, o seu servo, dar toda a terra e destruir os habitantes da terra diante de vocês. Ficamos muito temerosos por nossa vida por causa de vocês. Assim, fizemos essa coisa, ²⁵e, agora, aqui estamos, em suas mãos. Faça conosco conforme o que for bom e apropriado aos seus olhos." ²⁶Ele assim fez a eles: os resgatou das mãos dos israelitas, e eles não os mataram. ²⁷Naquele dia, Josué os fez lenhadores e carregadores de água para a comunidade e para o altar de *Yahweh* até este dia, no lugar que ele escolhesse.

CAPÍTULO 10

¹O rei Adoni-Zedeque, de Jerusalém, ouviu que Josué tinha tomado Ai e a devotado, fazendo a Ai e ao seu rei o que fez

a Jericó e ao seu rei, e que os habitantes de Gibeom tinham chegado a termos de paz com Israel e estavam entre eles. ²Eles ficaram muito temerosos, porque Gibeom era uma grande cidade, como uma das cidades reais, porque era maior do que Ai, e todos os seus homens eram guerreiros. ³Assim, o rei Adoni-Zedeque, de Jerusalém, enviou ao rei Hoão, de Hebrom, ao rei Piram, de Jarmute, ao rei Jafia, de Láquis, e ao rei Debir, de Eglom, dizendo: ⁴"Venham a mim e me ajudem, e nós derrubaremos Gibeom, porque ele chegou a termos de paz com Josué e os israelitas." ⁵Então, os cinco reis amorreus, o rei de Jerusalém, o rei de Hebrom, o rei de Jarmute, o rei de Láquis, o rei de Eglom e todos os seus exércitos se reuniram, subiram, acamparam contra Gibeom e lutaram contra ela. ⁶O povo de Gibeom enviou a Josué, no acampamento em Gilgal, dizendo: "Não retenha a sua mão dos seus servos, suba rapidamente a nós, nos livre, nos ajude, porque todos os reis dos amorreus, que vivem nas montanhas, uniram-se contra nós." ⁷Então, Josué subiu de Gilgal com toda sua força de combate, sua companhia e todos os homens de luta. ⁸*Yahweh* disse a Josué: "Não tenha medo deles, porque eu os entreguei na sua mão. Nenhum deles ficará contra você." ⁹Josué veio sobre eles de surpresa; ele tinha marchado de Gilgal durante toda a noite. ¹⁰*Yahweh* os lançou em confusão diante de Israel; ele os derrubou em uma grande derrota em Gibeom, os perseguiu na direção da subida para Bete-Horom e os derrubou até Azeca e Maquedá. ¹¹Enquanto eles estavam fugindo de Israel, na descida de Bete--Horom, *Yahweh* jogou grandes pedras dos céus, até Azeca. Morreram mais pelo granizo do que os israelitas mataram com a espada.

Na igreja onde eu atuava como pastor assistente, dividia uma casa com um homem mais velho, por nome Charles, que era uma espécie de zelador. Não me lembro de que forma ele foi indicado, mas era comum alguém conseguir esse tipo de emprego por meio de um processo simples de contratação; não era exigido que a pessoa fosse membro ou um frequentador de igreja. O mesmo era verdadeiro quanto aos zeladores na igreja à qual pertencíamos antes de nossa mudança para os Estados Unidos. Aparentemente, a teoria era de que eles não precisavam de qualificações "espirituais" para esse tipo de trabalho. O mesmo se aplicava ao organista de uma igreja que certa feita frequentamos, o que era ainda mais surpreendente, porque o normal é pensar que o envolvimento com a música na igreja seja algo "espiritual". Em todos esses casos, senti certo desconforto com a situação. Todavia, em dois dos três casos, vi essas pessoas, com o passar do tempo, mais preocupadas em se envolver mais na vida da igreja.

"Bem, mas você não explicou como aqueles heveus passaram a trabalhar, diariamente, no santuário." Assim como são hábeis em fazer perguntas embaraçosas, as crianças também percebem quando nossas respostas são incompletas. Todas as cinco cidades estão situadas num raio de oito a quinze quilômetros na direção norte ou oeste de Jerusalém. Nos tempos de Josué, isso não era de grande importância. Não passa pela mente de ninguém (exceto, talvez, pela de Deus) que Jerusalém alcançará grande importância política ou religiosa. Trata-se apenas de uma obscura e pequena cidade nas montanhas, fora da estrada principal. Se havia uma cidade destinada a se tornar a capital de Israel (caso Israel viesse a precisar disso), essa cidade era Siquém, onde realizaram a cerimônia de benção e maldição. Tudo mudará quando Davi tiver a sua grande ideia, tornando Jerusalém na capital de Israel, bem como em sede do santuário central, no qual o **baú da aliança** permanecerá. O santuário necessitará de uma considerável equipe de suporte, ainda mais quando o templo for construído no "lugar que **Yahweh** escolher". É aí que o povo local entra. A manutenção do sistema sacrificial irá requerer grandes quantidades de madeira para queimar os sacrifícios e água em abundância para os diversos aspectos do ritual. O povo local passa a ser a força de trabalho.

Gênesis 9 descreve Noé invocando uma maldição sobre **Canaã** de que ele sempre será o mais inferior dos servos de seus irmãos, e Josué está atualizando essa maldição. Com frequência, as traduções se referem a Canaã e/ou aos heveus como escravos, porém essa palavra fornece uma impressão equivocada; eles são, simplesmente, uma força de trabalho. Embora a história não comente se era correto Josué amaldiçoar os heveus por tê-lo ludibriado (assim como Gênesis não comenta se era certo Noé amaldiçoar Canaã por Cam, seu pai, fazê-lo de bobo), não há sugestão de que ser servo significa ser maltratado ou oprimido e, decerto, é preferível servir a ser morto.

Os heveus são como Raabe e sua família, que deveriam morrer como parte do juízo de Deus sobre os povos cananeus em geral. Raabe soube como reagir quando ouviu o que *Yahweh* estava fazendo com os israelitas e se tornou parte da comunidade israelita, sem perder a consciência de que etnicamente ela era estrangeira. O rei cananeu reagiu, resistindo ao que *Yahweh* estava fazendo e tentando pôr fim ao avanço dos israelitas; pagou com a própria vida por essa tentativa. Os heveus se posicionaram em algum lugar no meio. Eles também tinham sido informados sobre os feitos de *Yahweh* com os israelitas, porém não reagiram com a retidão de Raabe nem com a hostilidade dos demais reis. Por essa razão, terminaram exercendo um papel de apoio no templo. Não somos informados se eles, a exemplo de Raabe, de Jetro, o sogro midianita de Moisés, e de Rute, vieram a se identificar com o compromisso de Israel com *Yahweh*, mas, pelo menos, tiveram a oportunidade de fazê-lo.

Há outro aspecto nesse processo que as histórias de Jetro, Raabe, Rute e dos heveus possuem em comum. Em cada caso, a possibilidade de se tornarem comprometidos com *Yahweh* estava intrinsecamente ligado aos seus relacionamentos com Israel ou com indivíduos israelitas. Um amigo meu casou-se com uma pessoa agnóstica, mas que se tornou cristã por meio do casamento. Outra amiga também se casou com um rapaz agnóstico, mas, nesse caso, ele não mudou. É fácil defender que os cristãos não se casem com agnósticos. Contudo, é típico da parte de Deus não abandonar alguém simplesmente porque ele ou ela falhou em manter as regras. De maneira nenhuma, o relacionamento pessoal assegura que alguém irá se entregar a Deus. No entanto, isso aumenta a possibilidade.

"Entenda filho, quando você promete algo, a sua palavra tem que ser mantida, mesmo que o outro povo o tenha enganado, aproveitando-se da sua ingenuidade. Deus é capaz de fazer isso resultar em algo bom." Josué teve de engolir o seu orgulho.

JOSUÉ **10:12–27**
SEM COMPROMISSO

¹²Então, Josué falou a *Yahweh*, no dia em que *Yahweh* entregou os amorreus diante de Israel, e disse na presença de Israel: "Sol, pare em Gibeom, lua, no vale de Aijalom!" ¹³O sol parou, a lua parou, até a nação obter reparação de seus inimigos (não é isso o que está escrito no Rolo de Jasar?). O sol permaneceu no meio dos céus. Ele não se apressou em se pôr por todo um dia. ¹⁴Não houve um dia igual a esse antes ou depois, quando *Yahweh* ouviu a voz de um homem, porque *Yahweh* lutava por Israel.

¹⁵Josué e todo o Israel com ele voltaram a Gilgal, ¹⁶e esses cinco reis fugiram e se esconderam numa caverna em

Maquedá. [17]Josué foi informado: "Cinco reis foram encontrados se escondendo numa caverna em Maquedá." [18]Então, Josué disse: "Rolem grandes pedras para a boca da caverna e indiquem homens para manter guarda sobre eles. [19]Mas vocês, não parem, persigam os seus inimigos e os ataquem pela retaguarda. Não lhes permitam chegar às suas cidades, porque *Yahweh*, o seu Deus, os entregou na sua mão." [20]Quando Josué e os israelitas tinham terminado de derrubá-los, em uma derrota muito grande até quase os exterminar, embora alguns sobreviventes tenham escapado e chegado às suas cidades fortificadas, [21]toda a companhia retornou em segurança ao acampamento, a Josué, em Maquedá. Ninguém mais abriu a sua boca aos israelitas.

[22]Josué disse: "Abram a boca da caverna e tragam esses cinco reis para fora da caverna até mim." [23]Eles fizeram isso: trouxeram esses cinco reis para fora da caverna até ele: o rei de Jerusalém, o rei de Hebrom, o rei de Jarmute, o rei de Láquis, o rei de Eglom. [24]Quando trouxeram esses reis a Josué, ele convocou todos os israelitas e disse aos oficiais do exército que estavam com ele: "Venham à frente e coloquem os seus pés sobre os pescoços desses reis." Eles vieram à frente e colocaram os seus pés sobre o pescoço deles. [25]Josué lhes disse: "Não tenham medo. Não desanimem. Sejam fortes. Permaneçam firmes, porque *Yahweh* agirá assim com todos os seus inimigos, com quem vocês estão lutando." [26]Depois disso, Josué os derrubou. Ele os matou e os empalou em cinco árvores. Eles ficaram empalados nas árvores até o anoitecer. [27]Ao pôr do sol, Josué deu ordem, e eles os desceram das árvores e os jogaram na caverna onde tinham se escondido, colocando grandes pedras na boca da caverna, até o dia de hoje.

Seis meses atrás, um médico que realizava abortos em gestações avançadas foi morto a tiros em uma igreja em Kansas.

Em seu funeral, pessoas de uma outra igreja de Kansas carregavam cartazes, declarando: "Deus enviou o assassino." Suas declarações afirmavam que o próprio trabalho daquele médico era uma expressão da ira de Deus sobre uma nação pecaminosa, mas que o assassino também era, então, uma expressão adicional da ira divina. As suas proclamações envolvem olhar para eventos atuais à luz de passagens do Antigo Testamento, como essa história sobre Josué "exigindo reparação" dos **cananeus** pelas transgressões deles.

Há um sentido no qual a maneira mais fácil de responder a tais argumentos é simplesmente dizer que Josué estava errado, que ele interpretou Deus de modo equivocado e que o Novo Testamento nos mostra um caminho mais excelente. Isso pode nos fazer sentir melhor, mas suscita outros problemas e, na verdade, não nos leva a lugar algum, porque as pessoas que utilizam a Escritura dessa forma a enxergam como a palavra inspirada e autoritativa de Deus, portanto não estão abertas à alegação de que Josué estava simplesmente errado (e a esse respeito concordo com elas). Tais pessoas podem corretamente comentar que o Novo Testamento não mostra nenhuma indicação de desconforto pela atitude de Josué. Na introdução, observei que Josué é um dos grandes heróis do Novo Testamento (veja Hebreus 11). Estêvão, prestes a ser martirizado e orar pelo perdão de seus assassinos, da mesma maneira que Jesus orou, regozijou-se, no entanto, pela forma em que os israelitas, sob a liderança de Josué, desapropriaram as nações que Deus expulsou diante de seus ancestrais (veja Atos 7). Para nós, pessoas modernas, há uma disjunção entre orar pelo perdão aos inimigos e exaltar a história de Josué; para Estêvão, não havia.

O fato de sermos pessoas modernas, nesse caso, não significa que pensamos mais claramente do que eles; muito pelo contrário. Eles podiam ver algo que não podemos. Eles não saltaram do "Josué fez isso como agente de Deus" para "portanto, Deus também envia pessoas para fazer isso hoje". Existe algo singular sobre o que Deus realizou por meio de Josué. É notável como a narrativa aqui, de maneira pouco comum, descreve os reis como **amorreus**. Esse foi o termo que Deus usou ao explicar a Abraão que deveria haver um longo tempo antes de, apropriadamente, entregar a terra aos seus descendentes; a maldade dos amorreus ainda não justificava essa ação de Deus. Agora, sim. Todavia, apenas uma vez Deus entregou a terra aos israelitas e usou a transgressão dos ocupantes da terra para fazê-lo, bem como comissionou Israel a ser o meio da reparação divina. Nunca mais, no Antigo Testamento, Deus agiu dessa forma, e, ao que tudo indica, Estêvão sabia disso. Não suponho que esse argumento seria capaz de convencer as pessoas que carregavam o cartaz em Kansas, mas, pelo menos, ele trabalha com a pressuposição delas de que a Bíblia é inspirada e possui autoridade, bem como possui alguma coerência no modo de olhar para ambos os Testamentos.

Na compreensão dessa história, poderemos obter algum auxílio do conhecimento geográfico. O coração da região na qual Israel, eventualmente, vivia era a cordilheira que segue por cerca de 1.600 quilômetros na direção norte-sul, com Jerusalém, Betel e Ai próximas ao centro. Ela corresponde, aproximadamente, à área conhecida no século XX e XXI como a Cisjordânia, se ignorarmos a região crucial no centro, que segue de Telavive a Jerusalém. Na direção oeste, as montanhas descem rumo ao Mediterrâneo; para o leste, elas decaem mais abruptamente rumo ao mar Morto. Naquele momento, os israelitas estão acampados em Gilgal, perto do Jordão. Eles fizeram sentir a sua presença no topo da cordilheira de

JOSUÉ 10:12-27 • SEM COMPROMISSO

diferentes maneiras, em Ai e em Siquém, a grande cidade, um pouco mais ao norte e ao sul, na cordilheira, em relação a Gibeom e as cidades dos heveus. Os cinco reis, contudo, vieram de regiões mais ao sul e a oeste. Jerusalém situa-se ao sul de Gibeom. Hebrom fica um pouco distante, ao sul do cume, dominando a sua metade sul, assim como Siquém domina a metade norte. Jarmute, Láquis, Eglom, Azeca e Maquedá estão no oposto, no lado ocidental da cordilheira, de Gilgal a Jericó, nas colinas mais baixas entre a parte sul da cordilheira e o mar. Bete-Horom fica na rota que desce de Gibeom em direção à costa. (Alguns desses lugares aparecem no mapa localizado no início deste volume.)

Podemos imaginar esses reis mais como uma combinação de xerifes, prefeitos (embora não eleitos) e pastores. Era razoável que o rei de Jerusalém entrasse em pânico pelo fato de Josué ter estabelecido uma posição entre os seus vizinhos imediatos, o povo em Gibeom e cidades relacionadas, e os outros reis sabem que são os próximos na linha de fogo. Eles podem reagir como os gibeonitas, como Raabe ou, então, podem tentar lutar. Escolhem a última opção e pagam o preço por isso, porque "*Yahweh* lutava por Israel". Por ser uma narrativa de como Deus entregou a terra a Israel, talvez devêssemos ler mais como um épico inspirado do que como uma reportagem no noticiário local. Deus pode falar por meio de ambos, porém devemos ser cuidadosos para não influenciarmos a nossa leitura por nossas pendências como pessoas modernas.

As mesmas questões são levantadas pelo relato da parada do movimento solar (e a tempestade sobrenatural de granizo que a precedeu). Sem dúvida alguma, Deus poderia ter alterado o funcionamento do sistema solar a fim de facilitar a expedição de Josué, mas não consigo ver isso como muito provável; sou mais propenso a avaliar que tanto Josué quanto o narrador da história estão falando de forma poética sobre a luz do dia, que pareceu durar muito mais do que o normal (o Rolo de Jasar, sobre o qual nada sabemos além do que essa passagem afirma, aparentemente era uma coletânea de canções celebratórias). Uma vez mais, isso reflete as minhas pendências como uma pessoa moderna. Em nenhum dos casos, a nossa presunção sobre quão literalmente a história narra os fatos traz uma significativa diferença ao ponto central da narrativa. No entanto, suspeito que, de novo, a nossa leitura do texto exige um conjunto de presunções diferente daquele que empregamos ao noticiário noturno ou a um livro de história, um que seja mais apropriado à leitura de literatura imaginativa ou assistir a filmes. Deus aprecia todas essas formas de comunicação e expressão, inspirando exemplos de todos eles.

JOSUÉ **10:28–43**
BEM-VINDO AO OESTE SELVAGEM

28Naquele dia, Josué tomou Maquedá, a derrubou, a ela e a seu rei, a fio de espada. Ele os devotou, com todas as pessoas ali. Ele não deixou nenhum sobrevivente. Então, ele lidou com o rei de Maquedá como lidara com o rei de Jericó. **29**Josué, e todo o Israel com ele, passou de Maquedá a Libna e lutou contra ela. **30***Yahweh* a entregou também na mão de Israel, ela e seu rei, e [Josué] a derrubou a fio de espada, com todas as pessoas ali. Ele não deixou nenhum sobrevivente. Então, ele lidou com seu rei como lidara com o rei de Jericó. **31**Josué, e todo o Israel com ele, passou de Libna a Láquis, acampou contra ela e lutou contra ela. **32***Yahweh* entregou Láquis na mão de Israel. [Josué] a tomou no segundo dia e a derrubou a fio de espada, com todos ali, assim como tinha feito a Libna. **33**Então, o rei Horão, de Gezer, subiu para ajudar Láquis, e Josué o derrubou com seu povo até não deixar nenhum sobrevivente para ele. **34**Josué, e todo o Israel com ele, passou de Láquis a Eglom, acampou

JOSUÉ 10:28-43 • BEM-VINDO AO OESTE SELVAGEM

contra ela e lutou contra ela. ³⁵Naquele dia, eles a tomaram e a derrubaram a fio de espada. Cada pessoa que estava lá, ele a devotou naquele dia, assim como tinha feito a Láquis. ³⁶Josué, e todo o Israel com ele, subiu de Eglom para Hebrom e lutou contra ela. ³⁷Eles a tomaram e a derrubaram a fio de espada, com seu rei e todas as suas cidades e cada pessoa ali. Ele não deixou nenhum sobrevivente, assim como tinha feito a Eglom. Ele a devotou e cada pessoa nela. ³⁸Josué, e todo o Israel com ele, voltou a Debir e lutou contra ela. ³⁹Ele a tomou, a seu rei e a todas as suas cidades. Eles os derrubaram a fio da espada e devotaram todos nela. Ele não deixou nenhum sobrevivente. Como tinha feito a Hebrom, assim o fez a Debir e a seu rei, como tinha feito a Libna e a seu rei.

⁴⁰Assim, Josué derrubou toda a região: as montanhas, o Neguebe, as encostas e as vertentes, com todos os seus reis. Ele não deixou nenhum sobrevivente. Qualquer coisa que respirasse, ele a devotou, como *Yahweh*, o Deus de Israel, tinha ordenado. ⁴¹Josué os derrubou de Cades-Barneia até Gaza, toda a região de Gósen, até Gibeom. ⁴²Todos esses reis, e suas terras, Josué tomou em um único golpe, porque *Yahweh*, o Deus de Israel, lutou por Israel. ⁴³Então, Josué, e todo o Israel com ele, retornou ao acampamento em Gilgal.

"Você está falando sério?", alguém me perguntou, na quinta-feira, enquanto eu estava em um clube de *jazz* falando sobre interpretação bíblica e fiz uma afirmação que a outra pessoa considerou ultrajante (creio que comentei a respeito dos desastrosos resultados de interpretar a Bíblia à luz dos credos). "Tudo o que eu digo é sério, mesmo as coisas engraçadas. Especialmente elas", respondi. Todavia, com frequência, posso exagerar um pouco. Tento me policiar para não repetir isso. Chama-se hipérbole: uma figura de linguagem cujo exagero visa enfatizar algo, tornar um ponto mais claro e vigoroso.

"Josué derrubou toda a região." Essa sentença soa como se Josué tivesse concluído a conquista de **Canaã**, embora o contexto esclareça, de imediato, que "toda a região" não significa isso. A expressão significa toda a região ao sul de Gibeom, aproximadamente a metade inferior do coração da área montanhosa, o terço inferior da Terra Prometida, como um todo (que inclui também a parte no extremo norte; o capítulo seguinte chegará a ela). As cidades mencionadas no capítulo 10 praticamente cobrem os lugares-chave dessa parte do território.

O contexto mais amplo de Josué esclarecerá algo mais. Ele nos contará, por exemplo, como Calebe capturou Debir em nome de **Judá** (Josué 15:15-19), como Judá não conseguiu expulsar os jebuseus que viviam em Jerusalém (Josué 15:63), como **Efraim** não expulsou os cananeus que viviam em Gezer, embora, com o passar do tempo, eles tenham se tornado uma força de trabalho como os gibeonitas (Josué 16:10), e como Judá atacou os cananeus que viviam em Hebrom (Juízes 1:10). Tudo isso é estranho porque Josué 10 dá a impressão de que não havia mais sobreviventes em Debir, Gezer ou Hebrom; e falar de Josué conquistando toda a região sul resulta em uma exceção significativa, caso não inclua Jerusalém.

Do ponto de vista histórico, uma consideração que deve ser mantida em mente é que, presumidamente, os infelizes habitantes dessas cidades não esperaram de braços cruzados a chegada de Josué para matá-los. Cidades sob ataque não fazem isso. Como o Antigo Testamento observa em outras passagens, quando uma cidade é atacada, a sua população corre para as montanhas. Eles fogem para longe do cerco e da batalha e esperam pela saída dos agressores. Então, retornam para suas casas e retomam sua vida após os invasores irem embora. Isso ajuda a explicar a razão de algumas cidades e povos serem atacados, derrotados e aniquilados em diversas ocasiões, como um monstro de um filme de ficção científica que você imagina ter destruído, mas que possui um misterioso poder de regeneração.

No entanto, a narrativa não atrai a atenção para esses fatos, mas permite que a história simplificada e hiperbólica prevaleça. Por que faria isso? A popularidade dos filmes de aventura ou de seu equivalente mais recente, os *video games*, nos auxilia a ver alguns aspectos da resposta. O entretenimento está presente; a história de Josué foi escrita para as pessoas apreciarem, para fazê-las sorrir e exultar. No entanto, a sua inclusão na Escritura sugere que Israel viu na narrativa mais do que isso. No caso dos filmes de faroeste e ficção científica, como também dos *video games*, outro fator preponderante é que eles, em geral, retratam a vitória do bem sobre o mal. A história de Josué expressa a verdade de que Deus está comprometido em acabar com o mal no mundo. O tipo de mal que os israelitas viam nos **cananeus**, como a disposição de sacrificar os seus filhos, não deve ter a permissão de Deus para continuar para sempre. Pessoas malignas devem receber a devida retribuição.

Reconhecidamente, esse retrato estereotipa as pessoas. Os tradicionais filmes de faroeste, em geral, retratam os nativos como "selvagens e cruéis", o que reforça a justificativa para retirar as suas terras e criticar as suas tentativas de mantê-las; acusamos a vítima. Os israelitas estereotipam os cananeus. Ao mesmo tempo, o Antigo Testamento é muito feliz ao permitir que esse estereótipo seja desconstruído. Assim, Raabe é retratada como a "nativa boa", e Acã, como o "caubói mau", e, quando Israel adota práticas pagãs como o sacrifício infantil, Deus dá aos israelitas o mesmo tratamento dado aos cananeus. Em outras palavras, essas histórias funcionam como advertências. Mais tarde, Israel não pode se dar ao luxo de simplesmente se identificar com o Israel da época de Josué. A nação precisa enxergar o destino dos cananeus como potencialmente o seu próprio destino.

A maneira pela qual a história fala por si sugere que a hipérbole possui, pelo menos, duas outras funções. Uma é glorificar a Deus pelo cumprimento das promessas. Há um sentido real que não envolve nenhum exagero. Todo o território, de fato, veio a pertencer a Israel. A narrativa simplesmente comprime o processo por meio do qual isso ocorreu. Houve séculos posteriores durante os quais Israel pôde olhar com orgulho para essa terra que eles conquistaram dos cananeus, e a história, então, traz à lembrança dos israelitas quem lhes entregou essa terra. Quando eu tive a primeira entrevista com o diretor do meu seminário, ao chegar como estudante munido de um bom diploma da minha faculdade de graduação, uma das primeiras coisas que ele disse foi: "Bem, e que tens tu que não tenhas recebido?" Ele estava citando 1Coríntios 4:7 (ARC); eis por que ainda me recordo disso. Israel precisa se lembrar de que não tomou posse da terra por seu próprio esforço. Deus a entregou.

Houve outros séculos (mais deles, na verdade) nos quais Israel perdeu o controle sobre a maior parte da terra e permaneceu debaixo da soberania de um império como o dos **assírios** ou de outros povos locais, tais como os edomitas. Haveria, então, certa dose de pungência e tristeza na lembrança de como, outrora, eles controlavam toda a terra. Isso os faz lembrar também de que Deus a tomou precisamente porque eles se tornaram muito parecidos com os cananeus. Todavia, Deus entregaria a terra de volta a eles.

JOSUÉ **11:1–15**
BEM-VINDO AO NORTE SELVAGEM

¹Quando o rei Jabim, de Hazor, ouviu, ele enviou ao rei Jobabe, de Madom, ao rei de Sinrom, ao rei de Acsafe, ²e aos reis do norte, nas montanhas, na planície, ao sul de Quinerete,

nas encostas, Nafote-Dor, a oeste, ³aos cananeus, a leste e a oeste, aos amorreus, aos hititas, aos ferezeus e aos jebuseus, nas montanhas, e aos heveus, ao pé do Hermom, na terra de Mispá. ⁴Estes saíram, com todos os seus exércitos, uma numerosa companhia, como a areia na praia em número, com muitos cavalos e carruagens. ⁵Todos esses reis reuniram forças; eles vieram e acamparam junto às águas de Merom, para lutar contra Israel. ⁶*Yahweh* disse a Josué: "Não tenha medo deles, porque amanhã, nesta mesma hora, eu os entregarei mortos diante de Israel, todos eles. Você deve cortar os tendões dos cavalos deles e queimar as suas carruagens." ⁷Então, Josué e toda a sua força de combate vieram sobre eles, nas águas de Merom, de surpresa. Caíram sobre eles, ⁸e *Yahweh* os entregou na mão de Israel. Eles os derrubaram e os perseguiram até a grande Sidom e às águas de Misrefote, e até o vale de Mispá, no leste, e os derrubaram. Ele não deixou nenhum sobrevivente. ⁹Josué lidou com eles assim como *Yahweh* lhe disse: ele cortou o tendão dos cavalos e queimou as carruagens. ¹⁰Josué, então, voltou e tomou Hazor e derrubou o seu rei à espada, porque Hazor, antes, era o cabeça de todos esses reinos. ¹¹Eles derrubaram a fio de espada cada pessoa ali, devotando-as. Nada que respirava foi deixado. E ele incendiou Hazor.

¹²Todas essas cidades reais, e seus reis, Josué tomou. Ele as derrubou a fio de espada, e as devotou, como Moisés, servo de *Yahweh*, tinha ordenado. ¹³Contudo, todas as cidades que estavam nos montes, Israel não queimou, exceto Hazor, que Josué queimou. ¹⁴Toda a pilhagem nessas cidades e o gado, os israelitas tomaram como espólio para si mesmos. No entanto, eles derrubaram todas as pessoas a fio de espada até as aniquilarem. Não deixaram nada que respirasse. ¹⁵Como *Yahweh* ordenou a Moisés, seu servo, assim Moisés ordenou a Josué, e Josué assim o fez. Ele não omitiu nada de tudo o que *Yahweh* tinha ordenado a Moisés.

JOSUÉ 11:1-15 • BEM-VINDO AO NORTE SELVAGEM

Ao dirigir na direção norte, do lago da Galileia, na estrada que leva a Jerusalém, ou do Mediterrâneo, é possível pegar a bifurcação, à direita, e cruzar Ponte das Filhas de Jacó, rumo a Damasco, ao longo da rota que Abraão teria seguido quando foi a **Canaã**, na primeira vez, bem como a rota em que Saulo estava quando ele foi derrubado por Jesus. Alternativamente, pode-se seguir rumo ao norte, na direção de Cesareia de Filipe e da fronteira libanesa (é desconcertante como as cronologias e histórias se cruzam). Se optar pela última rota, poderá dirigir por uma elevação que é, na verdade, o limite da grande cidade de Hazor, que remonta a tempos anteriores à chegada dos israelitas. Estando nesse entroncamento-chave, que domina as rotas que seguem em diferentes direções, pode-se entender como ela se tornou o cabeça dos reinos da região.

Tenho um DVD intitulado, *Biblical Archaeology from the Ground Down* [Arqueologia bíblica do chão para baixo], que inclui sequências da investigação arqueológica em Hazor e uma entrevista com Ammon Ben-Tor, o arqueólogo líder, um professor franzino, bigodudo, engraçado e cativante, da Universidade Hebraica de Jerusalém. A cidade alta (o centro da cidade, se preferir) foi destruída e incinerada em um grande incêndio, no século XIII a.C., época na qual os israelitas estavam chegando a Canaã. "Então, quem incendiou a cidade?", questiona Ben-Tor, com um leve sorriso, que continua a especular. Foram os próprios cananeus ou os egípcios? Por que qualquer um deles destruiria e mutilaria, intencionalmente, as estátuas cananeias e egípcias? Teriam sido os **filisteus**? Não existem evidências da presença deles na região naquele período. Por que não assumir que foi Josué e os israelitas, tal como a história diz? Ben-Tor ri do fato de essa sua disposição de ver a atividade de Josué em Hazor o levar a ser chamado de "ortodoxo" (uma espécie de equivalente judaico do termo "fundamentalista").

O relato da vitória de Josué em Hazor é outra história de caubói divinamente inspirada, repleta de hipérbole, mas não uma história apenas ficcional. A maneira natural de ler a evidência arqueológica implica que os israelitas, de fato, conquistaram uma vitória espetacular ali. Isso aponta para uma ironia. Observamos antes que Josué não destruiu Jericó e Ai; na sua época, não havia cidades ali para destruir. A história de Hazor é muito menos conhecida, mas, historicamente, é muito mais plausível e um milagre bem mais impressionante. Hazor era, de fato, "cabeça de todos esses reinos", uma cidade enorme e, portanto, hoje, um relato monumental.

Reconhecidamente, continua sendo aconselhável e sábio não vender a própria alma à arqueologia. Ainda existem questões a serem respondidas sobre a história de Hazor, e as teorias com respeito à sua história podem mudar. Houve versões anteriores da arqueologia, provando que "a Bíblia está certa" e que, hoje, foram derrubadas, o que, em contrapartida, dá a impressão de que a arqueologia "prova que a Bíblia está errada". Outro colaborador daquele DVD aponta que, em nenhum caso, a arqueologia é capaz de provar o elemento realmente importante na história bíblica, ou seja, o que ela tem a dizer sobre Deus. Nesse sentido, é a história bíblica que importa.

Há dois outros aspectos notáveis dessa história sobre os quais a arqueologia silencia-se. Um é que Deus não disse a Josué para matar todas as pessoas em Hazor, embora ele o tenha feito. Deus disse a Josué para cortar o tendão dos cavalos e incendiar as carruagens — isto é, destruir o equipamento militar, o equivalente aos tanques e aviões de combate. Então, a terra pode ter um "descanso da guerra". Isso

JOSUÉ 11:1-15 • BEM-VINDO AO NORTE SELVAGEM

corrobora a ênfase em outras passagens (não menos importante na história de Jericó) de que não é o poderio militar que define o resultado das guerras. Se Deus está envolvido, tudo o que você pode precisar fazer é soar as trombetas. Caso Deus não esteja envolvido, talvez nem todos os cavalos e carruagens do mundo possam assegurar a sua vitória. Como expresso em Isaías 31, quando **Judá** é tentado a confiar na aliança com o Egito e tenta importar cavalos e carruagens de lá: "Mas os egípcios são homens, não Deus; seus cavalos são carne, não espírito."

O outro aspecto digno de nota é que a história segue enfatizando que Israel era capaz de obter o controle da terra porque Josué obedecia exatamente às ordens de Deus. Já comentamos que a história também deixa claro que isso, igualmente, é um exagero. Na verdade, os mocinhos em um filme de faroeste eram pessoas reais, com falhas, e a Bíblia tem mais em comum com filmes *noir*, nos quais os mocinhos sempre têm falhas. Todavia, em relação à posse da terra por Israel, a história considera que a sua declaração sobre Josué é suficientemente verdadeira e de crucial importância. Ela convida o povo de Israel a uma combinação do Antigo Testamento, que envolve esperança e obediência. A narrativa não é um convite a uma ação militar como a de Josué; já observamos que o Antigo Testamento não fala sobre a expectativa de que alguém, após os dias de Josué, mate os cananeus. A obediência assume diferentes formas em diferentes contextos. O que Deus disse a Moisés e o que este disse a Josué não é o que está sendo dito em contextos posteriores. Contudo, o princípio de que você faz o que Deus diz e, então, vive em esperança é o que permanece.

Perdoe-me, mas, se essa é uma história de caubói, por que ela está na Bíblia? Por que ela é mais importante do que outras histórias de caubóis? Uma das respostas é que ela faz parte de uma história maior, que é a mais importante de todas. Como os britânicos e outras nações, as pessoas nos Estados Unidos tendem a se considerar como povo especial de Deus. Contudo, não são. Há um único povo especial, que é Israel, o povo do qual Jesus nasceu. Essa história de caubói é especial porque faz parte da história de Israel. Com efeito, o discurso/ sermão de Estêvão em Atos 7, bem como a lista de heróis em Hebreus 11, enfatizam esse ponto. Josué constitui parte da história que conduz a Jesus. Sem Josué, não há Jesus. Na verdade, Josué é o nome real de Jesus (compare o modo pelo qual os judeus messiânicos o chamam de Yeshua); "Jesus" é uma forma grega do nome. Ao contrário, na tradução grega do livro de Josué, que muitas pessoas do Novo Testamento usavam, o nome de Josué é Jesus.

JOSUÉ **11:16—12:24**
POR QUE ELES FORAM TÃO ESTÚPIDOS?

[16]Assim, Josué tomou toda essa terra: as montanhas, todo o Neguebe, toda a região de Gósen, as encostas, a planície, a terra montanhosa de Israel e suas planícies, [17]desde o monte Halaque, que vai até Seir, até Baal-Gade, no vale do Líbano, abaixo do monte Hermom. Ele capturou todos os seus reis, os derrubou e os matou. [18]Por um longo período, Josué fez guerra contra todos esses reis. [19]Não houve cidade que fez paz com os israelitas, exceto os heveus que viviam em Gibeom. Tudo isso eles tomaram em batalha, [20]porque partiu de *Yahweh* endurecer a resolução deles para entrar em batalha contra Israel, de modo que [Josué] pudesse devotá-los sem haver nenhuma graça para eles, e que os aniquilasse, como *Yahweh* ordenara a Moisés. [21]Naquele tempo, Josué foi e cortou os enaquins das montanhas, de Hebrom, de Debir, de Anabe, de todas as montanhas de Judá e de todas as montanhas de Israel, com suas cidades.

Josué os devotou. ²²Nenhum enaquim foi deixado na terra dos israelitas. Somente em Gaza, em Gate e em Asdode eles permaneceram. ²³Assim, Josué tomou toda a terra, como *Yahweh* falou a Moisés, e Josué a deu a Israel como sua própria, como partilhas para os clãs; então, a terra teve descanso da guerra.

[Josué 12:1-24 fornece um resumo das áreas a leste do Jordão das quais Israel tomou posse, e uma lista dos 31 reis das cidades, situadas a oeste do Jordão, derrotados pelos israelitas.]

Anteontem, jantei cedo, bebi uma taça ou duas de vinho, dispensei a sobremesa e, então, mais tarde, bebi uma xícara de café. Esse padrão funciona quando quero dormir bem, de modo que tento mantê-lo à risca. Contudo, ontem à noite, comi tarde, e o garçom do restaurante me disse que o suflê de chocolate estava muito bom; então, não resisti. Não estava tão maravilhoso assim, mas posso ter chegado a essa opinião por já estar muito satisfeito; eu já havia ignorado outra resolução ao comer algumas das batatas fritas que acompanhavam o sanduíche. Quando o garçom me falou sobre elas, poderia ter dito: "Suspenda as batatas fritas", porém fracassei totalmente. E não consegui dormir (em breve, tirarei uma soneca). O garçom enfraqueceu a minha determinação de comer frugalmente ou, ainda, pode ser que tenha fortalecido a minha propensão a ser autoindulgente.

Deus endureceu o coração dos reis **cananeus**, relata a história de Josué; essa é uma tradução mais literal. Traduzi a sentença como "endureceu a resolução" porque, em nosso idioma, o coração é propenso a sugerir especialmente emoções, enquanto no texto bíblico ele sugere o ser interior, de modo geral, e, se ele possui um foco mais preciso, esse é o da vontade. O coração sugere a formulação de atitudes e a tomada de decisões. Como expressamos, esses reis tinham de "decidir" o que fazer com relação aos israelitas. No evento em questão, eles agiram estupidamente, como eu, em minhas pequenas ações. Em vez de reconhecer as implicações do que já tinham ouvido sobre os israelitas, como Raabe e os heveus, eles tentaram impedi-los.

Por que eles foram tão estúpidos? Nem sempre a Bíblia atribui a estupidez das pessoas ao obscurecimento da mente delas por Deus, embora, às vezes, faça isso. Deus discorre sobre isso em Isaías 6, e Jesus usa as palavras de Deus ao explicar que a razão de falar em parábolas é para confundir a compreensão das pessoas (Marcos 4). Igualmente, Jesus assume, assim como essa história, que as pessoas podem alcançar um ponto no qual não há mais graça para elas, apenas choro e ranger de dentes. Em cada caso, fechar a mente das pessoas é um ato de juízo divino, como ocorreu quando Deus endureceu o coração do faraó ou aumentou a sua determinação. Em cada caso, as pessoas atingiram um ponto a partir do qual Deus diz: "Basta!" e lida com elas ao encorajá-las a continuar em sua estupidez moral. Considerando a maneira pela qual o Antigo Testamento conta a história, o fato de Deus endurecer o coração das pessoas não significa efetuar algum tipo de estranha manipulação de suas sinapses, levando-as a fazer algo contra a própria vontade, a agirem de modo que digam a si mesmas: "Não sei por que estou fazendo isso; esse não sou eu." Isso não significa que o faraó e os reis cananeus eram boas pessoas que, de súbito, começaram a agir malignamente. Eles escravizavam pessoas e matavam crianças. A ação de Deus, se preferir, foi similar a entregar as pessoas aos seus próprios instintos, como descrito em Romanos 1 e 2.

Nem por isso a história de Josué simplesmente implica que não haja uma clara distinção entre Deus agir de modo deliberado e ele estar por trás de tudo o que ocorre no mundo. De fato, em certo sentido, Deus é totalmente soberano no mundo e, portanto, deve aceitar a responsabilidade pelas coisas que acontecem, mesmo quando não resultam da intervenção divina direta. Isso ignifica que, ao olhar para eventos passados e ver, por exemplo, o modo pelo qual os cananeus colocaram a corda em volta do próprio pescoço, em certo sentido essa era a intenção de Deus, especialmente se você considerar que ele tinha conhecimento disso antes mesmo de eles agirem.

Talvez essa forma de olhar para o funcionamento das coisas no mundo faça sentido, mas não há sugestão de que ela esteja presente na visão da história sobre os eventos. Ela não vê os cananeus agindo malignamente, porém também não vê Deus alienado do que eles estão fazendo. A minha suposição é que o envolvimento de Deus e a responsabilidade humana atuam em conjunto, de um modo similar ao relacionamento entre pais e filhos, entre professores e alunos, ou senhores e servos; isso se encaixa com outros aspectos da relação de Deus conosco. Como professor, eu coloco ideias diante de meus alunos, incentivando-os a agir de certa maneira (por exemplo, se eles entregarem seus trabalhos mais cedo, eu lhes darei um retorno para que possam corrigi-los e submetê-los novamente, caso desejem). Contudo, a decisão final é deles.

O meu quadro para compreender Deus e os cananeus envolve ver o relacionamento como uma espécie de versão negativa desse processo. Imagine que um de meus alunos esteja entregando as suas tarefas com atraso, e eu acho que ele ou ela realmente deveria ser reprovado(a) (isso ocorreu); ainda, suponha que alguém o(a) encoraje a ir a um concerto de *rock* na noite de uma aula importante, o que também pode colocar a sua aprovação em risco (isso também ocorreu).

O endurecimento da resolução dos cananeus, por parte de Deus, envolve mostrar-lhes ideias, assim como um professor, e eles tomarem a decisão a seguir. Deus os encorajou a reconhecer que valia a pena correr o risco de perder a batalha para os israelitas. Eles concordaram em seguir esse encorajamento, sem serem obrigados a isso. De fato, quando Isaías revela ao povo que Deus está determinado a cegar a mente deles, creio que ele esperava que eles recuperassem a razão para que essa advertência não se concretizasse. Essa é a maneira regular de os profetas operarem. Mesmo os estímulos que podem derrubar as pessoas também são estímulos que podem impulsioná-las de um modo positivo. Apenas mais tarde será possível saber que caminho as palavras de Deus, proferidas pelo profeta, irão seguir — se elas levam ao abrandamento ou ao endurecimento. Deus não logrou trazer os cananeus de volta ao bom senso, e Deus está bem com isso, porque ele não vê problemas (isso não quer dizer que seja um entusiasta) em trazer juízo sobre as pessoas, caso elas não possam mais ser convertidas de seus caminhos.

JOSUÉ **13:1—14:15**
A TERRA QUE RESTA SER POSSUÍDA É MUITO GRANDE

¹Ora, Josué estava velho, avançado em idade. *Yahweh* lhe disse: "Você mesmo se tornou velho, avançado em anos, enquanto a terra que resta ser possuída é muito grande. ²Esta é a terra que resta. Toda a região dos filisteus e toda [aquela] dos gesuritas, ³desde o Sior, próximo ao Egito, até o território de Ecrom, ao norte, conta como pertencente aos cananeus (os cinco senhores dos filisteus, o povo de Gaza, Asdode, Ascalom, Gate e Ecrom); os aveus, ⁴ao sul; toda a terra cananeia, Meara, pertencente aos sidônios, até Afeque (até o território amorreu); ⁵a terra dos gibleus e todo o Líbano, no leste, desde Baal-Gade, debaixo do

JOSUÉ 13:1—14:15 • A TERRA QUE RESTA SER POSSUÍDA É MUITO GRANDE

monte Hermom, até Lebo-Hamate; **6**todos os habitantes das montanhas desde o Líbano até as águas de Misrefote, todos os sidônios. Eu mesmo os desapropriarei diante dos israelitas. Apenas distribua a terra por lote a Israel como sua própria, como lhe ordenei. **7**Assim, agora, distribua esta terra como sua própria aos nove clãs e à metade de Manassés.

[Os demais versículos do capítulo 13 registram a distribuição da terra, situada a leste do Jordão, para Rúben, Gade e a outra metade de Manassés, embora o relato observe que Israel não desapropriou os gesuritas e os maacatitas, que continuaram vivendo entre os israelitas, e que nenhuma distribuição foi feita a Levi, porque a parte deles deveria vir das ofertas do povo. O capítulo 14, então, introduz a distribuição, feita por Josué, da terra a oeste do Jordão para os demais clãs.]

CAPÍTULO 14

6Os judaítas vieram ver Josué, em Gilgal. Calebe, o filho de Jefoné, o quenezeu, lhe disse: "Você mesmo sabe como *Yahweh* falou a Moisés, o homem de Deus, sobre você e eu, em Cades-Barneia. **7**Eu tinha quarenta anos quando Moisés, servo de *Yahweh*, enviou-me de Cades-Barneia para investigar a terra, e eu lhe trouxe de volta um relato segundo como as coisas estavam na minha mente. **8**Meus irmãos, que subiram comigo, fizeram derreter a resolução do povo, mas eu mesmo segui totalmente *Yahweh*, meu Deus. **9**Naquele dia, Moisés prometeu: 'A terra na qual o seu pé pisou será uma possessão para você e seus descendentes, em perpetuidade, porque você seguiu totalmente *Yahweh*, o meu Deus.' **10**Pois bem, agora, *Yahweh* me manteve vivo, como ele declarou, por 45 anos, desde que *Yahweh* fez essa declaração a Moisés, quando Israel estava indo pelo deserto. Assim, agora, aqui estou eu hoje, com 85 anos de idade. **11**Ainda estou tão forte hoje quanto estava quando Moisés me enviou. Assim como a minha força era, então a minha força é agora, para a batalha e para sair e entrar. [12]Então, agora, dê-me essas montanhas que *Yahweh* falou naquele dia, porque você ouviu, naquele dia, que os enaquins estão aqui, e grandes cidades fortificadas. Talvez *Yahweh* seja comigo, e eu tomarei posse delas, como *Yahweh* falou." [13]Então, Josué o abençoou e deu Hebrom a Calebe, o filho de Jefoné, como sua própria. [14]Portanto, Hebrom veio a pertencer a Calebe, filho de Jefoné, o quenezeu, como sua própria, até este dia, porque ele seguiu a *Yahweh*, o Deus de Israel. (^{15}O nome de Hebrom, anteriormente, era Cidade de Arba; ele foi o grande homem entre os enaquins.) E a terra teve descanso da guerra.

No serviço fúnebre de minha esposa, na Inglaterra, no verão passado, reencontrei uma de minhas primas, a quem não via por quase uma década, e, nessa semana, recebi um cartão de Natal dela. Ela escreveu: "Vários membros da família têm me perguntado se você irá retornar ao Reino Unido para viver", e expressei a esperança de todos nós podermos nos ver mais frequentemente (o que acho, de fato, que ocorrerá). "Estou jogando verde, não estou?", ela concluiu. Então, em alguns dos cartões natalinos que enviei, escrevi: "Muitas pessoas têm perguntado se retornarei à Inglaterra. Diz-se que não devemos tomar decisões desse tipo durante um ano após perder alguém; mas, de qualquer forma, enquanto sentir que não perdi a vocação, a energia ou a motivação, pelo tempo que os possuir, pretendo continuar ensinando e indo a Malibu para o almoço, nos fins de semana." Há muitas coisas que ainda quero fazer nos Estados Unidos antes de minha aposentadoria.

Desse modo, eu me identifico um pouco com Calebe. Em termos mais literais, 85 anos talvez signifiquem algo mais como acima dos cinquenta, de maneira que ele era mais jovem que eu, mas, então, o projeto que ele quer realizar envolve vigor físico; para terminar esta série, *O Antigo Testamento para todos*, eu preciso continuar sentado a essa escrivaninha em vez de cair sobre ela, mas pretendo seguir pedalando a minha bicicleta até o seminário, quando não estiver chovendo, na suposição de que preciso me manter fisicamente ativo, além do sedentário ato de sentar.

Os alunos, algumas vezes, procuram-me para conversar sobre o que eles planejam fazer com sua vida, sobre como estabelecer alvos e, depois, alcançá-los. Então, sentem-se confusos quando eu lhes conto que, de fato, jamais tive quaisquer objetivos na vida; estou onde estou por completo acidente. Esse é o problema em ser britânico. Calebe é mais parecido com alguém nascido nos Estados Unidos. Ele era desse jeito quando tinha "quarenta" (vamos imaginá-lo literalmente perto dos trinta anos, como alguns de meus alunos). Ele e Josué estavam entre os jovens comissionados a investigar como a terra era. Os outros dez espias eram como rapazes britânicos, isto é, pessimistas, que só enxergam os problemas. Para eles, a conquista daquele território seria impossível; os **cananeus** eram homens grandes. Calebe e Josué acreditavam no lema "Sim, nós podemos!" Isso não era devido ao fato de eles possuírem genes diferentes, embora fosse verdade no caso de Calebe (voltaremos a isso mais tarde). Ele afirma: "eu mesmo segui totalmente **Yahweh**, meu Deus". Em hebraico, trata-se de uma expressão estranha. Mais literalmente: "Eu me enchi de *Yahweh*, meu Deus." No detalhado relato de Números 13 e 14, Josué e Calebe declaram: "Se *Yahweh* se agradar de nós, ele nos fará entrar nessa terra e a dará a nós [...]. Somente não sejam rebeldes contra *Yahweh* [...]. *Yahweh* está conosco. Não tenham medo deles!" Ele não quer ser presunçoso, mas sabe que Deus pode tornar isso possível.

Deus prometeu que Calebe e Josué entrariam na Terra Prometida, ao contrário do povo que não acreditou nessa possibilidade, e, agora, Calebe quer descontar o seu cheque. Quando os espias fizeram o reconhecimento da terra, uma geração atrás, eles tinham entrado a partir do sul e, portanto, de Hebrom, e foi ali que eles viram os gigantes que amedrontaram a maioria deles. Calebe sabe que Israel enfrentará o mesmo desafio naquela região. Deseja que lhe seja dado o maior desafio que há. Ele ainda não perdeu a sua vocação, energia ou sanidade. (Bem, talvez o entusiasmo de Calebe por enfrentar os gigantes lance dúvidas sobre a sua sanidade, mas é o lado britânico falando novamente.)

O seu pedido também ilustra como, de fato, no ocaso da vida de Josué "a terra que resta ser possuída é muito grande", apesar dos comentários anteriores sobre como "Josué tomou toda a terra" (Josué 11:23). A princípio, esse grande líder fez isso logrando algumas vitórias espetaculares em diferentes regiões de Canaã. No entanto, o pedido de Calebe constitui apenas uma das observações no livro de Josué que indicam quanto ainda resta a conquistar.

JOSUÉ **15:1—17:11**
VIVENDO COMO MULHERES NUM MUNDO DE HOMENS

[Josué 15:1-12 especifica as fronteiras de Judá.]

CAPÍTULO 15

[13]A Calebe, filho de Jefoné, [Josué] deu a cidade de Arba, o pai de Enaque (isto é, Hebrom) como uma partilha no meio de Judá, de acordo com a palavra de *Yahweh* a Josué. [14]Calebe desapropriou de lá os três enaquins, Sesai, Aimã e Talmai, os descendentes de Enaque. [15]De lá, ele subiu contra os habitantes de Debir; anteriormente, o nome de Debir era Cidade

do Rolo. **16**Calebe disse: "A quem quer que derrube a Cidade do Rolo e a tome, eu darei Acsa, minha filha, por esposa." **17**Otoniel, o quenezeu, um parente de Calebe, a tomou, e ele lhe entregou Acsa, sua filha, por esposa. **18**Quando chegou, ela o pressionou a pedir ao pai dela um pedaço de terra. Ela desceu de seu jumento, e Calebe lhe disse: "O que é isso?" **19**Ela disse: "Dê-me um presente, já que me deu terra no Neguebe, então dê-me fontes de água." Então, ele lhe deu as fontes superiores e inferiores.

[O capítulo prossegue, listando as cidades no território de Judá, mas, por fim, observa que os judaítas não conseguiram expulsar os jebuseus de Jerusalém e que eles vivem com os judaítas "até hoje". Josué 16:1—17:2, então, descreve as distribuições de Efraim e, depois, começa a descrever a partilha para a metade de Manassés que vive a oeste do Jordão.]

CAPÍTULO 17

3Ora, Zelofeade, filho de Héfer, filho de Gileade, filho de Maquir, filho de Manassés, não tinha filhos, mas apenas filhas. Estes eram os nomes das suas filhas: Maalá, Noa, Hogla, Milca e Tirza. **4**Elas foram ver o sacerdote Eleazar, Josué, filho de Num, e os líderes, dizendo: "O próprio *Yahweh* ordenou a Moisés nos dar uma posse entre nossos parentes masculinos." Então, ele lhes deu uma posse entre os parentes masculinos do pai delas, de acordo com a palavra de *Yahweh*. **5**A parte de Manassés caiu a dez, além da terra de Gileade e Basã, do outro lado do Jordão, **6**porque as filhas de Manassés receberam uma posse entre seus filhos, enquanto a terra de Gileade pertenceu aos demais descendentes de Manassés. **7**A fronteira de Manassés corre desde Aser até Micmetá, oposto a Siquém. A fronteira vai para a direita, para os habitantes de En-Tapua (**8**a região de Tapua pertencia a Manassés, mas Tapua, na fronteira de Manassés, pertencia aos efraimitas). **9**A fronteira desce até o ribeiro de Caná. Ao sul do ribeiro, estas cidades pertencem

JOSUÉ 15:1–17:11 • VIVENDO COMO MULHERES NUM MUNDO DE HOMENS

a Efraim, no meio das cidades de Manassés, com a fronteira de Manassés ao norte do ribeiro e sua saída no mar. **10**Ao sul, pertence a Efraim e, ao norte, a Manassés, com o mar como sua fronteira. Alcança Aser, ao norte, e Issacar, a leste, **11**mas em Aser e Issacar, a Manassés pertencia Bete-Seã e suas dependências, Ibleã e suas dependências, os habitantes de Dor e suas dependências, os habitantes de En-Dor e suas dependências, os habitantes de Taanaque e suas dependências, e os habitantes de Megido e suas dependências (a terceira é Nafote).

Certa feita, eu conversava com uma aluna que estava desapontada com a sua denominação por causa da atitude em relação ao ministério de mulheres. As mulheres haviam desempenhado um papel fundamental no movimento que deu origem à denominação, porém os homens assumiram o controle e não mais permitiram que as mulheres ministrassem com a mesma liberdade e autoridade que elas possuíam no início. Uma tristeza adicional era o fato de a aluna apreciar sobremodo as distintas ênfases do movimento e da denominação; caso a abandonasse totalmente, unindo-se a outra denominação, ela perderia o contato com tais ênfases. As mulheres, na realidade, exerciam liderança em sua denominação, mas eram obrigadas a fazê-lo de formas sutis para evitar perturbações no *modus vivendi*, desenvolvido ali. É possível ver a mesma história repetida na igreja primitiva, na qual as mulheres, originariamente, detinham uma autoridade para ministrar que, mais tarde, desapareceu. Constata-se o mesmo em Israel, na pessoa de alguém como a irmã mais velha de Moisés. As mulheres são obrigadas a desenvolver estratégias para viver em um mundo dominado por homens e não submergir.

Acsa assim procedeu. O seu pai a tratou como um prêmio para o homem que dominasse Debir ou Quiriate-Sefer, a "Cidade do Rolo" (talvez fosse onde os registros eram mantidos). Isso pode parecer escandaloso no Ocidente moderno, embora possa expressar apenas uma versão extrema de algumas atitudes em relação ao casamento presentes na maioria das culturas humanas. No Ocidente atual, consideramos que o casamento é, essencialmente, um relacionamento pessoal no qual as pessoas encontram a sua alma gêmea e que a decisão sobre quem desposar é de ordem pessoal e intransferível. Contudo, essa é meramente apenas uma de nossas presunções culturais. Elas não parecem gerar uma sociedade caracterizada por casamentos ou famílias estáveis e há evidências que sugiram que outras conjecturas culturais sejam capazes de funcionar também.

Pode ser que Acsa tenha tido a oportunidade de olhar para o marido que seu pai propôs e dito: "De jeito nenhum!"; certamente, outros relatos do Antigo Testamento implicam que uma mulher poderia fazer isso. O que aprendemos sobre Acsa, decerto, torna isso plausível. Ela não parece ser alguém de fácil manipulação. Quando vai morar com Otoniel, ela arquiteta um plano com ele para convencer Calebe a lhes dar um pedaço (a mais) de terra; sabemos, do capítulo 14, que Calebe não é covarde, mesmo com 85 anos, e, ao que parece, a filha herdou os genes do pai. Quando ela volta para casa e desce de seu jumento com um semblante determinado, Calebe pode ver que há problemas à vista. Parece que a história foi resumida; primeiro, ela discorre sobre a terra, que talvez fosse o dote que Acsa leva consigo ao casamento, mas que, legalmente, permanece com ela. A narrativa, então, pressupõe essa doação de terra e levanta a questão sobre a água. Debir é uma terra situada no sul de Hebrom, onde o próprio Calebe tinha a sua porção, sendo, portanto, muito árida. É uma região que está se tornando desértica. Acsa manipula os homens de sua vida

JOSUÉ 15:1–17:11 • VIVENDO COMO MULHERES NUM MUNDO DE HOMENS

para lhe assegurar um acordo melhor que o inicialmente proposto por eles. Ela age como uma astuta mulher de negócios, como Abigail e a mulher em Provérbios 31.

Acsa, seu pai e seu marido são todos quenezeus, povo que remonta a sua ancestralidade a Quenaz, um descendente de Esaú (veja Gênesis 36). Esaú foi o homem preterido por Deus, que, em seu lugar, escolheu Jacó (Israel). Deus agrupou os quenezeus com povos como os hititas e os **cananeus**, cuja terra seria entregue aos descendentes de Abraão (Gênesis 15:19). Por ironia, o nome de Calebe é similar a uma palavra hebraica para "cão", *celeb*. Não se deve dar coisas sagradas ou o alimento dos filhos aos cães gentios, afirma Jesus (Mateus 7:6; 15:26). Todavia, mesmo os cães podem comer das migalhas que caem debaixo da mesa. Calebe era o melhor cão fiel, e ele comeu mais do que apenas migalhas. Como Josué, esse homem que não nascera israelita, teve total confiança de que *Yahweh* podia dar a terra ao povo. Da mesma forma que Raabe contrasta com Acã, Calebe se contrapõe a praticamente todos os israelitas. Novamente, ele lembra a Israel que nascer um israelita não significa nada, exceto se for comprometido com *Yahweh*, e que, ao contrário, o fato de não nascer um israelita, não exclui a pessoa de se tornar israelita por adoção.

As filhas de Zelofeade enfrentaram Moisés de frente, em um contexto comunitário, do mesmo modo que Acsa confrontou o seu pai em um contexto familiar; talvez soubessem que Moisés veria o fantasma de sua irmã mais velha olhando sobre os ombros delas. Agora, elas confrontam Eleazar. Números 27 relata como o pai delas tinha morrido sem gerar filhos, o que significava, pelas regras vigentes, que a sua terra seria distribuída aos seus irmãos. "Isso não é justo", elas proclamaram. Deus e Moisés viram que elas tinham razão e estabeleceram uma regra nova: as filhas tinham prioridade sobre os irmãos do pai, em situações similares. No dia seguinte, os homens vieram e disseram: "Bem, essa nova regra irá prejudicar a distribuição de toda a terra, caso elas herdem a terra e se casem com membros de outros clãs." Isso resultou em um adendo à regra: as filhas podem se casar com quem quiserem, desde que ele seja de seu próprio clã (o que, provavelmente, ocorreria de qualquer forma, pela inexistência de um serviço de namoro *on-line* que lhes permitisse entrar em contato com os rapazes de um clã distante). Ainda assim, foi uma grande vitória, mas significou certa concessão ao sistema. As filhas, então, não se recolheram às suas tendas e passaram a tricotar, satisfeitas com a vitória moral obtida (não que haja algo errado com o ato de tricotar; minha feminista favorita é uma exímia praticante dessa arte). Elas vão e batem à porta de Eleazar (ele participou da negociação original) para dizer: "E então, onde está a nossa terra?"

JOSUÉ **17:12—19:51**
RAÍZES; OU: LAR É ONDE A SUA PORÇÃO ESTÁ

12Os manassitas não conseguiram tomar posse dessas cidades; os cananeus estavam determinados a permanecer na região. **13**Quando os israelitas se fortaleceram, eles colocaram os cananeus em trabalho forçado, mas, na realidade, não os expulsaram.

14Os josefitas falaram a Josué: "Por que nos deu como posse um lote, uma alocação, quando somos um grande povo que *Yahweh* tem abençoado tanto?" **15**Josué lhes disse: "Se vocês são um grande povo, subam para a floresta e limpem ali, na terra dos ferezeus e dos refains, se as montanhas de Efraim são muito estreitas para vocês." **16**Os josefitas disseram: "As montanhas não são suficientes para nós, e há carruagens de ferro entre todos os cananeus que vivem na área da planície, em Bete-Seã e suas dependências, e na planície de Jezreel." **17**Mas Josué disse à casa de José, a Efraim e a Manassés: "Vocês

JOSUÉ 17:12–19:51 • RAÍZES; OU: LAR É ONDE A SUA PORÇÃO ESTÁ

são um grande povo. Vocês têm grande força. Não terão apenas um lote, **¹⁸**porque as montanhas serão suas, elas são floresta, mas vocês a clarearão, e seus limites mais distantes serão de vocês, porque desapropriarão os cananeus, apesar de eles terem carruagens de ferro e serem fortes."

CAPÍTULO 18

¹Tòda a comunidade israelita reuniu-se em Siló e montou a tenda do encontro ali. Embora a terra fosse subjugada diante deles, **²**ainda restavam sete clãs entre os israelitas que não tinham recebido a sua posse. **³**Josué disse aos israelitas: "Por quanto tempo vocês irão se mostrar negligentes quanto a tomar posse da terra que *Yahweh*, o Deus de seus ancestrais, lhes deu? **⁴**Providenciem três homens de cada clã, e eu os enviarei a percorrer a terra e a mapeá-la com vistas à posse deles. Então, eles devem vir a mim, **⁵**e a dividirei em sete partilhas. Judá deve permanecer em seu território, ao sul, e a casa de José deve permanecer em seu território, ao norte. **⁶**Vocês devem mapear o território em sete partes e trazê-lo a mim aqui, para que eu possa lançar sortes por vocês diante de *Yahweh*, o nosso Deus. **⁷**Porque não há partilha para os levitas em seu meio, porque o sacerdócio de *Yahweh* é a possessão deles, e Gade, Rúben e a metade de Manassés receberam a posse deles do outro lado do Jordão, a leste, que Moisés, o servo de *Yahweh* lhes deu."

[Os demais versículos dos capítulos 18 e 19 relatam a implementação desse plano e registram as áreas a ser ocupadas pelos sete clãs que restam, Benjamim, Simeão, Zebulom, Issacar, Aser, Naftali e Dã.]

Enquanto aguardava o início da apresentação de *jazz*, na noite passada, eu lia um livro sobre os capítulos de abertura do evangelho de Mateus (enquanto outras ocupavam-se com seus celulares). O livro observava como a lista de nomes que

JOSUÉ 17:12–19:51 • RAÍZES; OU: LAR É ONDE A SUA PORÇÃO ESTÁ

ocupa a maior parte do capítulo 1 é uma narrativa compacta; ela resume toda a história do Antigo Testamento, de Abraão até Davi, deste até o **exílio** e do exílio até o nascimento de Jesus, para transmitir como a história de Israel conduz à história de Jesus, e como a história do Filho de Deus resulta da história do povo israelita. Há outras maneiras de ler a história de Israel; crer em Jesus é o que faz você ler dessa forma. Todavia, não há outras formas de compreender a história de Jesus. É preciso ler a história subjacente a ele. Certa feita, conheci uma pessoa que chegou à fé em Cristo por meio da leitura dos capítulos iniciais de Mateus. A maioria dos cristãos acharia isso peculiar; em geral, pulamos essa parte, ignorando a importância crucial desses versículos para compreendê-lo. A pessoa em questão era judia. Para os gentios, trata-se apenas de uma lista de nomes, mas esses versículos lhe permitiram ver que Jesus podia ser o Messias dela.

O Antigo Testamento incorpora inúmeras listas contendo nomes que, desse modo, revelam às pessoas quem elas são ao recordá-las de sua história. A característica distinta de Josué 13–19 é que essa passagem é dominada por listas de lugares. Qual o motivo de serem incluídas no texto bíblico? Que impacto teriam nas pessoas que as lessem?

Uma função que as listas executam é revestir de carne os ossos da declaração de que Deus cumpriu a promessa de dar a terra a Israel. A verdade, em geral, repousa nos detalhes. Ele não entregou meramente o território de **Canaã** a Israel, mas também deu Ofra, Ziclague, Suném, Afeque e todos os outros lugares listados nos capítulos 18 e 19, bem como em outras passagens desta seção do livro. Deus pode ser visto nos pormenores. Eles tornam as promessas divinas em realidade concreta, especialmente em contextos nos quais eles não parecem a verdade. Independentemente da época na qual o livro de Josué foi escrito, é improvável que isso tenha ocorrido no período em que Israel ocupava toda a terra que Josué, aqui, distribui entre os clãs. Como o próprio relato observa, nos dias de Josué eles ainda não tinham, de fato, ocupado toda a terra. Os dois clãs descendentes de José protestam pelo fato de as alocações serem somente linhas teóricas em um mapa. Apesar das narrativas com respeito às grandes vitórias sobre os cananeus, as linhas no mapa ignoram a realidade da continuidade do poder cananeu. Durante os dias de Davi é que o mapa passou a ser mais do que uma teoria, mas, três séculos depois desse período, esses mesmos clãs de José foram subjugados pelos **assírios**, e, passados mais um século ou dois, foi a vez de os **judaítas** perderem o controle do território para os **babilônios**. O relato da distribuição da terra, executada por Josué, desafia os seus leitores a crer que Deus ainda pretende dar a terra a eles e que ele assim o fará. Deus realizou isso em parte, ao trazer de volta os judaítas do **exílio**, e o fez ainda mais espetacularmente pela maneira em que o povo judeu obteve o controle de toda a terra durante o período do Segundo Templo, após o exílio, ainda que, então, tenham caído sob o domínio romano.

Os detalhes também significam que os clãs individuais, os grupos de parentesco e as famílias podem se encontrar nessas alocações. À semelhança dos cristãos, a leitura dessas seções de Josué, por parte dos judeus, não é muito frequente durante os serviços religiosos, mas eles usam algumas delas. Assim, pode-se imaginar os filhos cutucando os pais quando a lição menciona Sucote, Quedemote ou mar da Galileia, pois é a região onde eles vivem. Eles fazem parte da história sobre a entrega da terra a Israel por Deus. Cada família vive onde vive porque as promessas divinas foram cumpridas.

Existem outros contextos mais complexos nos quais pode-se imaginar essas listas sendo importantes. Suponha que dois clãs e, portanto, duas famílias distintas, entrem em litígio por causa da posse de uma área específica. As listas de limites permitem que os clãs resolvam as disputas. Então, a história quanto aos dois clãs de José ilustra como isso os desafia. Aquela narrativa pressupõe que eles tinham três tipos de terra dentro de sua partilha e que eles não seriam os únicos clãs sobre os quais isso era verdadeiro. As principais áreas nas quais os israelitas originariamente se instalaram eram montanhosas, embora suficientemente capazes de abrigar uma população de fazendeiros. Elas eram praticamente desabitadas, nos tempos de Josué, de modo que seria plenamente viável aos clãs se instalarem ali. Investigações arqueológicas indicam que muitos novos assentamentos e vilarejos ocorreram nesse período (isso não prova que eram israelitas, mas se encaixa perfeitamente ao relato bíblico). Contudo, as regiões mais valiosas da terra estavam nos vales e planícies, nos quais, naturalmente, as cidades dos cananeus foram construídas; os clãs de José alegam a necessidade de realizar algumas desapropriações, a despeito da lista de vitórias que a história nos revela. A terceira área á a região montanhosa que está coberta de florestas. Então, vão e cortem as árvores, diz Josué, que está preparado para ser curto e grosso. O encontro entre Josué e os dois clãs reflete, ainda, outro aspecto da intrincada história sobre a posse de Canaã por parte de Israel. Com certeza, houve a provisão divina, mas nem tudo foi milagroso. A narrativa envolveu fatores circunstanciais, a consideração de fatores humanos e a necessidade de muito esforço físico.

JOSUÉ **20:1—21:45**
TUDO SE TORNOU VERDADE

¹*Yahweh* falou a Josué: ²"Diga aos israelitas: 'Providenciem para vocês as cidades de asilo sobre as quais falei a vocês por

JOSUÉ 20:1–21:45 • TUDO SE TORNOU VERDADE

meio de Moisés, ³para um homicida, que atinja uma pessoa por acidente, fugir para lá. Elas serão um asilo para vocês do restaurador de sangue. ⁴[O homicida] fugirá para uma dessas cidades, se apresentará à entrada do portão da cidade e exporá o seu caso aos anciãos da cidade. Eles o admitirão à cidade, lhe darão um lugar, e ele viverá com eles. ⁵Se o restaurador de sangue persegui-lo, eles não renderão o homicida ao seu poder, porque ele atingiu o seu próximo sem perceber e não era seu inimigo nos dias anteriores. ⁶Ele viverá naquela cidade até se apresentar diante da cidade para uma decisão e até a morte do sumo sacerdote que estiver ali naqueles dias. Então, o homicida pode retornar e ir à sua cidade e à sua casa, para a cidade da qual fugiu.'" ⁷Assim, eles santificaram Quedes, na Galileia, nas montanhas de Naftali e Siquém, nas montanhas de Efraim, e a Cidade de Arba (isto é, Hebrom), nas montanhas de Judá. ⁸No outro lado do Jordão, a leste de Jericó, eles providenciaram Bezer, no deserto, no planalto, do clã de Rúben, Ramote, em Gileade, do clã de Gade, e Golã, em Basã, do clã de Manassés. ⁹Estas foram as cidades designadas a todos os israelitas e os estrangeiros residentes no meio deles para fugirem, qualquer um que atingisse uma pessoa por acidente, e ele não morresse pela mão do restaurador de sangue até se apresentar diante da comunidade.

CAPÍTULO 21

¹Os cabeças das famílias dos levitas vieram ver Eleazar, o sacerdote, Josué, filho de Num, e os cabeças das famílias dos clãs israelitas. ²Eles lhes falaram em Siló, na terra de Canaã: "O próprio *Yahweh* ordenou, por meio de Moisés, nos dar cidades para viver, com seus pastos para nosso gado." ³Assim, os israelitas deram aos levitas parte de seus lotes, de acordo com a palavra de *Yahweh*.

[A seguir, há uma lista das cidades espalhadas por toda a terra que foram dadas aos levitas.]

43 *Yahweh* deu a Israel toda a terra que ele prometeu dar aos seus ancestrais. Eles tomaram posse dela e viveram ali. **44** *Yahweh* lhes deu descanso de todos os lados, de acordo com tudo o que prometeu aos seus ancestrais. Nenhum homem de todos os seus inimigos permaneceu diante deles; *Yahweh* entregou todos os seus inimigos na mão deles. **45**Nenhuma palavra caiu, de todas as boas palavras que *Yahweh* tinha falado à casa de Israel. Tudo aconteceu.

Há pouco menos de três semanas, recebi um desses *e-mails* padrão de uma aluna: ela não se julgava capaz de terminar o seu trabalho no prazo determinado. Só que não era um *e-mail* padrão. Ela havia sido diagnosticada com um tumor cerebral e iria passar por uma cirurgia um dia antes do término desse prazo. Eu a incentivei o revelar o seu caso na última aula, e oramos por ela. Cinco dias atrás, ela passou pela cirurgia, e os médicos não encontraram um tumor, mas um abscesso. Ela sente uma dor intensa e necessitará de tempo para uma recuperação completa, mas logrará isso. Antes da cirurgia, sua mãe comentou que havia muitas pessoas orando para que o tumor não avançasse, mas creio que no fundo do coração ela sabia que a vida não funciona assim, provavelmente não para a maioria das pessoas diagnosticadas com tumores. No entanto, aproveitamos uma ocasião em que o tumor acaba não prevalecendo e consideramos isso como uma pista para a verdadeira natureza da realidade e da vida, uma indicação do rumo que a vida está realmente tomando e de como ela acabará. Teologicamente, o fato de Jesus haver ressuscitado dentre os mortos é mais relevante do que o fato de ninguém mais ter feito isso.

O derradeiro parágrafo em Josué 21 indica que o Antigo Testamento enxerga as coisas de forma análoga. Ele deixa

JOSUÉ 20:1–21:45 • TUDO SE TORNOU VERDADE

claro que os israelitas não estão, de modo nenhum, com a posse total de **Canaã**. Igualmente, revela uma sequência de histórias sobre as vitórias conquistadas pelos israelitas, assumindo-as como indicações mais importantes da verdadeira situação da ocupação da terra por Israel do que o mero fato de ainda haver muita área a ser ocupada. Do mesmo modo que friamente reconhece esse fato, ele aloca a terra desocupada.

Pode-se fazer uma analogia com a maneira de os profetas falarem. Eles dizem: "Deus restaurou Jerusalém", quando, na realidade, a cidade ainda está em ruínas (e, quanto a isso, afirmam: "O fim chegou para o meu povo Israel", quando tudo vai bem, obrigado). Pelo fato de Deus haver determinado esses eventos, na verdade eles estão em ação, embora ainda não estejam, de fato, ocorrendo. Deus determinou dar a Israel toda a terra e proporcionou uma amostra daquela realidade nas vitórias obtidas por Israel, de modo que é possível falar que Deus entregou toda a terra como se isso fosse real. Em pouco tempo, isso se concretizará (como, de fato, ocorreu). A fé propicia substância às coisas que literalmente ainda são esperanças (Hebreus 11). Contudo, isso não ocorre porque você está iludido, mas porque você tem algumas primícias do cumprimento e pode, portanto, confiar no cumprimento total de Deus.

As cidades de asilo constituíam a maneira de Israel assegurar que alguém não fosse tratado como um assassino quando ele ou ela não merecesse. Em princípio, em Israel, quando alguém cometia um delito, ou quando havia um conflito na comunidade, o assunto era tratado localmente. A família e os anciãos da vila eram elementos-chave nesse processo, e não havia policiais profissionais, nem advogados, cadeias ou multas. Com respeito ao assassinato, a família da vítima tinha o direito de buscar a execução do assassino;

JOSUÉ 20:1–21:45 • TUDO SE TORNOU VERDADE

essa responsabilidade cabia a alguém na família da vítima, designado como "**restaurador** de sangue". Pode ser que, no caso de assassinato, como ocorre com outras ofensas em geral, a preocupação não era tanto com relação à punição, mas com alguma forma de compensação — por exemplo, quem assumiria a responsabilidade por uma família se alguém assassinasse o cabeça dessa família? Todavia, pode-se imaginar que o sangue derramado clamar do solo signifique, às vezes, que a família da vítima almeje simplesmente "justiça", o que ocorre, especialmente, em razão do luto e da raiva após uma morte violenta. Um perigo, então, é que a pessoa errada seja executada, como ocorre nas sociedades modernas que praticam a pena capital. O objetivo principal das cidades de asilo era evitar essa ocorrência. Uma pessoa que, acidentalmente, matasse outra poderia buscar refúgio em uma dessas cidades, para que houvesse tempo de os sentimentos exaltados se acalmarem e para a devida investigação do crime por parte da comunidade. As regras na **Torá** sobre essa possibilidade estão em Números 35. Talvez a questão quanto à citação da morte do sumo sacerdote é que, de certa forma, isso compensa a morte ocorrida, que permanecia como uma mancha sobre a comunidade, ainda que tenha sido acidental.

Não foi distribuída aos levitas nenhuma porção de terra porque os dízimos do povo e outras ofertas eram para a provisão deles, mas, ainda assim, eles precisavam de lugares onde viver e apascentar os seus rebanhos, de modo que lhes foram alocadas cidades e terra ao redor delas como pastagens para seus animais. Embora o Antigo Testamento enfatize mais o papel dos levitas como assistentes ministeriais no santuário central, o santuário não necessitaria de todo o clã de modo permanente, e seria estranho eles viverem espalhados por todo o território se o trabalho deles era totalmente concentrado no santuário O capítulo, talvez, pressupõe dois ou três outros papéis ocasionalmente mencionados pelo Antigo Testamento. A função oficial dos levitas, como prescrito na Torá, também envolvia o ensino a toda a comunidade, o que, portanto, seria uma justificativa lógica para eles viverem espalhados por toda a terra. Na verdade, havia santuários distribuídos por todo o território, e os levitas, então, ficaram responsáveis pelo ministério nesses santuários. As cidades de asilo também eram cidades levitas, implicando que eles desempenhavam um papel em relação às tratativas de asilo; os levitas eram o que Israel tinha de mais próximo a advogados e polícia. Eles atuavam em nome do governo central a fim de manter alguma supervisão sobre o modo com que a vida era administrada, as decisões eram tomadas e a justiça era exercida.

JOSUÉ **22:1–34**
O UNIVERSAL E O LOCAL

[Os versículos 1-8 relatam o envio dos clãs, por parte de Josué, que irão viver a leste do Jordão.]

[9]Assim, os rubenitas, os gaditas e a metade do clã de Manassés deixaram os israelitas em Siló, na terra de Canaã, e retornaram para a terra de Gileade, para a terra de sua posse, que tinham adquirido pela palavra de *Yahweh*, por meio de Moisés, [10]e chegaram à região do Jordão, na terra de Canaã. Os rubenitas, os gaditas e a metade do clã de Manassés construíram um altar ali, no Jordão, um altar grande em aparência. [11]Os israelitas ouviram: "Ora, os rubenitas, os gaditas e a metade do clã de Manassés construíram um altar perto de Canaã, na região do Jordão, do outro lado dos israelitas."

[12]Então, os israelitas ouviram, e toda a comunidade dos israelitas se reuniu em Siló para sair à guerra contra eles.

¹³Os israelitas enviaram Fineias, o sacerdote, filho de Eleazar, aos rubenitas, aos gaditas e à metade do clã de Manassés, na terra de Gileade, **¹⁴**e dez líderes com ele, um líder para cada casa ancestral (por todos os clãs de Israel). Cada um era o cabeça de uma casa ancestral nas divisões de Israel. **¹⁵**Eles chegaram aos rubenitas, aos gaditas e à metade do clã de Manassés, na terra de Gileade, e lhes falaram: **¹⁶**"Toda a comunidade de Israel disse isso: 'O que é essa quebra de fé que vocês cometeram contra o Deus de Israel ao se afastarem, hoje, de *Yahweh*, construindo vocês mesmos um altar, rebelando-se, hoje, contra *Yahweh*? **¹⁷**A transgressão em Peor foi uma pequena coisa para nós, da qual não nos purificamos até este dia, e que trouxe uma epidemia sobre a comunidade de *Yahweh*, **¹⁸**e vocês mesmos se afastam, hoje, de *Yahweh*? Caso se rebelem contra *Yahweh*, amanhã ele estará irado contra toda a comunidade de Israel. **¹⁹**No entanto, se a terra de sua posse for tabu, atravessem para a terra de posse de *Yahweh*, onde está a habitação de *Yahweh*, e mantenham terra entre nós. Não se rebelem contra *Yahweh* nem se rebelem contra nós ao construírem vocês mesmos outro altar que não o altar de *Yahweh*, o nosso Deus. **²⁰**Quando Acã, filho de Zerá, quebrou a fé em relação a "devotar", a ira não veio sobre toda a comunidade? Ele não foi o único que pereceu por sua transgressão.'"

²¹Os rubenitas, os gaditas e a metade do clã de Manassés falaram aos líderes das divisões de Israel: **²²**"O Deus dos deuses, *Yahweh*, o Deus dos deuses, *Yahweh*, ele sabe, e Israel — eles saberão: se foi em rebelião ou em quebra de fé contra *Yahweh*, não nos poupem hoje, **²³**[se foi] para construir por nós mesmos um altar para nos afastar de *Yahweh*. Ou, se foi para oferecer uma oferta queimada ou uma oferta de cereal sobre ele, ou para sacrificar ofertas de comunhão sobre ele, *Yahweh* — que ele possa exigir isso de nós. **²⁴**Na verdade, o fizemos por causa de nossa ansiedade sobre isso. Dissemos: 'Amanhã, os seus filhos podem dizer aos nossos filhos: "O que vocês e *Yahweh*, o

JOSUÉ 22:1-34 • O UNIVERSAL E O LOCAL

Deus de Israel, têm em comum? **25***Yahweh* fez do Jordão uma fronteira entre nós e vocês, rubenitas e gaditas. Vocês não têm partilha em *Yahweh*.'" Os seus filhos impediriam os nossos filhos de reverenciar *Yahweh*. **26**Então, dissemos: 'Vamos agir por nós mesmos pela construção de um altar, não para oferta queimada ou sacrifício, **27**mas será uma testemunha entre nós e vocês e as gerações vindouras.'"

[Os versículos de encerramento relatam como a delegação deu-se por satisfeita e relatou isso aos demais clãs.]

Assim como inúmeras denominações, a Igreja Anglicana/ Episcopal, à qual pertenço, está em grande confusão porque diferentes partes do mundo, bem como diferentes grupos nessas mesmas partes do planeta, defendem visões conflitantes com respeito à real natureza da fé e do discipulado cristão. Os conflitos se concentram em casamentos homoafetivos, mas também envolvem outros temas, como o ministério de mulheres, além de questões subjacentes a esses assuntos, entre elas a autoridade da Escritura, a autoridade da tradição da igreja, a forma de nos relacionarmos com a cultura a que pertencemos, e como é possível esperar que diferentes partes da igreja cheguem a decisões compartilhadas sobre tais temas. Essas pessoas não parecem falar a verdade em amor. Admito que alguns de meus colegas podem até rir da minha afirmação, porque, às vezes, eles ficam chocados ou ofendidos pelo modo direto e agressivo de me expressar quando estamos discutindo algum assunto.

Uma característica intrigante da história dos clãs orientais e o **altar** por eles construído é a forma direta, agressiva e rude de Josué falar. Na Bíblia, a polidez não é uma virtude (no domingo passado, em nossa igreja, a leitura do Evangelho

JOSUÉ 22:1-34 • O UNIVERSAL E O LOCAL

mostrou João Batista chamando as pessoas de "raça de víboras"). Na verdade, aqui em Josué 22, não é uma questão de falar, mas de agir. Os clãs ocidentais ouviram que os clãs orientais tinham edificado um altar e se reúnem para a guerra. Como assim? Felizmente, Josué mesclou preparativos para a guerra com diplomacia; embora os clãs do lado ocidental do Jordão iniciassem manobras para forçar os clãs do lado oriental à correção, Josué enviou o sumo sacerdote e alguns outros líderes para ler o ato de motim aos clãs orientais e lhes fazer uma proposta que não poderiam recusar. Uma vez mais, trata-se do oeste selvagem, e funcionou.

A minha atribulada denominação é a *Comunhão* Anglicana, uma comunidade mundial. Partes distintas dessa comunhão sentiram que deveriam agir de formas que acabaram prejudicando a unidade, pois consideraram que a fé cristã deveria ser expressada no contexto deles, ou para proteger a integridade da fé cristã ou da denominação como um todo. No caso de Israel, também há uma tensão entre o todo e as partes. Quando os clãs orientais acompanharam os seus irmãos e irmãs na invasão a **Canaã**, para que eles também tivessem um lugar no qual viver, Josué os envia de volta para estabelecerem assentamentos no lado leste do Jordão, conforme desejassem, com a bênção de Deus e uma parte da pilhagem coletada por todo o povo. O lar deles, na realidade, não fica muito distante do santuário central, nem mesmo longe dos clãs ocidentais. No entanto, do ponto de vista psicológico e mesmo teológico, pode constituir um longo caminho, num território que, estritamente, não pertence à terra originariamente prometida. Ainda assim, Deus estava disposto a atender aos desejos dos clãs, quando aquela área caiu no colo de Israel, por causa da estupidez de seus habitantes e porque esses clãs perceberam a excelência daquela terra. A questão é como eles podem

JOSUÉ 22:1-34 • O UNIVERSAL E O LOCAL

expressar a sua unidade com os demais clãs e, ao mesmo tempo, sentir-se em casa onde estão.

O povo judeu sempre viveu com essa questão. Em menor ou maior grau, a maioria dos clãs viveria esse dilema, já que muitos estavam situados a alguma distância do santuário central. Nos tempos primordiais do Antigo Testamento, a comunidade judaica, no Egito, construiu um santuário junto ao Nilo; há correspondência entre eles e a comunidade de Jerusalém que reflete a tensão entre eles manterem uma expressão de fé em seu próprio contexto e ter uma fé e observância comuns com a comunidade de Jerusalém.

Quando os clãs orientais edificaram para si um altar próximo ao Jordão, Josué entrou em parafuso porque isso pareceu uma declaração unilateral de independência dos clãs ocidentais. Foi equivalente a dividir Cristo ou o corpo de Cristo (Paulo fala em termos similares sobre a divisão numa congregação individual em 1Coríntios 1:10-13; 12:12-14). O propósito de Deus para Israel dependia da unidade deles como povo. Possuir um santuário central e um lugar centralizado para os sacrifícios era um símbolo e uma expressão dessa unidade. Portanto, Josué utiliza termos realmente sérios para descrever a ação dos clãs orientais. Eles tinham quebrado a fé, se afastado de *Yahweh*, se rebelado contra ele, cometido transgressão, colocado em perigo o relacionamento deles com Deus, bem como a relação de todo o povo. É um pecado tão ruim quanto aquele cometido em Bete-Peor ou a ação de Acã.

Você deve pensar que Josué está por cima. Ironicamente (os clãs orientais protestam), o objetivo do altar que eles construíram era honrar a importância do altar central como lugar de sacrifício, não para negá-lo. Eles não iriam fazer sacrifícios no altar que edificaram. De certa forma, era como uma foto do altar "apropriado", algo que os lembrasse do altar central, uma espécie de "testemunha" dele, e uma prova ainda maior para os clãs ocidentais de que os clãs orientais mantinham o altar central em mente. Assim, a disputa foi resolvida, e todos puderam viver felizes para sempre

JOSUÉ **23:1–16**
O PERIGO DA FÉ DOS OUTROS POVOS

[1]Muito tempo mais tarde, depois de *Yahweh* ter dado a Israel descanso de todos os seus inimigos em derredor, e quando Josué estava velho, avançado em anos, [2]Josué convocou todo o Israel, seus anciãos, seus líderes, seus juízes e seus oficiais, e lhes disse: [3]"Estou velho, avançado em anos. Vocês viram tudo o que *Yahweh*, o seu Deus, fez a todas essas nações por conta de vocês, porque *Yahweh*, o seu Deus, é aquele que lutou por vocês. [4]Vejam, distribuí entre vocês essas nações remanescentes como uma posse para os seus clãs, desde o Jordão (sim, todas as nações que eu cortei) até o mar Mediterrâneo, no oeste. [5]*Yahweh*, o seu Deus, os empurrará de volta por causa de vocês e os desapropriará diante de vocês para que possam tomar posse da sua terra, como *Yahweh* lhes declarou. [6]Vocês devem ser muito firmes quanto ao cuidado de fazer tudo o que está escrito no rolo de ensino de Moisés, sem se desviar dele, para a direita ou para a esquerda, [7]e sem ir entre essas nações (essas que permanecem com vocês), invocando ou jurando pelo nome dos deuses deles, servindo-lhes ou curvando-se a eles. [8]Em vez disso, devem apegar-se a *Yahweh*, o seu Deus, como têm feito até este dia.

[9]"*Yahweh* desapropriou grandes e poderosas nações diante de vocês. Nenhum homem permaneceu contra vocês até este dia. [10]Um homem de vocês persegue mil, porque *Yahweh*, o seu Deus, luta por vocês, como lhes declarou. [11]Devem ter grande cuidado por vocês para dedicarem-se a *Yahweh*, o seu Deus, [12]porque, se vocês se voltarem e se apegarem ao que restar dessas nações (essas que permanecem com vocês) e se casarem

JOSUÉ 23:1-16 • O PERIGO DA FÉ DOS OUTROS POVOS

com elas e tiverem sexo com elas e elas, com vocês, **13**reconheçam claramente que *Yahweh,* o seu Deus, não continuará a desapropriar essas nações diante de vocês. Elas se tornarão uma armadilha para vocês e um laço, um chicote em seus lados e espinhos em seus olhos, até vocês desaparecerem desse solo bom que *Yahweh,* o seu Deus, lhes deu.

14"Então, estou seguindo agora o caminho de toda a terra. Vocês devem reconhecer de toda a sua alma e de todo o seu ser que nada tem falhado de todas as coisas boas que *Yahweh,* o seu Deus, lhes declarou. Tudo se cumpriu para vocês. Nenhuma das palavras falhou. **15**Assim como cada boa palavra que *Yahweh,* o seu Deus, lhes falou, cumpriu-se para vocês, também *Yahweh* fará cada palavra ruim se cumprir para vocês até os eliminar desse solo bom que *Yahweh,* o seu Deus, lhes deu. **16**Quando vocês violarem a aliança de *Yahweh,* o seu Deus, que ele lhes ordenou, servirem a outros deuses e se curvarem diante deles, a ira de *Yahweh* queimará contra vocês, e vocês desaparecerão rapidamente dessa boa terra que ele lhes deu."

Em consequência do Onze de Setembro, o Departamento de Estado dos Estados Unidos patrocinou visitas de estudiosos muçulmanos de fora do país a universidades e seminários norte-americanos, como parte dos esforços para fomentar uma compreensão mútua entre os mundos "islâmico" e "cristão". Durante uma das visitas, um curioso efeito sobre mim foi descobrir que os muçulmanos estrangeiros e eu, como cristão estrangeiro, tínhamos uma convicção em comum: que, nos Estados Unidos, a religião e o Estado estão muito mais entrelaçados (onde são constitucionalmente separados) do que na Europa (mesmo em países onde eles são ligados, pela Constituição). Essa observação gerou uma profusão de protestos por parte de membros dos EUA de relevante discussão. Não muito tempo depois desse evento, participei de um simpósio sobre bancos muçulmanos em nossa cidade; os bancos muçulmanos operam de uma forma que procura trabalhar dentro dos termos do Alcorão, que proíbe o empréstimo a juros; os judeus e cristãos, usualmente, ignoram a lei equivalente presente no Antigo Testamento.

Esse envolvimento com pessoas de outras crenças pode, portanto, ser uma experiência iluminadora. Ele contrasta frontalmente com a atitude em relação a pessoas de outros credos recomendada por Josué, de modo que esse livro tem importantes reflexões a nos oferecer. Na prática, os israelitas aprenderam com pessoas de crenças diferentes tanto no sentido positivo quanto no negativo. Confrontar a fé de povos como os **cananeus** e os **babilônios** ajudou os israelitas a articular a real natureza da fé em *Yahweh*. Isso também os levou ao erro. Conscientemente, eles, algumas vezes, serviram a outros deuses, não a *Yahweh*, mas isso é de fácil constatação. Todavia, de modo mais sutil, eles passaram a atribuir a *Yahweh* características de um deus cananeu que conflitava com a verdadeira natureza de Deus.

Ambas as maneiras de se deixar influenciar pelos cananeus repousam no histórico da advertência dada por Josué quanto a evitar o contato com esses povos. As pessoas que escreveram e leram o livro de Josué não falavam apenas teoricamente ou regidos por um preconceito étnico e religioso obtuso e infundado. Eram pessoas que conheciam a forma pela qual Israel se deixou afastar e que tinham pago o preço por essa atitude (em breve leremos sobre isso no livro de Juízes). Os cananeus eram um povo mais sofisticado e avançado tecnológica, política, religiosa e teologicamente que os israelitas. A principal razão de suas vitórias sobre os cananeus foi o fato de Deus agir de modo extraordinário, não por suas próprias capacidades.

Os israelitas precisavam considerar quão fácil era ser influenciado por pessoas mais sofisticadas. Como expressado por Josué, tais pessoas se tornam em ardil e laço, ambos no sentido de os levarem ao desvio e de lhes causarem problemas e dor.

Os casamentos mistos com os cananeus seriam uma forma infalível de atrair confusão. Ainda que um(a) israelita desposasse um cananeu ou uma cananeia e fosse capaz de manter a sua fidelidade a *Yahweh*, a vida de sua família seria afetada pelo compromisso do marido ou da esposa em servir a outros deuses. Isso mudaria a forma de lidar com os problemas, a maneira de orar, bem como o modo de compreender os compromissos religiosos. Decerto, comprometeria o ensino dos filhos quanto ao que Deus havia feito por Israel e sobre as suas implicações. Todavia, o livro de Josué deixa claro que, se um cananeu decide se comprometer com *Yahweh*, como Raabe, tudo muda; nesse caso, então, não há problema algum no casamento misto. Josué está falando sobre o cananeu comum, que se mantém fiel ao seu compromisso original. O princípio aqui não é étnico, mas religioso. No entanto, ao mesmo tempo, é mais difícil manter esses dois princípios separados em sociedades tradicionais do que ocorre no secularizado Ocidente.

O princípio diz respeito a "apegar-se" a *Yahweh*. Josué usa o verbo que aparece em Gênesis 2, quanto a um homem apegar-se, unir-se ou aderir à sua esposa, em relação a *Yahweh*, para advertir quanto ao casamento misto. O verbo não faz referência apenas ao ato sexual em si, mas à forma pela qual o casamento significa um compromisso de toda a pessoa e a formação de uma família. Isso reorienta toda a vida da pessoa, assim como apegar-se a outro deus.

Expressando de outra maneira, trata-se de **aliança**. O Antigo Testamento não fala diretamente sobre o matrimônio como uma aliança, embora o retrato que faz do compromisso envolvido num casamento implique uma compreensão similar. A união matrimonial envolve estabelecer um compromisso mútuo diante de Deus. Como isso é possível quando um cônjuge faz esse compromisso diante do verdadeiro Deus e o outro cônjuge o faz diante de uma divindade cuja natureza é equivocada, que é muito menos do que a pessoa crê? Outro ponto sobre a aliança emerge aqui. Idealmente, no casamento ocidental, a aliança envolve duas pessoas em igualdade de condições, porém não é da essência da aliança que as duas partes estejam em termos iguais. Assim, a compreensão ocidental de casamento não fornece uma boa analogia para a relação entre nós e Deus, pois esta é uma relação desigual. Deus é a parte superior. Como expressado por Josué, a aliança é algo que Deus "ordenou". A essência da aliança não é mutualidade, mas um compromisso solene do qual não se pode sair sem trair a si mesmo.

Uma vez mais, Josué carrega nas tintas quanto à extensão do cumprimento das promessas de Deus, mas os leitores saberiam que ele apenas antecipa o que Deus providenciará e que, no devido tempo, se cumprirá. Deus cumpriu as promessas, de modo que os leitores precisam ser cautelosos sobre o modo pelo qual as advertências divinas se cumprem, como, de fato, se cumpriram.

JOSUÉ **24:1–33**
"VOCÊS NÃO PODEM SERVIR A *YAHWEH*." "SIM, PODEMOS!"

¹Josué reuniu todos os clãs de Israel, em Siquém e convocou os anciãos, os líderes, os juízes e os oficiais de Israel, e eles se apresentaram diante de Deus.

[Josué relembra a história deles, de como Deus tirou Abraão da Mesopotâmia, lidou com os egípcios, conduziu Israel pelo deserto e expulsou os cananeus.]

JOSUÉ 24:1-33 • "VOCÊS NÃO PODEM SERVIR A YAHWEH." "SIM, PODEMOS!"

¹⁴[Josué disse:] "Assim, agora, reverenciem a *Yahweh* e o sirvam total e verdadeiramente. Joguem fora os deuses que os seus ancestrais serviam além do Rio [Eufrates] e no Egito e sirvam a *Yahweh*. **¹⁵**Se for ruim aos seus olhos servir a *Yahweh*, escolham vocês mesmos, hoje, a quem servirão, se os deuses que os seus ancestrais serviram além do Rio ou os deuses dos amorreus, em cuja terra vocês estão vivendo. Eu e minha casa serviremos a *Yahweh*." **¹⁶**O povo replicou: "Longe de nós abandonar *Yahweh* para servir a outros deuses, **¹⁷**porque *Yahweh*, o nosso Deus, é aquele que nos trouxe, a nós e a nossos pais, do Egito, de uma casa de servos, e que fez, diante de nossos olhos, esses grandes sinais, e cuidou de nós durante todo o caminho que percorremos e entre todos os povos no meio dos quais passamos; **¹⁸**e *Yahweh* expulsou diante de nós todos os povos (os amorreus) que viviam na terra. Nós também serviremos a *Yahweh*, porque ele é o nosso Deus."

¹⁹Mas Josué disse ao povo: "Vocês não podem servir a *Yahweh*, porque ele é um Deus santo. É um Deus apaixonado. Ele não carregará as suas rebeliões e os seus malfeitos. **²⁰**Se abandonarem a *Yahweh* e servirem a deuses estranhos, ele se voltará e trará problemas sobre vocês e lhes dará um fim, após ser bom com vocês." **²¹**O povo disse a Josué: "Não, *Yahweh* é aquele a quem serviremos." **²²**Josué disse ao povo: "Vocês são testemunhas contra vocês mesmos de que escolheram a *Yahweh*, para servir-lhe." Eles disseram: "Somos testemunhas." **²³**Então, agora, joguem fora os deuses estranhos que estão entre vocês e direcionem o seu espírito a *Yahweh*, o Deus de Israel." **²⁴**O povo disse a Josué: "Serviremos a *Yahweh*, o nosso Deus. À sua voz, ouviremos."

²⁵Naquele dia, Josué selou uma aliança para o povo e estabeleceu para eles uma lei oficial em Siquém. **²⁶**Josué escreveu essas coisas em um rolo do ensino de Deus. Ele pegou uma grande pedra e a colocou ali, debaixo do carvalho que estava no santuário de *Yahweh*. **²⁷**Josué disse a todo o povo: "Ora, esta

JOSUÉ 24:1-33 • "VOCÊS NÃO PODEM SERVIR A YAHWEH." "SIM, PODEMOS!"

> pedra será uma testemunha contra nós, porque ouviu todas as palavras que *Yahweh* nos falou. Será uma testemunha contra nós para que vocês não ajam enganosamente para com o nosso Deus." **28**E Josué despediu o povo às suas posses.
>
> *[O livro termina com o registro da morte de Josué e de Eleazar, o sacerdote, e também o enterro dos ossos de Josué em Siquém.]*

Com frequência, incentivo os meus alunos a falarem se apreciam o Deus do Antigo Testamento e, em geral, ouço uma de três respostas. Há os que não hesitam em revelar que apreciam, expressando comentários sobre o amor, a misericórdia e a fidelidade de Deus, os quais, de fato, a história ilustra, mas, ao mesmo tempo, parecem evitar os aspectos mais severos revelados pelo Antigo Testamento. Então, há aqueles que se sentem profundamente perturbados pelas citações à ira de Deus e propensos a contrastar o Deus da ira, do Antigo Testamento, com o Deus de amor, do Novo Testamento, como se o Deus neotestamentário não fosse irascível. Por fim, há os alunos que tentam manter unidos os dois conjuntos de dados. (Há também pessoas que evitam a pergunta, dizendo que amam a Deus, o que é um ponto muito diferente.)

A terceira posição é, certamente, aquela que Josué aprovaria. Ele falou deveras sobre a confiabilidade de Deus em cumprir as promessas: na verdade, ele exagerou quanto à extensão do cumprimento das promessas a seu tempo. Aqui, a sua fala é dura, em mais de um sentido. Primeiro, Deus é "santo". Essa é a única vez, no livro de Josué, que Deus é assim descrito. Nas outras vezes, o termo "santo" é usado em relação ao solo onde Josué está pisando e quanto ao espólio encontrado pelo povo em Jericó, o que ajuda a mostrar como a descrição de algo ou alguém como santo, no Antigo

JOSUÉ 24:1-33 • "VOCÊS NÃO PODEM SERVIR A YAHWEH." "SIM, PODEMOS!"

Testamento, não constitui uma referência à moralidade ou justiça, mas sobre ser diferente, especial e extraordinário. O Antigo Testamento reconhece que Deus é justo e assim por diante; apenas não utiliza a palavra "santo" nessa conexão. Lembrar ao povo que Deus é santo significa lembrar que não se brinca com Deus. Quando se sabe que Deus é amoroso, fiel e misericordioso, como os israelitas sabiam, também é necessário lembrar esse outro fato sobre Deus. Josué sublinha esse ponto acrescentando que Deus é apaixonado. A palavra, às vezes, é traduzida por *ciumento*, o que constitui um aspecto da paixão, mas a palavra hebraica possui esse sentido mais amplo. Deus sente as coisas com extrema intensidade. Essa é outra razão para não se brincar com ele, especialmente se você pertence ao povo de Deus. Para Deus, é difícil dar de ombros à nossa infidelidade. Dificilmente, em tais circunstâncias, Deus "carrega" as nossas rebeliões. Pode parecer uma declaração estranha, porque carregar as nossas rebeliões e transgressões era parte da autodescrição de Deus no Sinai, em Êxodo 34. Deus age assim, mas os pais podem chegar a um limite com seus filhos (adultos), assim como professores podem atingir um limite com seus alunos (adultos), quando devem dizer "Basta!". Com Deus isso também acontece. Josué precisa levar o povo a reconhecer essas dinâmicas da relação com Deus. Paradoxalmente, há um sentido no qual é mais seguro não estabelecer compromisso nenhum com Deus. Ao fazer o compromisso, os riscos são maiores em caso de descumprimento. Desse modo, Josué fala duramente sobre as pessoas, assim como sobre Deus. A sua referência a lançar fora os deuses estranhos constitui uma surpresa. Certamente, já ouvimos sobre os israelitas possuírem deuses estranhos algum tempo atrás, não? No próprio contexto de Josué, isso pode levar a uma implicação interessante. O cenário é

Siquém, onde Israel erigiu o **altar** e assumiu o compromisso no capítulo 8. O fato estranho é que os israelitas não lutaram contra o povo de Siquém nem atacaram a cidade. Então, se ligarmos um ou dois pontos, em um quadro mais amplo, talvez seja essa a ocasião na qual esse povo firmou o seu compromisso com *Yahweh*, toda a comunidade fazendo o que Raabe fez. Isso explicaria a severidade do argumento de Josué e a necessidade de lançarem fora os demais deuses. Ainda, estaria de acordo com outras indicações de que a formação de Israel como povo estabelecido e unido em **Canaã** não era somente uma questão de matar ou expulsar os habitantes locais.

Historicamente, essa questão surgirá provavelmente, muito tempo depois dos dias de Josué. A história estará projetando eventos, assim como na descrição de que todas as promessas de Deus já foram cumpridas. Nos séculos posteriores, haverá uma contínua necessidade de as pessoas que se veem como pertencentes a Israel verdadeiramente reconhecerem o que esse pertencimento implica. Uma das implicações de unir-se com Israel dessa forma é que a história israelita passa a ser a sua própria história. Caso eu me torne um cidadão norte-americano, descobrirei que estava no lado vitorioso da Guerra Revolucionária em vez de estar no lado perdedor, que é onde estou no presente momento. (Reconhecidamente, o povo britânico não pensa muito sobre isso. Eu mesmo quase não tinha consciência de que, outrora, os Estados Unidos fizeram parte do Império Britânico e que os perdemos, até vir morar em solo norte-americano e descobrir quão importante é essa história.)

Das centenas de milhares de pessoas que pertenciam a Israel, nos dias de Davi ou de Josué, talvez apenas um pequeno número delas fosse descendente direto de israelitas que viveram no Egito e peregrinaram no deserto até chegarem à Terra

Prometida, assim como um pequeno contingente de pessoas, nos Estados Unidos, descende de pessoas que contribuíram para o nascimento da nação. Todavia, um contingente muito maior de pessoas era formado por aquelas que tinham sido adotadas em uma nova família. Elas eram como os demais membros da família que haviam nascido nela. A história das pessoas que saíram do Egito passou a ser a sua própria história, e elas tiveram de viver com as implicações disso, tornando-se parte integrante do povo do êxodo e da **aliança**.

JUÍZES

JUÍZES 1:1–36
A VIDA REAL É MAIS COMPLICADA

¹Após a morte de Josué, os israelitas perguntaram a *Yahweh*: "Quem subirá primeiro por nós contra Canaã, para batalhar com eles?" ²*Yahweh* disse: "Judá deve subir. Sim. Eu dei a terra à sua mão." ³Judá disse a Simeão, seu irmão: "Suba comigo ao território que eu devo possuir em Canaã e também irei com você ao território que você deve possuir." Assim, Simeão foi com eles. ⁴Judá subiu, e *Yahweh* entregou os cananeus e os ferezeus na sua mão. Eles os derrubaram em Bezeque, dez mil deles. ⁵Em Bezeque, encontraram Adoni-Bezeque, batalharam contra ele e derrubaram os cananeus e os ferezeus. ⁶Adoni-Bezeque fugiu, mas eles o perseguiram e o capturaram. Eles cortaram os seus polegares das mãos e dos pés. ⁷Adoni-Bezeque disse: "Setenta reis com polegares das mãos e dos pés cortados costumavam recolher migalhas debaixo da minha mesa. Assim como eu fiz, Deus me retribuiu." Eles o levaram a Jerusalém, e ele morreu ali. ⁸Os judaítas batalharam contra Jerusalém, a tomaram, a derrubaram ao fio da espada e incendiaram a cidade. ⁹Depois disso, os judaítas desceram e batalharam contra os cananeus que viviam nas montanhas, no Neguebe e nas planícies.

[O capítulo prossegue reprisando vitórias em Hebrom e outros lugares.]

²²A casa de José também subiu contra Betel, *Yahweh* estando com eles. ²³A casa de José enviou espias para investigar Betel (anteriormente o nome da cidade era Luz). ²⁴Os espias viram um homem saindo da cidade e lhe disseram: "Você nos mostrará o caminho até a cidade e manteremos o compromisso com você." ²⁵Ele lhes mostrou o caminho e eles atacaram a cidade ao fio da espada, mas o homem e toda a sua família eles deixaram ir. ²⁶O homem foi para a terra dos hititas e construiu

JUÍZES 1:1-36 • A VIDA REAL É MAIS COMPLICADA

uma cidade e a chamou de Luz (que é o seu nome até este dia). [27]Mas Manassés não desapropriou Bete-Seã e suas dependências, Taanaque e suas dependências, os habitantes de Dor e suas dependências, os habitantes de Ibleã e suas dependências, ou os habitantes de Megido e suas dependências. Os cananeus estavam determinados a permanecer nessa terra. [28]Quando Israel se tornou forte, eles colocaram os cananeus sob trabalho conscrito. Eles não os desapropriaram por completo. [29]Nem Efraim desapropriou os cananeus que viviam em Gezer. Os cananeus viveram no meio deles em Gezer.

[O capítulo ainda descreve como Zebulom, Aser e Naftali também não expulsaram os habitantes em suas regiões, e como os amorreus forçaram Dã para fora da área desse clã e mantiveram a posse de parte do território.]

Esta semana, Barack Obama tomou aquela que pode ser a mais fatídica das decisões de sua jovem presidência, ao enviar um contingente adicional de trinta mil soldados para o Afeganistão. Ao ler este comentário, provavelmente, você já saberá se essa decisão produziu os resultados desejados. Por não ser o presidente, pude me dar ao luxo de não ter de chegar a nenhuma conclusão sobre esse ser o movimento certo, enquanto muitos especialistas podem se dar ao requinte de pontificar sobre como pode ter sido o movimento errado. Em 1947, Winston Churchill descreveu a democracia como "a pior forma de governo, com exceção das demais formas que têm sido tentadas", e a ação de Obama pode ser a menos ruim. De algumas formas, isso colide com os ideais que as pessoas lhe atribuíram, ao votarem em sua campanha (e esse ato fica ligado ao seu nome), mas, quando é você que está sentado na Casa Branca, é preciso tanto ter ideais quanto ser pragmático. Nessa mesma semana, Benjamin Netanyahu,

JUÍZES 1:1-36 • A VIDA REAL É MAIS COMPLICADA

o primeiro-ministro israelense, igualmente surpreendeu as pessoas ao declarar-se a favor do acordo de estabelecimento de dois estados no Oriente Médio e do congelamento de assentamentos. Isso também pode ser entendido como a descoberta, pelo líder, de que o cargo impõe a necessidade de ser pragmático. Na realidade, o noticiário de hoje descreveu o presidente Obama "obtendo o que era possível" em algumas de suas prioridades principais de governo (o sistema de saúde e a mudança climática), "pelo menos por enquanto", porque ele ainda não desistiu de seus ideais.

Com Deus também isso ocorre. A narrativa de Josué pode dar a impressão de que os israelitas ocuparam **Canaã** por meio de uma guerra-relâmpago que os colocou no controle de todo o território e expulsou todos os cananeus de uma vez, mas temos visto nas entrelinhas do livro de Josué inúmeros reconhecimentos de que a realidade se revelou bem mais complexa. Assim, o início do livro de Juízes (que parece mais uma nota de rodapé para Josué) escancara esse fato, repetindo alguns parágrafos do livro precedente.

Entre outras coisas, Juízes 1 indica que a ocupação de Canaã pelos israelitas foi, na verdade, muito fragmentada. **Judá** e Simeão ganharam esse pedaço de terra; os clãs de José ("a casa de José"), outra porção. Isso revela um processo deveras humano. Deus realmente queria que os clãs cortassem os polegares de Adoni-Bezeque? Bem, talvez o próprio Adoni-Bezeque tenha considerado esse ato cruel muito melhor do que ser morto e reconheceu a justiça poética inserida nessa ação (possivelmente a questão quanto a esse ato ser tomada por ele e, depois contra ele, para impedi-los de entrar em guerra novamente). Os israelitas visavam a algum lucro ao transformar os cananeus em mão-de-obra conscrita ou recrutada (isso não implica "trabalho forçado"), enquanto a **Torá** instruiu sobre **devotá-los** ou, pelo menos, expulsá-los da terra? Repetindo, é possível que os cananeus imaginassem ser afortunados pelo fato de os israelitas não interpretarem o livro de Deuteronômio tão literalmente (e talvez a leitura deles fosse correta). O capítulo indica que o processo pelo qual Israel obteve o controle de Canaã era uma via de mão dupla. Judá capturou Jerusalém e matou todos os habitantes. Contudo, mais tarde, descobrimos que a cidade ainda é ocupada pelos poucos jebuseus que, provavelmente, esconderam-se na ocasião anterior e retornaram em segurança às suas casas quando Judá deixou a cidade. Somente nos dias de Davi é que a cidade se tornou israelita. Assim, o capítulo indica que o processo refletia aspectos práticos. Houve coisas que os israelitas não lograram realizar por causa da maior sofisticação tecnológica dos cananeus. O clã de Dã jamais conseguiu ocupar aquela área.

Deus estava envolvido em um processo humano não distinto daquele por meio do qual qualquer povo assume o controle sobre o território de outro povo; na realidade, Amós 9 comenta sobre a forma pela qual Deus esteve envolvido na conquista da terra em Canaã pelos **filisteus** (!), assim como esteve envolvido na conquista da terra pelos israelitas. Há um lado problemático nessa verdade. Podemos preferir pensar no envolvimento de Deus neste mundo de um modo totalmente amoroso e pacífico, uma vez que o objetivo divino supremo é presumidamente estabelecer a paz. Talvez o problema é que, se Deus insistisse nisso, o resultado seria não estar envolvido no mundo ou somente por meios sobrenaturais. Deus suja as próprias mãos por estar envolvido na bagunça do mundo.

Ontem mesmo, uma amiga estava descrevendo a confusa divisão que ocorrera em sua igreja. Os diáconos tinham destituído o pastor; ele, então, iniciou uma nova congregação na mesma rua, e metade dos membros e líderes da antiga congregação decidiu se unir a ele. Minha amiga nutria suspeitas de que os diáconos agiram errado com o pastor, embora a ação subsequente do pastor também levantasse algumas questões. Ela estava em dúvida se deveria sair ou prosseguir em seu ministério com os jovens da igreja atual. Perguntei-lhe se achava que Deus também havia deixado a sua igreja. O meu palpite é que Deus não faz isso com frequência. Se Deus estivesse envolvido com a igreja apenas quando a igreja agisse certo e da maneira correta, o envolvimento divino jamais ocorreria.

JUÍZES 2:1—3:4
O PODER DO ESQUECIMENTO

¹O ajudante de *Yahweh* subiu de Gilgal a Pranteadores e disse: "Eu tirei vocês do Egito e os trouxe à terra que prometi aos seus ancestrais. Eu disse: 'Jamais anularei a minha aliança com vocês. ²Vocês mesmos não selarão aliança com os habitantes desta terra. Vocês derrubarão os altares deles.' Não obedeceram à minha voz: o que é que vocês fizeram? ³Assim, eu também disse: 'Não os desapropriarei de diante de vocês. Eles serão adversários de vocês. Os deuses deles serão uma armadilha para vocês.'" ⁴Quando o ajudante de *Yahweh* falou estas palavras a todos os israelitas, o povo levantou a sua voz e pranteou. ⁵Por isso, eles chamaram aquele lugar Pranteadores, mas sacrificaram ali para *Yahweh*.

⁶Quando Josué despediu o povo, os israelitas foram cada um para sua própria parte tomar posse da terra. ⁷O povo serviu a *Yahweh* todos os dias de Josué e todos os dias dos anciãos que viveram depois de Josué, que tinham visto toda a grande obra que *Yahweh* fez por Israel. ⁸Josué, filho de Num e servo de *Yahweh*, morreu como um homem de 110 anos. ⁹Eles o enterraram em seu próprio território, em Timnate-Heres, nas

JUÍZES 2:1—3:4 • O PODER DO ESQUECIMENTO

montanhas de Efraim, ao norte do monte Gaás. **10**Toda aquela geração também se reuniu ao seus ancestrais, e outra geração veio depois deles que não conhecia *Yahweh* ou a obra que ele tinha feito por Israel. **11**Os israelitas fizeram o que era inaceitável aos olhos de *Yahweh*. Eles serviram aos Mestres **12**e abandonaram *Yahweh*, o Deus de seus ancestrais, que os tirou do Egito. Seguiram a outros deuses dentre os deuses dos povos ao redor deles e se curvaram a eles, levantando a ira de *Yahweh*. **13**Quando eles abandonaram *Yahweh* e seguiram o Mestre e a Astarote, **14**a ira de *Yahweh* se acendeu contra Israel, e ele os entregou nas mãos de pessoas que os saquearam. Ele os rendeu às mãos dos seus inimigos em derredor. Eles não conseguiram mais resistir aos seus inimigos. **15**Para onde quer que fossem, a mão de *Yahweh* estava contra eles para lhes trazer problemas, como *Yahweh* tinha dito e como *Yahweh* lhes tinha jurado. Foi muito difícil para eles. **16**Mas *Yahweh* levantou líderes, e eles os libertaram das mãos de seus saqueadores.

[Juízes 2:17—3:4 traz mais informações sobre como isso se tornou um padrão na vida de Israel e a ligação com o fato de Yahweh *não expulsar os cananeus, que serviram para testar o compromisso de Israel a* Yahweh.*]*

Ontem, à noite, fui até Los Angeles para assistir à primeira *performance* da versão musical de *A cor púrpura*, uma fabulosa mescla de música, dança e drama, dando cores vivas à dura realidade experimentada por inúmeras mulheres (não apenas na comunidade afro-americana), mas culminando com uma nota de encorajamento e esperança. Próximo ao fim, como no romance, Celi ora: "Querido Deus, queridas estrelas, querido céu, queridas pessoas, querido tudo, querido Deus." Essas palavras me fizeram recordar alguns comentários de Ross Douthat, no *New York Times* (20 de dezembro de 2009), ao descrever o filme *Avatar*, grande sucesso na época, do diretor James Cameron, como "a longa apologia de Cameron ao panteísmo — uma fé que iguala Deus à natureza e conclama a humanidade a uma comunhão religiosa com o mundo natural." O artigo descreve essa fé como religião da escolha de Hollywood, incorporada em muitos outros filmes porque é uma fé que os norte-americanos (tanto cristãos quanto de outras crenças) amam. Isso ajuda a trazer Deus mais próximo da experiência humana e evitar a interferência divina de maneiras que podemos considerar indesejadas.

Há sobreposições entre a religião dos **cananeus** e essa fé e, portanto, elas também existem entre a atração da religião cananeia, exercida sobre os israelitas, e a atração que a fé na natureza exerce sobre as pessoas inseridas no contexto da cultura ocidental. O Antigo Testamento, com frequência, faz referência às divindades cananeias chamando-as de Baal, porém *Baal* é uma palavra comum para Senhor ou Mestre, de modo que as referencio como **Mestres**. O texto de Juízes também cita Astarote; existem inúmeras formas de grafar essa palavra, e esta pode ser uma forma israelita injuriosa, pois mescla as consoantes do nome, similarmente ao modo pelo qual os cananeus e outros povos do Oriente Médio usariam as vogais de uma palavra hebraica para "vergonha". Pode ser mera coincidência, mas o efeito é que a simples menção dessa divindade sugere algo vergonhoso. Astarote, Astarte ou Ishtar (variações do mesmo nome) era uma deusa particular, mas, similarmente ao termo para Mestre, o nome passou a ser usado como um termo genérico, nesse caso em referência a uma deusa. Assim, os Mestres e Astarote denotam, em geral, tanto deuses quanto deusas dos povos cananeus.

Os deuses e deusas dos cananeus estavam envolvidos em eventos políticos e guerras, assim como agiam no mundo natural e no cosmos. Eles estavam por trás dos ciclos do dia e da noite, da chuva e do sol, do inverno e do verão, da semeadura e da colheita, bem como da vida e da morte. É possível que isso tenha motivado a atração dos israelitas. Na experiência de Israel, conforme reportado por Êxodo e Josué, *Yahweh* foca mais os eventos políticos e as guerras, objetivando retirar o povo do Egito e conduzi-lo até Canaã, em detrimento do seu envolvimento no mundo natural e no cosmos. Agora que os israelitas estão em Canaã, eles necessitam de uma divindade que saiba tanto fazer prosperar as colheitas quanto operar para a ocorrência de coisas no campo político. Além disso, à medida que as gerações passam, eles desejam ser capazes de manter contato com familiares falecidos e poder aprender com eles. Os cananeus sabiam como fazer suas colheitas prosperar, da mesma forma que sabiam como manter contato com familiares mortos; ou, como eles diziam, os seus deuses detinham esse conhecimento. Pode-se ver o motivo de eles serem tão atraentes aos israelitas. A natureza vívida e disfuncional da vida familiar dos deuses e deusas dos cananeus, com suas lutas, sexo e bebedeiras, a procriação, bem como a morte e o retorno à vida, pode também ter intrigado os israelitas, ainda que professassem se sentir chocados com essa realidade.

O envolvimento com os deuses cananeus caracteriza a vida de Israel por muitos séculos, desde quando os israelitas passaram a existir em Canaã até o período após o **exílio**. O intervalo de tempo abordado pelo livro de Juízes é retratado como uma série de histórias envolvendo apostasia, castigo divino, misericórdia divina e restauração. Com variações, a sequência é repetitiva. Parte de sua lógica é sugerida pelas expressões "o que era inaceitável" e "problema", que representam a mesma palavra hebraica. O povo faz o que é mau; portanto, Deus faz coisas más acontecerem ao povo. Juízes retratará esses eventos como envolvendo "Israel", embora, agora, Israel esteja espalhado pelo território de Canaã. Mais literalmente, esses eventos envolvem clãs individuais ou combinações de clãs em diferentes regiões da terra. A misericórdia de Deus é expressa no surgimento de um **líder** para **libertar** o povo.

Caso você se sinta um pouco confuso pela ordem dos eventos ao término de Josué e no início de Juízes, este é um bom sinal, pois indica que você está prestando atenção. O fim do livro de Josué relata a morte desse grande líder, e Juízes principia-se com uma referência à sua morte, mas alguns dos eventos relatados em Juízes 1 já foram descritos no livro de Josué como ocorridos durante a vida desse líder. Ainda, no início de Juízes 2, ele é citado vivo novamente, e sua morte, descrita mais adiante. Esse tipo de irregularidade é suficientemente comum na Bíblia; trata-se de uma indicação de que os escritores bíblicos eram menos precisos do que eu sou quando estou dando notas aos meus alunos e que Deus levou isso em conta ao incluir o material em seu livro. Se você quiser organizar as coisas em sua mente, imagine que o livro de Josué antecipa alguns fatos que ocorreram após os dias de Josué porque representavam o cumprimento do projeto que ele iniciou. As palavras inaugurais de Juízes indicam que o livro versa basicamente sobre o que ocorreu "após a morte de Josué", e a missão do **ajudante** de *Yahweh* resume um aspecto-chave de como as coisas se desenrolaram ao longo das décadas e séculos subsequentes. Entretanto, o capítulo 2 inclui uma breve recapitulação para iniciar os detalhes da história principal depois da morte de Josué e, posteriormente, fornece um resumo mais detalhado de como as coisas passaram a ser. O restante do livro apresentará aquela série de ilustrações sobre o padrão estabelecido ao longo da história de Israel, de Josué até Saul.

JUÍZES **3:5–31**
SALVADORES IMPROVÁVEIS

⁵Quando os israelitas se estabeleceram entre os cananeus, os hititas, os amorreus, os ferezeus, os heveus e os jebuseus, ⁶eles tomaram as filhas deles como esposas para si mesmos, deram as suas filhas aos filhos deles e serviram aos seus deuses. ⁷Assim, os israelitas fizeram o que era inaceitável aos olhos de *Yahweh*. Eles tiraram *Yahweh*, o seu Deus, da mente e serviram aos Mestres e às Aserás. ⁸A ira de *Yahweh* se acendeu contra Israel, e ele os entregou nas mãos de Cuchã-Risataim, o rei de Arã Naaraim. Os israelitas serviram a Cuchã-Risataim por oito anos. ⁹Mas os israelitas clamaram a *Yahweh*, e *Yahweh* levantou Otoniel, o quenezeu, que era o irmão mais novo de Calebe, como um libertador para os israelitas, para que ele os libertasse. ¹⁰O espírito de *Yahweh* veio sobre Otoniel, e ele liderou Israel. Ele saiu à batalha, e *Yahweh* entregou Cuchã-Risataim, rei de Arã, em suas mãos. Sua mão foi forte sobre Cuchã-Risataim, ¹¹e a terra ficou quieta durante quarenta anos.

Quando Otoniel, o quenezeu, morreu, ¹²os israelitas, novamente, fizeram o que era inaceitável aos olhos de *Yahweh*. *Yahweh* deu a Eglom, rei de Moabe, poder sobre Israel porque eles fizeram o que era inaceitável aos olhos de *Yahweh*. ¹³Ele conseguiu que os amonitas e os amalequitas se unissem a ele e, então, veio e derrubou Israel, tomando posse da Cidade das Palmeiras. ¹⁴Os israelitas serviram a Eglom, o rei de Moabe, durante dezoito anos. ¹⁵Os israelitas clamaram a *Yahweh*, e *Yahweh* levantou um libertador para eles, Eúde, filho de Gera, um homem restrito no uso de sua mão direita, um benjamita. Os israelitas enviaram tributo por sua mão a Eglom, o rei de Moabe. ¹⁶Eúde fez para si uma espada de dois gumes, de 45 centímetros de comprimento. Ele a prendeu sob o seu casaco, em seu lado direito, ¹⁷e apresentou o tributo a Eglom, o rei de Moabe. Ora, Eglom era um homem muito gordo. ¹⁸Quando [Eúde] tinha terminado de apresentar

JUÍZES 3:5-31 • SALVADORES IMPROVÁVEIS

o tributo, ele despediu as pessoas que tinham carregado o tributo, **¹⁹**mas ele mesmo retornou das pedras esculpidas perto de Gilgal e disse: "Tenho uma mensagem secreta para ti, Majestade." O rei disse: "Silêncio", e todas as pessoas que o estavam assistindo saíram de sua presença. **²⁰**Quando Eúde veio diante dele, ele estava sentado no fresco aposento superior que tinha, sozinho. Eúde disse: "Tenho uma palavra de Deus para ti", e [Eglom] levantou-se de seu assento. **²¹**Eúde estendeu a sua mão esquerda, pegou a espada de seu lado direito e a mergulhou direto nele.

[O restante do capítulo descreve como Eúde escapa e lidera os efraimitas na reversão do domínio de Moabe sobre Efraim, relatando brevemente como Sangar, filho de Anate, matou seiscentos filisteus e, portanto, também "libertou Israel".]

Meu pai trabalhava como assistente de máquinas em uma gráfica, e minha mãe era costureira. Fui o primeiro membro de minha família estendida a permanecer na escola após os catorze anos. Tenho mais de trinta primos; apenas um deles foi para a faculdade. Não sou o tipo de pessoa que termina como professor de Antigo Testamento em um dos maiores seminários do mundo. Assim, sei por experiência que Deus não é limitado pela formação social das pessoas, pelo sotaque ou histórico familiar delas.

As narrativas sobre os **libertadores** e **líderes** de Israel refletem esse fato. Após esboçar o princípio ou padrão que percorre essas histórias, Juízes, agora, inicia uma série de exemplos concretos que expressam esse padrão.

Primeiro, Deus não está restrito à lei do mais velho. Mesmo no mundo moderno, o filho mais velho ascende ao trono do falecido monarca. No relato em questão, o irmão mais velho

JUÍZES 3:5-31 • SALVADORES IMPROVÁVEIS

de Otoniel era Calebe, a quem os capítulos de Josué 14 e 15 concederam grande importância. Contudo, isso não impediu Deus de usar o irmão mais novo de Calebe ou foi capaz de intimidá-lo como agente de Deus, assim como não provocou nenhuma hesitação por parte dos israelitas no reconhecimento da liderança de Otoniel. Sua emergência é a resposta divina ao **clamor** do povo, ainda que os israelitas estejam pagando o preço pela transgressão que cometeram. Como resultado da desobediência, eles estão sob o domínio de algum povo do noroeste de Israel, na área hoje ocupada pela Síria. A natureza extraordinária da proeza de Otoniel constitui uma indicação de que o **espírito** poderoso e dinâmico de Deus está em ação. (Aqui, *Aserás*, provavelmente, é apenas uma forma alternativa para *Astarote*, em 2:13, em referência a deusas, em geral, tal como **Mestres** refere-se a deuses.)

Segundo, Deus não é limitado pela capacitação. Havia certas formas de serviço nas quais Deus não permitia a participação de alguém com alguma deficiência; as regras em Levítico exigem que um sacerdote seja uma pessoa "completa". Embora houvesse certo simbolismo sobre integridade nisso, isso não significava que Deus não estava preparado para utilizar alguém que fosse deficiente. Também havia certo simbolismo nisso. Eúde não podia usar a mão direita. Portanto, o fato de ele ser um benjamita constitui uma ironia, porque Benjamim significa "filho da mão direita". Ele nem mesmo poderia viver de acordo com o nome de seu próprio clã. Ainda que seja possível que a descrição signifique simplesmente que ele fosse canhoto, a forma da expressão sugere uma inaptidão. Todavia, a sua incapacidade de usar a mão direita é justamente o que torna Eúde o meio divino de libertar Israel. Mais do que qualquer outro capítulo de Juízes (ou, talvez, qualquer outro capítulo bíblico), a história de Eúde

JUÍZES 3:5-31 • SALVADORES IMPROVÁVEIS

contraria as nossas presunções sobre como um livro santo deveria ser; a narrativa torna-se muito mais escatológica nos versículos que sucedem os que traduzimos acima. Pode-se imaginar como os adolescentes israelitas adoravam ouvi-la. Deus usa um homem incapacitado e uma história macabra sobre esse mesmo homem.

Terceiro, Deus não é limitado pelo etnocentrismo; Deus faz de Sangar, filho de Anate, um libertador de Israel. O nome Sangar não é israelita: Anate é o nome de uma divindade dos **cananeus**, de modo que não é tão despropositado inferir que Sangar era um cananeu. Os desafortunados cananeus estavam sendo pressionados a oeste pelos **filisteus,** e Sangar, evidentemente, obteve uma vitória sobre alguns deles. Ora, os filisteus se tornaram rivais e opressores de Israel, e, assim, qualquer vitória sobre os filisteus poderia ser vista como um meio divino de libertação para Israel. Portanto, supostamente sem se dar conta disso, Sangar tornou-se um agente de Deus a esse respeito. Embora *Yahweh* proibisse os israelitas de algumas formas de envolvimento com os cananeus (especialmente de casamentos mistos entre eles) pelo potencial risco ao relacionamento deles com *Yahweh*, isso não impedia *Yahweh* de usar os cananeus em benefício de Israel.

Cada um desses três incidentes envolve **Israel**, assim como será o caso com relação aos demais incidentes que Juízes descreverá, porém os relatos individuais também indicam que isso não significa o envolvimento direto de todo o povo de Israel. Cada um dos povos opressores faz fronteira ou invade Israel em um lado particular, e, assim sendo, cada um dos atos de libertação envolve apenas alguns clãs, não todos os doze. Falar desses incidentes como envolvendo todo o Israel constitui um lembrete de que os clãs pertencem uns aos outros.

JUÍZES 3:5-31 • SALVADORES IMPROVÁVEIS

Quando um clã sofre, todos sofrem; quando um peca, todo o povo é afetado; quando Deus liberta um dos clãs, isso é importante para os demais clãs.

Igualmente, as narrativas esquematizam a cronologia da história. As afirmações recorrentes de que o povo logrou paz ou foi oprimido "durante quarenta anos" (nunca trinta ou cinquenta) é um sinal característico; significa que a paz ou a opressão perdurou por um longo tempo, por eras, por toda uma geração, em lugar de apenas um ano ou dois. Essas convenções narrativas também explicam como o acréscimo de todos os números no livro produz uma figura total que não se encaixa entre Josué e Saul, se assumirmos que esses números seguem uns aos outros segundo uma ordem estritamente cronológica. Os períodos de opressão podem ser sobrepostos caso tenham afetado diretamente diferentes regiões do território.

A nossa inclinação moderna é explicar os eventos históricos envolvendo nações e a igreja em termos de causa e efeito empíricos e naturais. Vemos o efeito dos fatores econômicos e sociais na maneira pela qual a história se desenrola. Instintivamente, não consideramos Deus na abordagem do quadro. Da mesma forma, o Antigo Testamento, de tempos em tempos, mostra ter ciência de que a história funciona em termos de causa e efeito, refletindo as ambições e necessidades das nações e dos indivíduos, mas não restringe a si mesmo a esse nível de explicação. Embora não ofereça uma explicação teológica ou lógica de cada evento, ele o faz com respeito a alguns. Portanto, um livro como Juízes nos convida a olhar para a história dessa outra perspectiva. Nem sempre seremos capazes de ver um significado religioso, teológico ou ético pelo que ocorre nos eventos, mas, algumas vezes, isso é possível.

JUÍZES 4:1–24
TRÊS MULHERES FORTES E
TRÊS HOMENS FRACOS (I)

¹Os israelitas continuaram a fazer o que era inaceitável aos olhos de *Yahweh*, depois da morte de Eúde. ²*Yahweh* os entregou nas mãos de Jabim, o rei cananeu que reinava em Hazor. O comandante de seu exército era Sísera; ele vivia em Harosete-das-nações. ³Os israelitas clamaram a *Yahweh* porque [Sísera] tinha novecentas carruagens de ferro e tinha subjugado Israel pela força por vinte anos. ⁴Ora, Abelha, uma mulher que era profetisa, a esposa de Tochas, estava liderando Israel naquela época. ⁵Ela se sentava sob a palmeira da Abelha, entre Ramá e Betel, nas montanhas de Efraim, e os israelitas subiam a ela para uma decisão.

⁶Ela enviou e convocou Relâmpago, filho de Abinoão, de Quedes, em Naftali, e lhe disse: "*Yahweh*, o Deus de Israel, definitivamente ordenou: 'Vá, rumo ao monte Tabor e leve com você dez mil homens de Naftali e Zebulom. ⁷Eu levarei Sísera, o comandante do exército de Jabim, até você, ao ribeiro Quisom, com suas carruagens e suas forças, e os entregarei em suas mãos.'" ⁸Relâmpago disse a ela: "Se você for comigo, eu irei, mas, se não for comigo, não irei." ⁹Ela disse: "Eu certamente irei com você, apenas a glória não será sua na rota em que está indo, porque nas mãos de uma mulher é que Deus entregará Sísera." Assim, Abelha levantou-se e foi com Relâmpago a Quedes, e ¹⁰Relâmpago enviou convocações a Zebulom e Naftali, em Quedes. Dez mil homens subiram atrás dele, e Abelha foi com ele.

¹¹Ora, Héber, o queneu, tinha se separado de Caim, dos descendentes de Hobabe, sogro de Moisés, e armou a sua tenda junto ao carvalho de Zaanim, próximo a Quedes. ¹²Sísera foi informado: "Relâmpago, filho de Abinoão, subiu ao monte Tabor", ¹³e Sísera enviou uma convocação a todas as suas

carruagens (novecentas carruagens de ferro) e a toda a companhia que estava com ele, de Harosete-das-nações ao ribeiro de Quisom. ¹⁴Abelha disse a Relâmpago: "Vá, porque este é o dia que *Yahweh* entregou Sísera em suas mãos. *Yahweh*, definitivamente, saiu à sua frente." Então, Relâmpago desceu do monte Tabor, com os dez mil homens seguindo-o, ¹⁵e *Yahweh* lançou Sísera, as suas carruagens e todo o seu exército em uma confusão ao fio da espada diante de Relâmpago. Sísera desceu de sua carruagem e fugiu a pé, ¹⁶enquanto Relâmpago perseguiu as carruagens e o exército até Harosete-das-nações. Todo o exército de Sísera caiu à espada. Não sobrou ninguém.

[O capítulo, então, relata como Sísera se refugia com Héber, mas Jael, esposa de Héber, o mata.]

Os homens podem ter sentimentos mistos com respeito a mulheres fortes, embora, para mim, mulheres duronas não sejam tão preocupantes quanto homens durões. Antes de minha esposa sofrer com sua enfermidade, ela era perfeitamente capaz de se posicionar contra mim; em minha mente, ainda posso ouvi-la dizer: "John!", com um tom de reprimenda. Gostaria que ela ainda fosse capaz de me repreender. Ela, em geral, estava certa ou, pelo menos, do lado do bom senso. Certa ocasião, no seminário em que eu era diretor, uma de minhas colegas veio me ver, durante uma crise financeira, determinada a me fazer encarar a necessidade de tomar uma decisão difícil: explicar para certa pessoa que o cargo dela teria que deixar de existir, portanto, teria de despedi-la. No íntimo, eu sabia que essa decisão era necessária, porém não conseguia tomá-la. Para uma mulher, a desvantagem de ser firme e corajosa é assustar e afastar os homens; conheço uma ou duas mulheres solteiras cuja tenacidade teve esse efeito sobre maridos em potencial.

JUÍZES 4:1-24 • TRÊS MULHERES FORTES E TRÊS HOMENS FRACOS (I)

Os costumes que envolvem o casamento, em uma sociedade tradicional, tornam ainda mais difícil para uma mulher forte permanecer solteira; o seu pai ainda deve lhe arrumar um marido. Pode haver certa dose de ironia no modo pelo qual Juízes alude ao casamento, no caso de Abelha. Em hebraico, o seu nome é *Deborah*, mas esse é o termo hebraico para uma abelha e, de fato, havia um ferrão em suas palavras. A ironia reside na descrição do texto sobre ela ser "a esposa de Tochas". Tradicionalmente, as traduções apresentam essa palavra, *Lappidoth*, como o nome de seu marido, mas trata-se de um nome estranho porque parece uma palavra feminina, sugerindo que Abelha era uma "mulher inflamada", o que, na verdade, era, em vez de seu marido. É possível que não houvesse muito espaço para outra pessoa poderosa naquele casamento. Pode ser que Abelha precisasse de alguém para cuidar da casa enquanto ela estivesse desempenhando o seu papel de profetisa e **líder**. Ela é a primeira profeta(isa) desde a época de Miriã e Moisés.

Apesar de o ministério institucional no Antigo Testamento (notadamente envolvendo o sacerdócio) pertencer aos homens, quando Deus deseja quebrar a tradição institucional regular, a profecia é uma ferramenta utilizada para isso, e, às vezes, as pessoas por meio das quais Deus fala são mulheres. Assim, Abelha pode ser o quarto exemplo de um salvador improvável (seguindo os três do capítulo 3), de Deus operando contra as expectativas e categorias humanas. Talvez a ordem aqui sugira que isso ocorreu por ela ser uma profetisa e capaz de liderar, bem como ser uma pessoa a quem os israelitas procuravam para tomar decisões (a palavra para *decisão* está relacionada à palavra para *liderar*). É como se as pessoas viessem de longas distâncias, porque o seu "escritório" situava-se no meio do território, enquanto Hazor localiza-se no extremo norte, e a batalha ocorre entre esses dois locais, na planície entre a principal cadeia de montanhas e as montanhas de Gileade.

Jael também era uma mulher forte, um pouco na linha de Eúde. Igualmente, o seu marido pouco é citado na história, e esse fato talvez contribua para a morte de Sísera. O comandante tinha motivos para pensar que estaria em segurança no acampamento de Héber porque havia uma aliança entre Héber e o chefe de Sísera, porém Héber e Jael eram parentes de Moisés. Na ausência de Héber, Jael não se sentiu obrigada a priorizar a política em detrimento da família e ela sabe como usar a sua feminilidade sobre Sísera. Ela recebe o exaurido guerreiro em sua tenda, o alimenta, o cobre para dormir e, então, crava uma estaca de tenda em seu crânio. O resultado é que a glória pela vitória de Israel recai sobre uma mulher, não sobre Relâmpago. Novamente, há certa ironia quanto ao nome *Barak*. Embora o significado desse nome seja Relâmpago, Barak não faz jus ao próprio nome. Ele perde a glória em dois sentidos, já que ela, primeiramente, recai sobre Abelha e, depois, sobre Jael.

A terceira mulher forte é a mãe de Sísera, sobre quem ouviremos falar em Juízes 5.

Caso esteja lendo Josué e Juízes de forma sequencial, você ficará surpreso ao descobrir Jabim, o rei de Hazor, aparecendo aqui, uma vez que Josué já havia matado esse rei, aniquilado os habitantes e queimado a cidade (veja Josué 11). Há duas formas de relacionar os dois capítulos. Na leitura de Josué, observamos que o relato da história nessa passagem é compactado e que ela antecipa a conclusão do controle israelita sobre **Canaã**, o que ocorreu apenas após os dias de Josué. Pode-se, então, ver as narrativas em Juízes como parte da continuação desse processo. Assim, o Israel de Josué, de fato, conquistou

JUÍZES 5:1-31A • TRÊS MULHERES FORTES E TRÊS HOMENS FRACOS (II)

Hazor e matou Jabim, o seu rei, mas o fez somente depois da morte de Josué. Caso isso pareça implausível, é possível relacionar Juízes 4 com outro aspecto da história de Josué, que também pode ser lida como implicando que havia inúmeras cidades dos cananeus que Josué atacou e tomou, mas que os israelitas, na época, não tentaram assumir o controle. Assim, habitantes de cidades como Hazor, que haviam fugido em vez de esperar a chegada de Josué para aniquilá-los, podem ter retornado subsequentemente para reocupar a cidade. Além disso, não seria surpresa caso um rei posterior tivesse o mesmo nome de um rei precedente.

Na introdução e no comentário sobre Josué 10:22-27, consideramos que os leitores ocidentais mais impressionáveis se sentem perturbados pela violência de pessoas como Abelha e Jael, mas, aparentemente, Deus não sente o mesmo. Na passagem em questão, ambos fazem parte da forma pela qual "Deus subjugou o rei Jabim, de Canaã, diante dos israelitas" (Juízes 4:23). O Novo Testamento inclui esse evento entre as conquistas do povo que agiu pela fé ao subjugar reinados, tornando-se poderosos em batalha e derrotando exércitos estrangeiros, embora, por meio de uma ironia reversa, o nome de Relâmpago [*Barak*] seja citado (Hebreus 11:32-34).

JUÍZES **5:1–31A**
TRÊS MULHERES FORTES E
TRÊS HOMENS FRACOS (II)

¹Abelha e Relâmpago, o filho de Abinoão, cantaram naquele dia:

²"Nos líderes que assumem a liderança em Israel, no povo que se oferece livremente: louvem *Yahweh*!

³Ouçam, reis! Deem ouvidos, soberanos!
Eu mesmo cantarei a *Yahweh*, farei música para
o Deus de Israel.

4 *Yahweh*, quando saíste de Seir, quando marchaste
desde a região de Edom,
a terra estremeceu, sim, os céus se derramaram,
sim, as nuvens derramaram água, **5** as montanhas tremeram,
diante de *Yahweh*, aquele do Sinai, diante de *Yahweh*, o
Deus de Israel."

[Os versículos 6-18 descrevem a crise e a pressão nas quais Israel estava vivendo até que Abelha como "uma mãe em Israel" motivou os israelitas a agir. Os versículos celebram a forma em que os diferentes clãs se uniram, embora observem que alguns hesitaram.]

19 "Reis vieram e lutaram, reis de Canaã lutaram,
Em Taanaque, junto às águas do Megido; não tomaram
nenhuma pilhagem de prata.

20 Desde os céus as estrelas lutaram, desde os seus cursos elas
lutaram com Sísera.

21 O ribeiro Quisom os levou embora, o ribeiro apressado, o
ribeiro Quisom.
(Siga com força, minha alma!)

22 Então, os cascos dos cavalos bateram, com o galope, o galope
de seus poderosos.

23 'Amaldiçoem Meroz', disse o ajudante de *Yahweh*, 'amaldiçoem totalmente os seus habitantes,
porque eles não vieram quando *Yahweh* estava ajudando,
quando *Yahweh* estava ajudando contra os guerreiros.'

24 A mais bendita das mulheres seja Jael, esposa de Héber, o
queneu, a mais bendita das mulheres em tendas.

25 Ele pediu por água, e ela lhe deu leite; numa tigela nobre, ela
apresentou coalhada.

26 Ela estendeu a mão à estaca da tenda, a sua mão direita, à
marreta do trabalhador.
Ela martelou Sísera, esmagou a sua cabeça, despedaçou e
perfurou a sua têmpora.

JUÍZES 5:1-31A • TRÊS MULHERES FORTES E TRÊS HOMENS FRACOS (II)

> [27]Aos seus pés, ele se curvou, caiu e se deitou; aos seus pés, ele se curvou, ele caiu.
>> Onde ele se curvou, ali ele caiu, destruído.
>
> [28]Pela janela a mãe de Sísera perscrutava, olhava pela treliça:
>> 'Por que a sua carruagem demora tanto a vir, por que o barulho de suas carruagens se atrasa?'
>
> [29]As mais sábias de suas damas lhe respondem; na verdade, ela respondia a si mesma:
>
> [30]'Eles devem ter encontrado e dividido o espólio, uma mulher, duas mulheres, para cada homem.
>> Espólio de tecido tingido para Sísera, espólio de tecido tingido bordado, dois tecidos bordados para os pescoços como espólio.'
>
> [31a]Assim, que todos os teus inimigos pereçam, *Yahweh*, mas que teus amigos possam ser como o sol subindo em força."

Certo domingo, cantamos o hino "Fonte és tu de toda bênção", cuja segunda estrofe assim começa: "Cá meu Ebenézer ergo." Perguntei se alguém sabia qual era a referência bíblica, e poucos conheciam. (A resposta está em 1Samuel 7.) Claro que eu sabia disso, mas, num domingo mais recente, cantamos *"The Battle Hymn of the Republic"* [O hino de batalha da república], cuja letra inclui sentenças como: "Na beleza dos lírios, Cristo nasceu do outro lado do mar", e dediquei um longo tempo a pesquisar o que isso significava, ou em reter na mente as combinações de imagens que a letra incorpora. Essa é a natureza da poesia. Ela utiliza imagens que enlevam o poeta e/ou que repercutirão nos leitores do poema, envolvendo-as em um conjunto denso que requer uma vagarosa leitura. O tremendo poder com o qual fala em seu próprio contexto torna difícil ao poema ter o mesmo impacto em outro contexto.

No poema de Abelha, há muitos aspectos de difícil interpretação, especialmente na seção intermediária, que resumi acima, o que, em parte, reflete o simples fato de ser um poema. Pode ser que alguns aspectos dele tenham intrigado alguns leitores israelitas, levando-os a um árduo esforço para sua compreensão. Reconhecidamente, os desafios que ele apresenta ao leitor são distintos daqueles oferecidos por outros poemas do Antigo Testamento, seja nos Profetas, seja nos Salmos. Isso pode refletir o fato de ser um poema muito antigo ou de ter sido deliberadamente escrito em um estilo anacrônico. De todo modo, para um israelita seria um pouco similar a ler Shakespeare, em nosso caso. Todavia, não é mera coincidência que, como profetisa, Abelha fale em forma de poesia, como Miriã e a maioria dos profetas posteriores. A profecia precisa usar palavras humanas para expressar a profunda verdade divina, e a poesia é uma forma natural de expressar verdades profundas.

O poema de Abelha traça um paralelo com Salmos e os Profetas posteriores, no sentido de que abrange sentenças curtas, dividindo-as em duas (ou três) partes correspondentes umas às outras ou contrastantes entre si de algum modo. Igualmente, ele usa uma forma que é característica de poemas mais antigos, na qual a segunda metade de uma linha repete, parcialmente, a primeira, antes de acrescentar algo novo, quase como um *blues*. O motivo pode ser o mesmo, caso os poemas fossem, às vezes, compostos oralmente; a repetição permite ao poeta tempo para compor as próximas palavras.

Como grande parte da exaltação em Salmos, o poema de louvor é endereçado a seres humanos (especialmente aos reis deste mundo) a quem o poeta desafia a unirem-se no reconhecimento da grandeza de Deus, expressa nos eventos celebrados pelo poema. Ele sabe que, em certo sentido, a habitação "natural" de Deus está no sul de **Canaã**, no Sinai, ou melhor, que o Sinai é um portal entre a terra e o céu, de modo que essa é a direção da qual Deus vem para agir em Israel, viajando pelo território edomita.

A linguagem sobre o estremecimento da terra e o derramamento de chuva do céu pode indicar que a vitória de Israel envolveu a obstrução das carruagens inimigas pela chuva. A batalha ocorre na planície entre as montanhas de **Efraim** e da Galileia, próximo às grandes cidades cananeias de Megido e Taanaque. O ribeiro ou canal Quisom corre ali; normalmente, é apenas um riacho, mas poderia se tornar como uma torrente após uma chuva repentina. Por outro lado, a conversa sobre as estrelas lutando nos adverte de não sermos tão prosaicos na interpretação das imagens poéticas.

O poema também presta um testemunho distinto sobre a importância das ações dos seres humanos. Essa vitória não foi similar aos êxitos do mar Vermelho ou de Jericó, quando o povo apenas assistiu ao agir divino. Paradoxalmente, apesar do fato de a situação parecer desesperadora e de não haver nada que os israelitas poderiam fazer quanto à sua opressão, Abelha os convocou a entrarem em ação, porque Deus iria lhes dar uma vitória impossível. Embora Deus assim tenha feito, a vitória dependeu do voluntariado dos clãs e da operação de Deus por meio deles e com eles, a fim de alcançar algo extraordinário e sobrenatural. Portanto, o poema é mordaz com os clãs que hesitaram. Acima de tudo, ele elogia a conquista de Jael na aniquilação do general inimigo. É assim que os inimigos de Deus merecem ser tratados, observa Abelha, por fim.

Desconhecemos o motivo de Meroz aparecer em uma crítica singular, mas, de todo modo, a maldição sobre essa cidade está presente para oferecer um contraste à bênção sobre Jael. Nem mesmo sabemos se o povo de Meroz era israelita, mas, certamente Jael descendia dos queneus, não sendo, portanto, israelita. O contraste entre Jael e as pessoas que hesitaram em responder ao chamado de Abelha traça um paralelo com Raabe, a cananeia responsiva, e Acã, o israelita transgressor, presentes no livro de Josué. Repetindo, ser israelita não é garantia de bênção, e ser um estrangeiro não exclui a pessoa da bênção ou de ser um servo de Deus.

As linhas de encerramento do poema oferecem um contraste adicional. Em sua cidade natal, está a mãe de Sísera, evidentemente uma pessoa importante, em seu pleno direito e aos cuidados de seu próprio corpo de servos. Eles ansiosamente aguardam pelo retorno do general vitorioso, imaginando seus homens estuprando as mulheres pertencentes às suas vítimas e pilhando os seus bens, trazendo excelentes espólios para as suas mulheres, de volta para casa. O destino delas é o desapontamento.

JUÍZES **5:31b—6:24**
SOBRE A IRRELEVÂNCIA
DO DISCERNIMENTO ESPIRITUAL

[31b]Assim, a terra ficou quieta durante quarenta anos,

CAPÍTULO 6

[1]mas os israelitas fizeram o que era inaceitável aos olhos de *Yahweh*. Então, ele os entregou nas mãos de Midiã durante sete anos, [2]e a mão de Midiã foi forte sobre Israel durante sete anos. Por causa de Midiã, os israelitas fizeram para si refúgios nas montanhas, em cavernas e fortalezas. [3]Quando Israel semeava, Midiã, Amaleque e os orientais vinham. Eles vinham contra Israel, [4]acampavam contra eles e destruíam a produção da terra até chegar em Gaza. Eles não deixavam nada vivo em Israel, nem ovelhas, nem bois, nem jumentos, [5]porque eles e o gado deles subiam com suas tendas, vinham como um enxame de gafanhotos, em quantidade; não havia como contá-los ou a seus camelos. Assim, eles vinham à terra para destruí-la. [6]Israel

JUÍZES 5:31B—6:24 • SOBRE A IRRELEVÂNCIA DO DISCERNIMENTO ESPIRITUAL

se tornou muito debilitado por causa de Midiã, e os israelitas clamaram a *Yahweh*. [7]Quando os israelitas clamaram a *Yahweh* por causa de Midiã, [8]*Yahweh* enviou alguém como um profeta aos israelitas. Ele lhes disse: "*Yahweh*, o Deus de Israel, assim disse: 'Eu sou aquele que os tirou do Egito, para fora da casa de servos, [9]que os resgatou da mão do Egito e da mão de todos os seus opressores; eu os expulsei de diante de vocês e lhes dei a terra deles .[10]Eu lhes disse: "Eu sou *Yahweh*, o seu Deus. Vocês não reverenciarão os deuses dos amorreus em cuja terra estão vivendo." Mas vocês não escutaram a minha voz.'"

[11]Então, o ajudante de *Yahweh* veio e sentou-se debaixo do terebinto, em Ofra, pertencente a Joás, o abiezrita. Gideão, seu filho, estava batendo trigo no lagar para mantê-lo a salvo de Midiã. [12]O ajudante de *Yahweh* apareceu a ele e lhe disse: "*Yahweh* está com você, poderoso guerreiro." [13]Gideão lhe disse: "Perdoa-me, meu senhor: se *Yahweh* está conosco, por que tudo isso nos tem ocorrido? Onde estão todas as maravilhas que os nossos ancestrais nos relataram, dizendo: '*Yahweh* realmente nos trouxe do Egito'? *Yahweh*, agora, nos abandonou e nos entregou nas mãos de Midiã." [14]*Yahweh* se voltou para ele e disse: "Vá nessa sua força e liberte Israel da mão de Midiã. Eu realmente o enviei." [15]Ele lhe disse: "Perdoa-me, meu senhor: como posso libertar Israel? Porque o meu grupo de parentesco é o mais fraco em Manassés e sou o mais jovem na casa de meu pai." [16]*Yahweh* lhe disse: "Mas eu estarei com você, e você derrubará Midiã como se eles fossem um só homem." [17]Ele lhe disse: "Se encontrei favor aos teus olhos, dar-me-ás um sinal de que és tu que estás falando comigo? [18]Não sairás daqui até que eu venha e traga a minha oferta e a coloque diante de ti?" Ele disse: "Ficarei até você voltar."

[Nos versículos 19-24, Gideão apresenta um cabrito, pão asmo e caldo em uma pedra, enquanto o ajudante divino faz subir fogo da rocha que consome as ofertas.]

JUÍZES 5:31B—6:24 • SOBRE A IRRELEVÂNCIA DO DISCERNIMENTO ESPIRITUAL

Há pouco, conversei com um casal a quem não via por um ano ou dois, colocando em dia as novidades sobre nossos filhos, seus casamentos e respectivas famílias. Esse outro casal possui muitas filhas. A mais nova delas tinha quase trinta anos, ainda solteira, e andava triste e preocupada com isso. Para piorar, ela havia se comprometido a ir e trabalhar em um campo de refugiados por um período de três anos, no qual parecia improvável conhecer alguém. Sua mãe a incentivou a elaborar uma lista contendo as qualidades que esperava encontrar no homem de seus sonhos, apresentá-la diante de Deus e pedir ao Senhor que levasse tal homem a ela ou vice-versa. Parece-me, pessoalmente, um conselho sobremodo perigoso, embora eu ainda seja a favor de pedir coisas impossíveis a Deus, com a condição de reconhecer que Deus não garante o cumprimento de todas as nossas orações. No entanto, aquela filha fez a sua lista e, contra todas as probabilidades, um colega americano veio trabalhar no mesmo acampamento... Bem, creio que você é capaz de adivinhar o fim da história. Ela enviou um *e-mail* à sua mãe, confirmando que ele atendia perfeitamente a todos os itens da lista; a data de casamento está marcada para breve, e, sem dúvida alguma, eles viverão felizes para sempre. Que rolem os créditos e que a audiência enxugue as lágrimas antes de deixar o cinema, desejosos de que isso seja a mais pura verdade para o casal.

Gideão era talvez um rapaz como a maioria de nós. A princípio, decerto, ele hesitaria em elaborar a sua lista. Lá está ele, malhando o trigo no interior do lagar de sua família. Isso deve ter provocado o riso da audiência israelita posterior. Todo mundo sabe que o trigo deve ser malhado num lugar amplo e aberto, de preferência no topo de uma colina, de modo que se possa lançar o trigo batido para o alto e deixar que o próprio vento leve embora a palha, permitindo colher uma boa pilha do mais puro trigo. Em contraste, um lagar é uma pequena estrutura, construída em algum lugar coberto, na qual seja possível amassar as uvas e deixar que o suco puro flua para as vasilhas de coleta. Esmagar o trigo em um lagar?

Essa imagem mostra quão oprimidos e humilhados os próprios israelitas se sentem, e há um motivo perfeitamente bom, um que normalmente percorre o livro de Juízes. Em lugar de ser capaz de se espalhar e ocupar toda a terra, desde a sua base original, no coração montanhoso de **Canaã**, os israelitas foram forçados a retornar às montanhas, escondendo-se dos grupos de ataque dos povos situados a leste e ao sul da terra, que habitavam tendas temporárias, tal como faziam os ancestrais israelitas. Caso estivesse escondido no alto de uma montanha e olhasse para baixo, as suas tendas escuras pareciam como uma nuvem de gafanhotos ocupando todo o campo e consumindo tudo como se, de fato, fossem gafanhotos. Como de costume, seria possível explicar essa situação em termos econômicos e políticos; os midianitas estavam se comportando da mesma forma que os israelitas agiram quando tiveram a chance, a exemplo (digamos) dos conquistadores nas Américas, expulsando os povos nativos. No entanto, Juízes sabe que, na situação em questão, existe outro nível de explicação. Tudo isso ocorreu porque (em sua fórmula costumeira) os israelitas se comportaram de modo ofensivo a *Yahweh*.

É como se os israelitas não percebessem isso, nem mesmo Gideão. Eles **clamam** a Deus da mesma maneira que clamaram no Egito, quando não mereciam a condição servil na qual se encontravam. De sua parte, Deus lhes responde da forma direta, aparentemente sem apresentar qualquer simpatia, indicando o motivo de eles merecerem a confusão em que estavam. Isso ilustra o modo livre e direto pelo qual Israel e

JUÍZES 5:31B—6:24 • SOBRE A IRRELEVÂNCIA DO DISCERNIMENTO ESPIRITUAL

Deus podem falar um ao outro. Nenhuma palavra precisa ser omitida de ambos os lados. Pode-se esperar, então, que Deus aguarde por uma demonstração de arrependimento antes de fazer algo, mas isso sugeriria que o relacionamento entre Deus e Israel é apenas contratual. Apesar de os israelitas merecerem a situação na qual estão e não expressarem arrependimento, Deus inicia o processo por meio do qual eles serão **libertos** de seus opressores. O padrão revelado no Êxodo é, portanto, repetido aqui. Deus aparece a Gideão tal como apareceu a Moisés, para recrutá-lo com respeito a essa libertação. Em resposta, Gideão demonstrou a mesma falta de entusiasmo e visão exibida por Moisés, mas isso não faz a menor diferença.

O **ajudante** divino saúda Gideão no lagar em que ele trabalha, olhando por cima do ombro a cada cinco minutos a fim de evitar qualquer aparição surpresa dos midianitas: "*Yahweh* está com você, poderoso guerreiro!" A audiência ri em silêncio, novamente. Gideão também parece pesaroso. Evidentemente, ele nada sabe sobre qualquer mensagem profética em que Deus tenha dito: "vocês realmente merecem a dificuldade na qual estão". Como de costume, Deus não responde à pergunta que Gideão lhe faz sobre o "por que", mesmo indicando a razão, mas aborda a questão por trás da indagação de Gideão. Na verdade, o israelita não quer uma resposta com relação a teodiceia, mas deseja ver alguma ação. A boa notícia é que ele está prestes a vê-la. Todavia, a má notícia é que ele constitui o meio pelo qual a libertação de Deus será colocada em prática. Em certo nível, a sua resposta cética é plenamente razoável. Ele não demonstrou possuir maior capacidade de liderança que qualquer outro membro de sua obscura família. Como no caso de Moisés, Deus decide usar alguém que é falho, desprovido de qualquer potencial evidente e sem discernimento religioso, porque o uso de uma pessoa por parte de Deus independe das qualidades de liderança ou da capacidade espiritual dessa pessoa. Deus define Gideão como um grande guerreiro não porque ele possui um potencial ainda não percebido pelos outros, mas simplesmente porque essa é a maneira pela qual Deus intenciona usá-lo.

O pedido de Gideão por um sinal constitui uma indicação adicional de que lhe falta o discernimento espiritual. Não obstante, mesmo esse fato não leva Deus a abandoná-lo e usar alguém com maior potencial (talvez não haja ninguém). Deus apenas lhe concede o sinal solicitado. Só então Gideão percebe que, de fato, está dialogando com o ajudante de *Yahweh* e, portanto, com Deus, o que, por si só, é um fato assustador, porém Deus o reassegura de que não há nada que temer. "*Shalom* a você", Deus diz. "Está tudo bem." E Gideão edifica um **altar** ali, chamando-o de "*Yahweh shalom*", *Yahweh* é **paz**; "Deus torna as coisas boas."

JUÍZES **6:25–40**
COMO SER UMA PESSOA CONFUSA

[25]Naquela noite, *Yahweh* lhe disse: "Pegue um novilho pertencente ao seu pai e um segundo touro de sete anos. Derrube o altar do Mestre pertencente ao seu pai, corte a coluna sagrada ao lado dele [26]e construa um altar para *Yahweh,* o seu Deus, no topo desse refúgio, na ordem adequada. Pegue o segundo touro e o sacrifique como uma oferta queimada com a madeira da coluna sagrada que você cortou." [27]Assim, Gideão obteve dez homens dentre os seus servos e fez como *Yahweh* lhe tinha dito, mas, como ele teve medo de fazer isso de dia, por causa da casa de seu pai e dos homens da cidade, o fez à noite.

[28]Cedo, na manhã seguinte, os homens da cidade se levantaram: ali, o altar do Mestre estava demolido, a coluna sagrada ao lado do altar estava cortada e o segundo touro estava sacrificado no altar que tinha sido construído. [29]Uma pessoa

JUÍZES 6:25-40 • COMO SER UMA PESSOA CONFUSA

disse a outra: "Quem fez isso?" Eles inquiriram, investigaram e disseram: "Gideão, filho de Joás, fez isso." [30]Os homens da cidade disseram a Joás: "Traga o seu filho para fora: ele deve morrer, porque demoliu o altar do Mestre e cortou a coluna sagrada ao lado dele." [31]Mas Joás disse a todos aqueles que se levantaram contra ele: "Vocês defendem o Mestre ou o libertam? A pessoa que defendê-lo deve ser morta pela manhã. Se ele é um deus, deveria defender a si mesmo porque [Gideão] demoliu o seu altar." [32]Naquele dia, eles o chamaram de "O Mestre Contende", dizendo: "O Mestre deve defender a si mesmo contra ele, porque ele demoliu o seu altar."

[33]Quando todo o Midiã, Amaleque e os orientais se reuniram, atravessaram e acamparam na planície de Jezreel, [34]o espírito de *Yahweh* vestiu-se em Gideão. Ele soou a trombeta, e os abiezritas permitiram-se ser convocados para segui-lo. [35]Quando ele enviou ajudantes a todo o Manassés, eles também permitiram-se ser convocados para segui-lo, e, quando enviou ajudantes a Aser, Zebulom e Naftali, eles subiram para encontrar [os manassitas]. [36]Gideão disse a Deus: "Se irás realmente libertar Israel por minha mão, como disseste, [37]eis que colocarei um velo de lã na eira. Se houver orvalho apenas na lã, mas todo o chão estiver seco, reconhecerei que libertarás Israel pela minha mão, como disseste." [38]Assim aconteceu. Cedo, na manhã seguinte, ele se levantou, espremeu o velo e torceu o orvalho da lã, uma tigela cheia de água. [39]Gideão disse a Deus: "Que a tua ira não se acenda contra mim se eu falar apenas mais uma vez. Que eu possa testar com o velo apenas mais uma vez. Que apenas o velo esteja seco, mas em todo o chão possa haver orvalho." [40]Deus fez assim naquela noite. Apenas o velo estava seco, mas no chão havia orvalho.

Nesta semana, perguntei a um grupo de estudantes quais impressões sobre oração o histórico cristão deles lhes havia

JUÍZES 6:25-40 • COMO SER UMA PESSOA CONFUSA

transmitido. Um dos temas recorrentes foi quanto à necessidade de ter certa cautela ao falar com Deus. Não se deve reclamar a Deus, questioná-lo ou pedir coisas que ele não nos tenha encorajado a pedir. Ora, admito que, quando peço algo a Deus, algumas vezes ele não me concede o que peço. Quando eu o questiono, Deus, às vezes, responde: "Cale-se." Todavia, pelo menos, isso sugere que o relacionamento é real, envolvendo dar e receber. É como a relação entre pais e filhos; eu não gostaria que meus filhos hesitassem quanto a me questionar e me pedir coisas por temerem a minha reação. Isso é similar ao relacionamento entre um professor e seus alunos; embora alguns peçam por um prazo maior para a entrega de seus trabalhos e são atendidos enquanto outros fazem o mesmo pedido e recebem uma resposta negativa, os que não fazem pedido algum, certamente, não receberão resposta nenhuma.

Gideão pede e recebe. Mas, primeiro, nos é revelado um quadro mais específico da desobediência que caracteriza o povo, na região de Gideão. Cada uma dessas histórias, em Juízes, está relacionada a uma área geográfica específica; assim, não devemos presumir que a transgressão reportada envolvia diretamente o povo como um todo, nem a punição subsequente. Gideão pertence à parte de Manassés que se estabeleceu a oeste do Jordão, e seu lar não dista muito de Siquém. Ali, a cidade de Gideão, no coração de Israel (na realidade, apenas um vilarejo), é devotada ao culto do **Mestre**. Portanto, o santuário naquela vila é dedicado a ele e complementado por uma espécie de coluna sagrada erigida ao lado do **altar**, regularmente encontrada em um santuário **cananeu**. A palavra para uma coluna sagrada é, na verdade, *asherah*, que aparece em Juízes 3:7 como o nome de uma deusa; provavelmente, a ideia é que a coluna constitui uma imagem esculpida em

JUÍZES 6:25-40 • COMO SER UMA PESSOA CONFUSA

madeira que representa a deusa que permanece ao lado do deus, como um objeto de adoração.

Gideão é desafiado a destruir esses objetos de culto e substituí-los por elementos "apropriados" a pessoas comprometidas com **Yahweh**. Ele continua agindo de forma um tanto confusa, pois faz exatamente o que *Yahweh* o instrui, porém demonstra o seu receio ao agir à noite, quando ninguém está olhando, ainda que *Yahweh* pareça querer uma ação aberta e pública: o novo altar deve ser edificado no topo do "refúgio", o lugar no qual as pessoas se escondem dos midianitas. Será uma demonstração pública do destronamento do Mestre e do reconhecimento a *Yahweh*. No evento em questão, tentar ser discreto não impede Gideão de ser descoberto, assim como Moisés, quando matou um homem em segredo, porém foi identificado. O seu temor é justificável, pois toda a sua família, bem como toda a sua comunidade, dedica-se ao culto do Mestre.

Isso inclui Joás, o pai de Gideão, que desempenha um papel especialmente intrigante nesse drama. O nome que Joás recebeu de seus pais (um nome como Josué ou Jônatas) indica que os avós de Gideão eram comprometidos com *Yahweh*, mas a narrativa refere-se eventualmente ao fato de o outro nome de Gideão ser Jerubaal, ou seja, "O Mestre Contende". Quando os nomes próprios fazem referência a Deus, regularmente esse Deus é o Deus ao qual as pessoas estão comprometidas. A essa altura, é difícil imaginar Gideão recebendo um nome que faça referência ao Mestre, logo após tê-lo desafiado. O comentário do povo de que o nome significa "O Mestre Contende" foca um novo sentido que eles, agora, veem em seu nome (como ocorre com o nome do lugar Gilgal, em Josué 5). Se os pais de Gideão lhe dessem o nome Jerubaal, isso implicaria o compromisso deles com o Mestre. Não obstante, Joás, agora,

JUÍZES 6:25-40 • COMO SER UMA PESSOA CONFUSA

passa para o lado dos mocinhos da história. É natural que um pai queira proteger o próprio filho, mas, de algum modo, a ação do filho leva Joás a abandonar o seu compromisso com o Mestre e desafiar a vila a fazer o mesmo.

A seguir, surge uma nova crise política no seio daquela comunidade e no âmbito mais amplo do clã de Manassés quando são invadidos novamente pelos midianitas. Dessa vez, o **espírito** de Deus "vestiu-se em Gideão". Algumas traduções expressam o espírito de Deus vindo sobre Gideão, como se o espírito fosse similar a vestes, mas as vestes são Gideão. Não é possível ver o espírito; o que pode ser visto é Gideão agindo como alguém que possui um novo poder e uma nova dinâmica em seu interior, transformando uma pessoa temerosa de enfrentar a sua vila em alguém que conquistará Midiã, Amaleque e os orientais. No entanto, o Gideão natural e real permanece vivo e bem, sendo esse Gideão que pede a Deus por outro sinal do envolvimento divino com ele. Dessa vez, será um sinal de que o seu sentimento de estar sendo possuído por Deus e de começar a fazer coisas que jamais sonharia em fazer não é apenas fruto de sua imaginação. Na verdade, quando Deus confirma esse sinal e Gideão percebe que o evento não era tão miraculoso assim, ele solicita um terceiro sinal, e Deus (com um suspiro ou um sorriso?) o confirma também.

Gideão sabe que não precisamos temer pedir coisas ultrajantes a Deus, pedir por coisas que não deveríamos necessitar. Por todos os meios, seja reverente a Deus: Gideão nos faz lembrar da oração de Abraão por Sodoma, em Gênesis 18. De modo algum, presuma que Deus irá garantir o seu pedido ultrajante. Não há garantias de que Deus o fará, mas é possível que o faça. Portanto, vergonha é não pedir. A ação de Gideão também aponta para outra presunção do Antigo Testamento. Em sua atitude de dúvida, o que realmente importa não é se

JUÍZES 7:1-25 • COMO AUMENTAR AS CHANCES CONTRA SI MESMO

você está duvidando ou crendo em Deus, mas se está duvidando ou crendo no Deus real. Não há problemas no fato de Gideão estar duvidando de *Yahweh*: o importante é ele estar duvidando de *Yahweh*, não do Mestre. Mesmo em sua dúvida, ele está se voltando para *Yahweh*, não para o Mestre.

JUÍZES 7:1-25
COMO AUMENTAR AS CHANCES CONTRA SI MESMO

[1]Cedo, no dia seguinte, O Mestre Contende (isto é, Gideão) e toda a companhia com ele acampou acima da fonte de Harode; o acampamento midianita ficava ao norte dele, na colina do Professor, na planície. [2]*Yahweh* disse a Gideão: "A companhia com você é muito grande para eu dar Midiã nas mãos deles, para que Israel não tome a glória para si, dizendo: 'Minha mão me libertou.' [3]Agora, proclame aos ouvidos da companhia: 'Qualquer um que estiver com medo e tremendo deve voltar e voar do monte Gileade.'" Vinte e dois mil da companhia retornaram; dez mil permaneceram. [4]*Yahweh* disse a Gideão: "A companhia ainda é grande. Faça-os descer até a água, e eu irei peneirá-los para você ali. Quando eu lhe disser: 'Este irá com você', ele irá com você. Todo aquele acerca de quem eu lhe disser: 'Este não irá com você', ele não irá com você."

[5]Assim, ele levou a companhia a descer até a água. *Yahweh* disse a Gideão: "Todo aquele que beber da água com sua língua como fazem os cachorros, você deve separar, e [igualmente] todo aquele que se ajoelhar para beber." [6]O número de pessoas que lamberam a água, levando-a com as mãos à boca, foi de trezentos. Todo o resto da companhia ajoelhou-se para beber água. [7]*Yahweh* disse a Gideão: "Por meio dos trezentos homens, eu libertarei vocês e entregarei Midiã em suas mãos. Todo [o resto da] companhia deve ir, cada um, para seu próprio lugar." [8]Assim, eles tomaram as provisões da companhia em suas mãos, e as suas trombetas, e todo [outro] israelita ele

mandou embora, cada um para sua tenda, mas manteve os trezentos homens. O acampamento midianita ficava abaixo dele, na planície. *Naquela noite, *Yahweh* lhe disse: "Levante-se, desça para atacar o acampamento, porque eu o entreguei nas suas mãos. *Se estiver com medo de descer [para atacar], desça você mesmo ao acampamento com Pura, o seu rapaz, *e ouça o que eles dizem, e, depois, as suas mãos serão fortes o suficiente para descer contra o acampamento." Assim, ele mesmo desceu com Pura, o seu rapaz, até a beira de onde os homens organizados em companhia estavam no acampamento. *Ora, Midiã, Amaleque e os orientais estavam deitados na planície como um enxame de gafanhotos em quantidade, e não havia como contar os seus camelos, como o mar na praia, pela quantidade. *Gideão veio, e ali um homem estava contando um sonho ao seu vizinho. Ele disse: "Eu tive um sonho. Eis que um pão de cevada estava rolando contra o acampamento midianita. Ele chegou a uma tenda, a atingiu, e ela caiu. Ele rolou sobre ela, e a tenda caiu." *O seu vizinho respondeu: "Não pode ser nada, exceto a espada de Gideão, o filho de Joás, o israelita. Deus entregou Midiã e todo o acampamento nas mãos dele."

[Nos versículos 15-25, Gideão dá aos seus trezentos homens as trombetas que pegaram com os demais guerreiros, bem como um jarro e uma tocha. No meio da noite, eles cercaram o acampamento midianita, soaram as trombetas, quebraram os jarros e agitaram as tochas, o que fez o exército midianita entrar em pânico. Eles fugiram em direção às suas casas, além do Jordão, ou lutaram manualmente contra qualquer um, o que significa contra os seus próprios companheiros midianitas, pois os israelitas permaneceram fora do acampamento. Os 22 mil restantes se uniram a eles em perseguição aos fugitivos, acompanhados por alguns efraimitas que capturaram e mataram os generais midianitas.]

JUÍZES 7:1-25 • COMO AUMENTAR AS CHANCES CONTRA SI MESMO

Há duas semanas, um homem tentou explodir um avião, na rota de Amsterdã a Detroit, e, na semana passada, quando voltei de Londres para Los Angeles, depois do Natal, o embarque demorou cerca de duas horas em lugar da meia hora usual, em razão dos cuidados de segurança adicionais que foram implementados. Os poderes dos Estados Unidos e da Europa estão envolvidos em uma batalha contra forças centralizadas no Afeganistão e no Paquistão, mas que estão espalhadas em todo o mundo. Isso exige o investimento de grande quantidade de recursos, na tentativa de vencer essa luta. Parece não haver escolha, apenas seguir fazendo isso, mesmo que falhemos e a tentativa nos leve à falência. Ao mesmo tempo, declinamos de intervir militarmente em alguns outros contextos, tais como o Sudão, não porque a questão moral seja muito distinta, mas por reconhecermos o limite do que realisticamente somos capazes de alcançar. Os cristãos discutem sobre quanto as guerras são justas, porém as decisões para ir à guerra são tomadas com base em sua praticidade (embora esse seja um dos critérios de decisão sobre se a guerra é justa).

O modo de Deus decidir lutar ou não e como lutar as batalhas é muito diferente. Não se pode acusar Gideão de considerar esse ataque insano. Visto que esse homem não vê problemas em dizer a Deus o que pensa, surpreende o fato de ele não fazer isso. A batalha ocorre no lado sul da fértil planície central que divide a principal cadeia de montanhas, na qual Gideão vive, das montanhas da Galileia e, portanto, não distante do local no qual Abelha e Relâmpago lutaram as suas batalhas. A fonte junto à qual Gideão acampa procede daquelas montanhas, de modo que o seu acampamento está situado nas encostas, enquanto o acampamento midianita encontra-se na planície principal.

Permitir a retirada da batalha dos homens temerosos de lutar corrobora as regras de guerra estabelecidas em

Deuteronômio 20. Pessoalmente, a minha reação seria sair correndo dali, como fizeram os 22 mil. A própria imagem de Deus é que eles devem voar para bem longe (essa palavra hebraica particular para *voar* é usada apenas aqui, mas é relacionada a uma palavra que denota um pequeno pássaro). O procedimento para reduzir o contingente de dez mil homens a trezentos parece envolver a distinção entre aqueles que simplesmente se agacham para, então, coletar água com as mãos, da mesma forma que um cachorro usa a sua língua, daqueles que se ajoelham diretamente no chão para fazer o mesmo. Trata-se de uma distinção arbitrária, apenas um modo de dividir as pessoas em dois grupos, a fim de que o grupo maior seja enviado para casa, em que pese a disposição deles de ir à luta.

Deus antecipa que não se pode culpar Gideão caso, agora, a confiança que lhe foi dada pelo sinal desapareça. Desse modo, Deus lhe oferece outro sinal. A exemplo de nós, as sociedades tradicionais, tais como Israel, sabem que os sonhos podem ser relevantes, porém eles posicionam essa relevância distintamente. Os sonhos podem ser um meio de Deus revelar algo que irá acontecer e, talvez, seja o caso desse sonho. Ou pode ser que o sonho seja mais como um dos nossos, revelando apenas que o midianita está muito assustado. Presumidamente, ele nada sabe sobre o absurdo ocorrido nas colinas, quando praticamente todo o exército israelita foi enviado de volta para casa e, portanto, não tem ciência do contraste entre o pequeno número de homens que Gideão possui agora e o tamanho de seu próprio exército, ao qual a narrativa, novamente, chama a atenção. De todo modo, o sonho constitui um encorajamento a Gideão.

Muitas narrativas anteriores, no Antigo Testamento, retratam Deus dando a vitória a Israel de uma entre duas maneiras. Em certas ocasiões, Deus simplesmente derrota o inimigo, e os israelitas apenas observam, como ocorreu no **mar de Juncos** e em Jericó. Em outras, há uma batalha regular com um resultado surpreendente, a exemplo do que aconteceu quando Abelha e Baraque conquistaram Jabim. O fato de Deus reduzir o exército de Gideão a trezentos homens, obviamente, significa que será necessário algo miraculoso para eles lograrem derrotar o enorme contingente midianita, mas Deus envolve os israelitas no resultado final. Todavia, eles não carregam armas, somente os meios de realizar um truque ingênuo. Eles gritam: "A espada por *Yahweh* e por Gideão", mas as únicas espadas literais empregadas na batalha são aquelas utilizadas pelos midianitas uns contra os outros.

Mais tarde, Jesus irá transformar alguns peixes e pães em alimento para milhares de pessoas; ele poderia ter feito isso do zero. Às vezes, Deus opera por meios humanos comuns, mas não há nenhum milagre envolvido; outras vezes, Deus age sem usar meios humanos e, ainda, pode realizar um milagre que faça uso de meios humanos. Além disso, há ocasiões nas quais Deus instrui as pessoas sobre o que fazer e, em outras, Deus deixa para elas descobrirem isso. Não há indicação aqui de que Deus conta a Gideão o que ele deve fazer com as trombetas, jarros e tochas, bem como não há indícios de que o seu estratagema não conte com a aprovação divina. Ele desenvolve o plano por si mesmo, revelando ser menos ignorante do que poderíamos concluir de relatos anteriores de sua história.

JUÍZES **8:1–35**
EU NÃO SOU O HERÓI; DEUS É

[Os versículos 1-21 relatam aspectos adicionais quanto às consequências da batalha. Primeiro, os efraimitas expressam a sua insatisfação por não terem sido convocados para lutar na batalha principal, mas Gideão consegue acalmá-los. Ele mesmo persegue

os dois reis midianitas e, eventualmente, os captura, matando-os. Durante o caminho, o povo de Sucote e Peniel lhe recusa dar provisão, dos quais ele pede reparação em seu retorno ao lar.]

²²Os homens de Israel disseram a Gideão: "Governe sobre nós, você, seu filho e seu neto também, porque nos libertou das mãos de Midiã." ²³Gideão lhes disse: "Eu mesmo não governarei sobre vocês, e meu filho não governará sobre vocês. *Yahweh* é aquele que governará sobre vocês." ²⁴Mas Gideão lhes disse: "Farei um pedido a vocês. Cada homem, dê-me o brinco que foi o seu saque" (porque [o inimigo] tinha brincos de ouro, porque eram ismaelitas). ²⁵Eles disseram: "Nós certamente os daremos." Estenderam um casaco e ali, cada homem, jogaram o brinco que era o seu saque. ²⁶O peso dos brincos de ouro que ele pediu chegou a 1.700 [siclos], sem contar os crescentes, pingentes e mantos púrpura sobre os reis midianitas, e à parte dos colares no pescoço de seus camelos. ²⁷Gideão transformou isso em um éfode e o colocou em sua cidade, em Ofra. Todo o Israel agiu imoralmente ao ir lá atrás disso. Ele se tornou uma armadilha para Gideão e a sua casa.

²⁸Assim, Midiã sujeitou-se diante dos israelitas e não levantou novamente a sua cabeça. A terra ficou quieta durante quarenta anos no tempo de Gideão. ²⁹O Mestre Contende, filho de Joás, saiu e retornou para casa. ³⁰Gideão teve setenta filhos que gerou de seu próprio corpo, porque tinha muitas esposas. ³¹Sua esposa secundária, em Siquém, lhe gerou um filho; ele o chamou de Abimeleque. ³²Gideão, filho de Joás, morreu em boa velhice, e foi enterrado na tumba de Joás, seu pai, em Ofra dos abiezritas.

³³Quando Gideão morreu, os israelitas novamente agiram imoralmente ao seguir os Mestres e tornaram o Mestre da Aliança em um deus para si mesmos. ³⁴Os israelitas não estavam atentos a *Yahweh*, o Deus deles, que os resgatou da mão de seus inimigos ao redor deles. ³⁵Não mantiveram o compromisso com a casa de O Mestre Contende/Gideão, de acordo com todo o bem que ele tinha feito em Israel.

JUÍZES 8:1–35 • EU NÃO SOU O HERÓI; DEUS É

Uma das memórias mais ternas que tenho da infância de meus filhos é de ler histórias bíblicas para eles na hora de dormir, histórias que haviam sido reescritas e ilustradas para crianças. Hoje, transferi todos esses livros para o filho que tem os seus próprios rebentos. A minha obra favorita era uma versão da história de Gideão, transformada em poesia. Tratava-se de uma poesia pobre, com certeza, porém ela terminava com uma teologia profunda. Meus filhos esperavam por essa sentença e sabiam recitá-la de cor. Gideão se recusa a ser um soberano permanente e explica:

> Embora pareça estranho,
> Eu não sou o herói;
> O herói é DEUS.

Quando Gideão faz essa declaração, a narrativa chega ao seu ápice. Ele sabe que ter um governante humano não se encaixa com a ideia de Deus ser o soberano de Israel. Nem os israelitas e, tampouco, Gideão falam a respeito de ele ser "rei"; a ideia de possuir um rei surgirá apenas em conexão com a sequência da história de Abimeleque, no próximo capítulo. Ninguém está sugerindo comprometer a ideia de Deus ser o rei de Israel; Gideão pode ser alguém que governe em nome do verdadeiro rei. Isso poderia tornar a ideia ainda mais tentadora. Portanto, a negativa de Gideão é impressionante. Ele sabe que Deus é o herói, e a sua insistência nesse fato faz dele um herói. Faz sentido que ele, no devido tempo, se aposente, morra em boa velhice e seja reunido aos seus na tumba familiar. É dessa maneira que a história de um herói deve terminar.

Outros aspectos da história comprometem aquela recusa e nos deixam com uma impressão totalmente ambígua de um Gideão confuso. Em maior destaque, há todas aquelas viúvas e os setenta filhos. É uma característica própria do estilo de vida de um rei. O Antigo Testamento reconhece esse fato e não expressa uma desaprovação explícita, mas retrata a tendência do problema decorrente e, assim, deixa a conclusão óbvia para as pessoas. Sem dúvida, possuir muitas esposas tem a ver com sexo, mas também tem muito a ver com prestígio, pela quantidade de filhos (nem tanto pela quantidade de filhas!). É o que pessoas como Davi e Salomão fazem. Muitas das outras esposas de Gideão podem ter sido **esposas secundárias**; o motivo da menção a Abimeleque e a sua mãe se tornará mais claro no próximo capítulo.

Então, há o éfode. Usualmente, um éfode é uma espécie de vestimenta sacerdotal, porém o uso, em sua confecção, de mais de vinte quilos de ouro sugere algo muito mais substancial. Portanto, aqui o termo talvez implique uma estátua vestida com o éfode, o que justificaria o fato de o éfode se tornar um objeto que atraiu a adoração do povo. Mais literalmente, isso os levou a agir de modo imoral; textualmente, a palavra é uma referência à imoralidade sexual, que é uma imagem usada com frequência pelo Antigo Testamento ao falar da infidelidade das pessoas com respeito a *Yahweh*.

O que Gideão tinha na cabeça? Uma vez mais, a história não o acusa abertamente pelo desvio de Israel após a sua morte (o "Mestre da Aliança" era a maneira comunitária de o povo pensar sobre o **Mestre**, talvez com o objetivo de assegurar, de algum modo, um relacionamento de **aliança**). Explicitamente, isso chama a atenção para o fato de eles falharem em manter o **compromisso** com o próprio Gideão em resposta a tudo o que ele tinha realizado para eles. Não obstante, esse "agir imoralmente" dos israelitas constitui um exemplo do padrão que perpassa todo o livro de Juízes, embora somente aqui o texto resuma a ação deles usando a expressão "agir imoralmente" para descrever o desvio do povo; trata-se da mesma palavra usada quanto ao povo "agir imoralmente" em relação ao éfode. Isso convida os leitores a ver uma ligação. Sim, Gideão tem alguma responsabilidade quanto aos acontecimentos relatados.

A ambiguidade que percorre a história de Gideão é resumida pela ambivalência de seus nomes. É comum que os personagens do Antigo Testamento tenham mais de um nome. Nesse caso (como ocorre em outras passagens), os nomes são usados de forma irregular, sugerindo que algumas versões utilizaram um nome enquanto outras usaram outro nome; por fim, essas versões foram combinadas sem que os compiladores de Juízes sentissem a necessidade de corrigi-las. O resultado suscita a questão quanto a ele ser, de fato, Gideão ou O Mestre Contende. Alternativamente, também levanta a questão sobre qual o significado de Jerubaal (veja o comentário de Juízes 6:25-40) ser o mais relevante? Trata-se de uma questão dupla sobre quem ele realmente pensava que era e sobre qual foi o seu efeito duradouro sobre Israel.

No início do capítulo, a reclamação dos **efraimitas** chama a atenção para um aspecto da dinâmica das histórias. Gideão é de Manassés, cujo território domina a parte norte das principais montanhas. A batalha ocorre na extremidade norte de seu território, na qual ele se encontra com Zebulom, estando Aser e Naftali logo além. Como de costume, embora seja possível associar essa crise e essa batalha a "Israel", apenas alguns clãs são envolvidos. A queixa de Efraim (clã vizinho de Manassés, ao sul) é baseada no conceito mais amplo de Israel; eles deveriam ter sido envolvidos na batalha, ainda que fossem menos afetados pela crise. (Talvez também tenham imaginado obter uma maior parte da pilhagem!) A subsequente recusa de Sucote e Peniel em fornecer provisões a Gideão quando ele estava em perseguição aos reis midianitas sugere o outro lado da moeda para o ressentimento dos efraimitas. Quando alguns dos clãs expressaram o desejo de ocupar o território a leste do rio Jordão, Josué temeu que eles não estariam, verdadeiramente, comprometidos com o destino dos demais clãs (veja Josué 1). Aqui, os temores de Josué são concretizados. Pode ser que tivessem na mente preocupações práticas opostas àquelas dos efraimitas. Do lado ocidental do Jordão, eles vivem muito mais próximos de povos como os midianitas. Por uma razão ou outra, eles não sentem, com relação a Gideão, um compromisso que reflita um senso de pertencimento a um povo.

JUÍZES 9:1–57
O HOMEM QUE SERIA REI

¹Abimeleque, filho de Jerubaal, foi aos irmãos de sua mãe, em Siquém, e falou a eles e a toda a parentela na casa paternal de sua mãe: ²"Vocês dirão aos ouvidos de todos os notáveis em Siquém: 'O que é melhor para vocês, setenta homens governando sobre vocês, todos filhos de Jerubaal, ou um homem governando sobre vocês? Tenham em mente que eu sou a sua própria carne e sangue.'" ³Os irmãos de sua mãe disseram todas essas coisas sobre ele aos ouvidos de todos os notáveis de Siquém. Eles estavam dispostos a seguir Abimeleque, porque (eles disseram): "Ele é nosso irmão." ⁴Deram-lhe setenta [siclos] de prata da casa do Mestre da Aliança, e, com esses, Abimeleque contratou homens inúteis e selvagens, e eles o seguiram. ⁵Ele foi à casa de seu pai, em Ofra, e matou os seus irmãos, os filhos de Jerubaal, setenta homens, sobre uma pedra. Mas Jotão, filho mais novo de Jerubaal, sobreviveu porque se escondeu. ⁶Todos os notáveis de Siquém e todas [as pessoas] da Casa Fortificada se reuniram. Eles foram e coroaram Abimeleque rei, junto ao carvalho na coluna de Siquém.

JUÍZES 9:1-57 • O HOMEM QUE SERIA REI

⁷As pessoas contaram a Jotão, e ele foi e subiu ao topo do monte Gerizim. Ele ergueu a sua voz e os chamou: "Ouçam-me, notáveis de Siquém, para que Deus possa ouvi-los. ⁸As árvores, certa feita, foram ungir um rei sobre si mesmas. Disseram à oliveira: 'Reine sobre nós.' ⁹A oliveira lhes disse: 'Esgotaria eu o meu produto, por quem as pessoas honram a Deus e aos seres humanos, para poder ir e acenar acima das árvores?' ¹⁰Então, as árvores disseram à figueira: 'Venha e reine sobre nós.' ¹¹A figueira lhes disse: 'Esgotaria eu a minha doçura, o meu bom fruto, para poder ir e acenar acima das árvores?' ¹²Então, as árvores disseram à videira: 'Venha e reine sobre nós.' ¹³A videira lhes disse: 'Esgotaria eu o meu vinho novo, que faz Deus e os seres humanos regozijarem, para poder ir e acenar acima das árvores?' ¹⁴Então, todas as árvores disseram ao espinheiro: "Venha e reine sobre nós." ¹⁵O espinheiro disse às árvores: 'Se vocês irão realmente ungir-me como rei sobre vocês, venham, abriguem-se à minha sombra. Caso contrário, que o fogo saia do espinheiro e consuma os cedros do Líbano.'"

[Nos versículos 16-57, Jotão prossegue na interpretação de sua parábola e, então, foge. Após algum tempo, surge um conflito entre Abimeleque e os siquemitas que resulta no massacre do povo por Abimeleque. Mais tarde, ele sitia outra cidade, Tebes, e ali morre quando uma mulher atira uma pedra de moinho em sua cabeça.]

No comentário sobre Josué 20, citei uma jovem em minha classe que, aparentemente, tinha um tumor cerebral. Por meio de um *e-mail*, algumas semanas atrás, ela falou sobre as maneiras pelas quais Deus estava falando com ela por meio das aulas que frequentou, durante o verão e o outono, sobre estar pensando em casamento e acerca dos misteriosos sintomas que teve. Lamentações, Daniel e outros livros estavam falando ao coração dela de formas que eu jamais poderia imaginar ou planejar. Há algumas noites, ela e seu marido vieram jantar em minha casa, após quatro semanas casados, e pudemos conversar mais sobre a riqueza daquele estudo do Antigo Testamento. Por dez anos, estive à frente de um seminário, mas, passado esse tempo, desejei voltar a ser um professor comum. Inúmeras vezes, pensei que o meu ensino não fazia a menor diferença em meus alunos. Todavia, há momentos em que o Senhor envia alguém para me corrigir e lembrar que o estudo que incentivo as pessoas a fazer pode ser de grande valia.

Em tais dias, eu concordo com Jotão. Estar à frente do seminário era a posição certa durante aqueles dez anos, porém ensinar é muito mais válido do que administrar. É possível ter havido toda sorte de considerações que levaram à proposta de Abimeleque e à sua aceitação. Talvez ele se ressentisse do preconceito por ser filho de uma **esposa secundária** e da condição daqueles a quem Gideão tratava como seus "verdadeiros" filhos. A estranha referência à casa paternal de sua mãe pode parecer natural no Ocidente moderno, mas parece bem anormal numa sociedade tradicional. Pode ser que Abimeleque apenas apreciasse a ideia de ser o "grande homem" da região; ou, talvez, ser um filho secundário de Gideão fosse um grande negócio em Siquém, apesar de não desfrutar do mesmo *status*, caso fosse para Ofra. Ou, ainda, os siquemitas é que se ressentiam de estar sob o governo daqueles filhos em Ofra.

O que os siquemitas possuíam em comum com os outros israelitas é que eles estavam comprometidos com o Mestre da Aliança, que foi citado ao fim da história de Gideão. Há uma dolorosa ironia com relação a adorar o **Mestre** sob este nome, em Siquém. Josué 24 relata como os israelitas se reuniram em Siquém e estabeleceram uma aliança com *Yahweh* e como Josué fez uma **aliança** por eles que solenemente celebra

JUÍZES 9:1-57 • O HOMEM QUE SERIA REI

aquele compromisso. No entanto, Juízes 2 observa que o padrão de vida relatado pelo livro é um que envolve a transgressão dessa aliança por parte de Israel. Expressando em termos concretos, em Siquém (de todos os lugares), o Mestre se tornou a figura de aliança na vida deles. O povo de Siquém transformou o Mestre da Aliança em patrocinador de sua trama para massacrar a família de Gideão. (Talvez a "pedra" citada fosse, na verdade, um **altar**, como que uma espécie de sacrifício ao Mestre; em Juízes 13, o pai de Sansão oferece um sacrifício sobre uma rocha.)

Jotão, então, declama a sua provocadora parábola do mesmo local, próximo a Siquém, no qual metade dos clãs tinha declarado a bênção de *Yahweh*, quando os israelitas inicialmente chegaram à terra (veja Josué 8:33; trata-se da única outra conexão na qual o monte Gerizim é citado no Antigo Testamento). Contudo, as suas palavras terminaram com uma maldição, não com uma bênção. Ninguém que possua um trabalho que valha a pena deseja ser um líder; e todo aquele que deseja ser um líder constitui um grande perigo às pessoas que ele (ou ela) lidera. Isso ocorre (Jotão prossegue implicando), especialmente, quando esse líder demonstra ser alguém capaz de agir com a crueldade exibida por Abimeleque e quando as pessoas se associam a essa perversidade. À luz do que Gideão tinha feito por Israel, eles não poderiam chamar isso de agir em boa-fé, poderiam? Como a ação deles não produz efeitos negativos sobre o líder e o povo? Jotão ora para que isso aconteça. O restante da narrativa mostra quão certo Jotão está e antecipa o que, em geral, ocorre em Israel, na igreja e na sociedade.

Deus responde à oração de Jotão e envia um "**espírito** maligno" entre Abimeleque e os "notáveis" de Siquém, os cidadãos que lideram aquela cidade, os chefes das famílias (as pessoas da Casa da Fortificação, aparentemente, constituem outro grupo). Eles, então, "quebram a fé" em Abimeleque. Falar em Deus enviando um espírito maligno poderia soar como se Deus interviesse para fazer acontecer algo que jamais teria ocorrido naturalmente. Todavia, já dei a entender que não seria surpresa se uma aliança, baseada na ambição e na violência, fosse quebrada. O modo de a história enfatizar esse ponto é que, por essa quebra de fé, a violência feita aos setenta filhos de Gideão "veio", como se ela estivesse aguardando para, no devido tempo, surgir e concluir o seu trabalho. Em outras palavras, o sangue deles estava "colocado" sobre Abimeleque e os siquemitas. Existe uma espécie de processo natural pelo qual atos terríveis acarretam consequências igualmente terríveis às pessoas que os cometem. Assim, o Antigo Testamento pode descrever coisas envolvendo processos comuns de causa e efeito, mas também algo no qual Deus está envolvido. O relato sobre a aluna cujo tumor cerebral desapareceu pode fornecer uma ilustração positiva disso; os médicos não fazem ideia do que aconteceu, mas, caso algum dia possam explicar o desaparecimento do tumor em termos médicos, decerto isso não nos impedirá de pensar que Deus fez algo miraculoso na vida dela.

Enquanto Abimeleque está fora da cidade, os notáveis de Siquém preparam-se por meio de um festival religioso na cidade e planejam um golpe de Estado, porém o prefeito (presumidamente indicado por Abimeleque) o informa do ocorrido. Ele retorna com seu exército particular e conduz um massacre na cidade. Na sequência, Abimeleque ataca uma cidade próxima, chamada Tebes (talvez tenham participado da rebelião), cujos cidadãos buscaram refúgio na torre que, em geral, a cidade constrói precisamente para esse propósito. Isso não intimida Abimeleque; os siquemitas tinham feito o mesmo, e ele, simplesmente, incendiou a torre. Contudo, antes de repetir esse ato, uma mulher lança uma pedra de moinho em sua cabeça, partindo o seu crânio. Ele pede ao seu escudeiro para matá-lo, pois não quer que as pessoas digam que ele foi morto por uma mulher. No entanto, a história sobrevive para nos contar que foi mais ou menos isso o que lhe sucedeu, assim como a Sísera.

JUÍZES **10:1—11:29**
QUANDO DEUS ACHA DIFÍCIL SER SEVERO

[Juízes 10 começa com breves relatos sobre dois outros liberta-dores, chamados Tolá e Jair. Então, reporta como, uma vez mais, Israel se entregou ao serviço a outros deuses, o que leva Deus a entregá-los ao domínio dos filisteus, a oeste, bem como aos amonitas, a leste.]

[10]Então, os israelitas clamaram a *Yahweh*: "Fizemos o que era errado contra ti, pois abandonamos o nosso Deus e servimos aos Mestres." [11]*Yahweh* disse aos israelitas: "Sim, dos egípcios, dos amorreus, dos amonitas, dos filisteus — [12]e dos sidônios, de Amaleque e de Maom, eles os oprimiram, vocês clamaram a mim e eu os libertei das mãos deles. [13]Mas vocês me abando-naram e serviram a outros deuses. Por isso, não os libertarei novamente. [14]Vão e clamem aos deuses que vocês escolheram. Eles devem libertá-los em seu tempo de angústia." [15]Os israelitas disseram a *Yahweh*: "Fizemos o que era errado. Tu mesmo trata-nos segundo o que parecer bom aos teus olhos. Somente resgata-nos neste dia." [16]Eles removeram os deuses estrangeiros do seu meio e serviram a *Yahweh*, e seu coração foi subjugado pela miséria de Israel.

[17]Os amonitas convocaram-se e acamparam em Gileade, e os israelitas se reuniram e acamparam em Mispá. [18]Os oficiais de Gileade disseram uns aos outros: Quem será o homem que primeiro lutará com os amonitas? Ele será o cabeça sobre todo o povo que vive em Gileade."

JUÍZES 10:1—11:29 • QUANDO DEUS ACHA DIFÍCIL SER SEVERO

CAPÍTULO 11

¹Ora, Jefté, o gileadita, era um poderoso guerreiro, mas ele era filho de uma mulher imoral. Gileade gerou Jefté, ²mas a esposa de Gileade lhe tinha gerado filhos, e, quando os filhos de sua esposa cresceram, eles expulsaram Jefté e lhe disseram: "Você não terá partilha na casa de nosso pai, porque você é filho de outra mulher." ³Então, Jefté fugiu de seus irmãos e viveu em Boa Terra. Homens desonrosos se reuniram ao redor de Jefté e saíram [lutando] com ele.

[Os versículos 4-28 relatam como, à luz da reputação de Jefté, os gileaditas o convidam para retornar e liderá-los contra os amonitas, que alegam que os israelitas tomaram deles a região ocupada por Gileade; Jefté nega esse fato.]

²⁹O espírito de *Yahweh* veio sobre Jefté, e ele atravessou Gileade e Manassés, atravessou para Mispá, em Gileade, e de Mispá, em Gileade, atravessou aos amonitas.

Em minhas orações diárias (bem, quase diárias, para ser honesto), oro tanto pela nação quanto pela igreja em nosso país. Faço isso a despeito do histórico de que as nações prosperam, triunfam e, então, declinam e sucumbem, e de que o mesmo ocorre às igrejas. Venho de um continente no qual a igreja, outrora florescente, agora é quase inexistente. Vivo num país no qual a igreja, outrora pujante, agora está em franco declínio e pode estar a caminho do mesmo destino. Se fosse Deus, poderia, na verdade, estar tentado a deixar a igreja perecer. Não obstante, em contextos nos quais Deus anunciou a intenção de derrubar um povo, o Antigo Testamento coloca diante de nós exemplos de pessoas pregando e também orando contra as probabilidades e de Deus mudando a sua intenção de derrubar o povo. Isso molda a minha forma de orar pela nação e pela igreja. Peço a Deus para resistir à tentação de decidir que "Basta!", e nos derrube. Um de meus encorajamentos para fazer isso é que Deus tem dificuldades em ser severo. Não é difícil persuadir Deus a dar mais uma chance às pessoas.

Uma vez mais, os israelitas abandonam *Yahweh* e cultuam outras divindades. E, de novo, eles pagam por isso no campo político. A exemplo de situações anteriores, eles **clamam** a Deus. Nessa ocasião, porém, pela primeira vez, Deus diz: "Basta para mim!" O problema é que Deus não é firme o suficiente para sustentar essa posição e, talvez, os israelitas já suspeitem disso. Quando Deus diz: "Chegamos ao fim. Não irei resgatá-los novamente", poder-se-ia esperar que os israelitas dissessem: "Está bem. Não adianta recorrer a ele, então." Na verdade, eles se voltam a Deus apesar de ouvirem a intenção divina de deixá-los cozinhar no próprio caldo. Talvez, de fato, eles suspeitem que falte a Deus a força de caráter para cumprir a sua intenção. Ou, é possível que eles recorram a Deus porque sabem que é a coisa certa a fazer, mesmo que isso não os leve a lugar algum.

Um contexto no qual é válido ler essas histórias é aquele dos **judaítas** no **exílio**, no fim do relato que percorre Juízes, Samuel e Reis. Eventualmente, o fato de Deus permitir a queda de Jerusalém nas mãos da **Babilônia**, constitui a derradeira expressão de Deus dizendo: "Está acabado." No entanto, naquele contexto, a história em Reis e as orações em Lamentações representam as pessoas se lançando a Deus e dizendo: "Sim, temos agido de modo terrivelmente errado. Não temos nenhuma queixa contra ti. Tudo o que podemos fazer é nos lançar em tua misericórdia." Então, tudo o que eles podem fazer é esperar. Essas histórias em Juízes podem ser um encorajamento para aqueles exilados. Talvez, Deus não seja capaz de manter a sua dura posição...

Assim ocorreu no relato em questão. O coração de Deus é sobrepujado pela miséria de Israel. Literalmente, a alma, ou a pessoa, ou o espírito de Deus "oprime-se" diante da miséria deles. Usualmente, a palavra implica ser ineficaz, débil ou impaciente. Pode sugerir a inexistência de recursos interiores para suportar por mais tempo. Deus não possui os recursos interiores para suportar o sofrimento de Israel por mais tempo, ainda que eles sejam merecedores disso. Deus não consegue resistir à tentação de agir em favor deles. Reconhecidamente, a maneira pela qual as coisas ocorrem as fazem parecer menos maravilhosas do que se poderia esperar. Pode ser que isso, novamente, mostre a forma de Deus operar com os potenciais humanos em uma situação.

Como outras crises em Juízes, essa afeta determinada região do território, bem como apenas alguns clãs. Nesse caso, a área afetada é Gileade, situada a leste do Jordão, na qual vivem Rúben, Gade e metade do clã de Manassés. Assim, trata-se de uma região extremamente vulnerável a povos como os amonitas, que vivem ao sul.

O homem a quem os clãs recorrem é uma pessoa complicada, com um histórico similar ao de Abimeleque. As traduções o descrevem como o filho de uma prostituta, mas as palavras exigem apenas que ele seja filho de uma mulher que desafia os códigos sociais da sociedade. Desse modo, ele pode ser simplesmente um rapaz nascido do romance entre seu pai (que também é chamado de Gileade) e uma garota solteira no vilarejo. De todo modo, ele possui uma condição não diferente da de Abimeleque. O seu pai assumiu a paternidade dele, mas todos sabem que ele é um filho ilegítimo e, quando os demais filhos de Gileade se tornam adultos, eles o expulsam. Talvez a experiência e a exclusão o tenham levado às suas realizações, assim como ocorreu com Abimeleque, tornando-o um guerreiro notável, motivando os gileaditas a chamarem Jefté de volta para liderá-los contra os amonitas.

JUÍZES 11:30—12:15 • O HOMEM CUJA PROMESSA FAZ O SANGUE GELAR

"Boa Terra" é um lugar distante e ao nordeste de Gileade; o nome marcante sugere que ele vive bem, mas os homens com os quais ele se envolve sugerem o oposto. Isso começa a ilustrar a ambiguidade de Jefté, que emerge em sua negociação inicial com os amonitas, ao levá-lo a lhes dar uma longa lição sobre as relações entre Israel e os povos situados a leste do rio Jordão, em grande parte como elas são recontadas na **Torá**. Os amonitas acusavam os gileaditas de terem se apropriado indevidamente da terra deles; Jefté argumenta que eles não fizeram tal coisa. Eles estabeleceram o objetivo de tentar evitar a invasão de qualquer território a leste do Jordão. Todavia, lograram dominar a terra pertencente aos **amorreus** (não Edom, Moabe ou Amom), como resultado da insistência dos amorreus em atacar os israelitas. Mas, de qualquer forma (ele prossegue), e quanto ao estatuto das limitações? Todos esses fatos ocorreram trezentos anos atrás.

Quando os amonitas não se mostram convencidos, o **espírito** de Deus vem sobre Jefté, como, certa feita, viera sobre Gideão (embora não sobre Abimeleque). Ele é inspirado a atravessar a área a leste do Jordão (provavelmente para reunir forças), enquanto se prepara para enfrentar os amonitas, a exemplo de Elias competindo com o rei Acabe, de volta a Samaria, quando a mão de Deus estava sobre ele (1Reis 18). Então, vem o momento mais fatídico em sua história. Depois de Abimeleque, podemos considerar que o livro de Juízes não pode alcançar pontos mais baixos. Não poderíamos estar mais equivocados.

JUÍZES **11:30—12:15**
O HOMEM CUJA PROMESSA FAZ O SANGUE GELAR

30Jefté fez uma promessa a *Yahweh*: "Se realmente entregares os amonitas nas minhas mãos, **31**quem quer que saia pela porta

JUÍZES 11:30—12:15 • O HOMEM CUJA PROMESSA FAZ O SANGUE GELAR

da minha casa para me encontrar, quando eu retornar em paz, oferecerei como uma oferta queimada." **32**Jefté atravessou os amonitas para batalhar contra eles, e *Yahweh* os entregou nas suas mãos. **33**Ele os derrubou desde Aroer até quando se chega a Minite, vinte cidades, até mesmo a Abel-Qeramim, uma derrota muito grande. Assim, os amonitas se sujeitaram diante dos israelitas.

34Jefté chegou à sua casa, em Mispá, e sua filha estava saindo ao seu encontro com um tamborim e dançando. Essa mesma garota era a sua única filha. Ele não tinha nenhum filho ou filha à parte dela. **35**Quando ele a viu, rasgou as suas roupas e disse: "Oh, não, minha filha, você me abateu, me abateu, você mesma se tornou aquela que me trouxe calamidade. Eu mesmo abri a minha boca a *Yahweh*. Não sou capaz de voltar atrás [sobre isso]." **36**Ela lhe disse: "Pai, você abriu a sua boca a *Yahweh*. Faça comigo conforme o que saiu de sua boca, agora que *Yahweh* lhe trouxe grande reparação dos seus inimigos, os amonitas." **37**Mas ela disse ao seu pai: "Que essa coisa seja feita para mim. Deixe-me sozinha por dois meses para que possa andar, descer as montanhas e chorar pela minha vir-gindade, eu e minhas amigas." **38**Ele disse: "Vá", e a deixou ir por dois meses. Ela e suas amigas foram e choraram pela sua virgindade nas montanhas. **39**Ao fim de dois meses, ela voltou ao seu pai. Ela não tinha dormido com um homem. Isso se tornou uma regra em Israel: **40**cada ano, as garotas israelitas saíam para celebrar a filha de Jefté, o gileadita, durante qua-tro dias no ano.

[O capítulo 12 relata a queixa dos efraimitas pelo fato de Jefté não os ter envolvido na batalha com Amom, o que levou a uma luta entre os dois grupos e a morte de 42 mil efraimitas; a histó-ria, incidentalmente, nos revela a origem da palavra "sibolete". A narrativa também fornece um breve relato sobre outros três libertadores, Ibsã, Elom e Abdom.]

Recentemente, o noticiário trouxe a história de um homem que estava dando ré em seu carro e, acidentalmente, atropelou o próprio filho, que estava brincando ali. Outra história relatou como certa mãe, que aparentemente estivera bebendo e consumindo drogas, dirigiu na contramão, em uma autoestrada, resultando na colisão com outro veículo e, por consequência, em sua morte, na de seus filhos e na de outras crianças que estavam viajando com ela. Alguns meses antes, durante o verão, foi veiculada a história de um homem que deixou a filha dentro do carro, num dia muito quente; a criança faleceu. O sangue de qualquer pai ou mãe congela ao ouvir histórias similares porque nos colocamos no lugar desses pais e sabemos que poderia acontecer conosco. Apenas um breve ato, aparentemente de desatenção, pode resultar em uma tragédia com a qual a pessoa convive pelo resto de seus dias.

Uma característica extraordinária da história sobre Jefté e sua filha é que ela se abstém, resolutamente, de nos dizer o que pensar sobre o ocorrido. A narrativa não oferece expressões de aprovação ou reprovação quanto ao que aconteceu. Isso não é incomum nas histórias do Antigo Testamento, ou mesmo nas parábolas contadas por Jesus. O resultado é que as pessoas chegam a conclusões muito distintas sobre o significado da história (ou da parábola). Todavia, abster-se de expressar julgamentos tem as suas vantagens. Embora a Bíblia, algumas vezes, opere em nós revelando exatamente o que devemos pensar e fazer, outras vezes ela trabalha em nosso íntimo permitindo que reflitamos sobre o texto à luz do que diz em outras passagens. Isso pode levar a um resultado mais poderoso.

Há algumas questões para as quais a narrativa não dá nenhuma resposta. A promessa de Jefté foi resultante da vinda do **espírito** de Deus sobre ele? Quem ou o que ele

JUÍZES 11:30–12:15 • O HOMEM CUJA PROMESSA FAZ O SANGUE GELAR

imaginou que sairia da casa ao seu encontro? A promessa de Jefté teve algum efeito que levou Deus a lhe dar a vitória? Por que o nome de sua filha não é mencionado? Não é monstruoso que ele acuse a filha pelo que acontece e a veja como trazendo calamidade sobre ele? Por que ela não resiste à implementação da promessa de seu pai? Pelo que ela está chorando, quando chora por sua virgindade? Por que Deus não interveio, a exemplo do que fez quando Abraão estava prestes a sacrificar Isaque?

Algumas dessas perguntas são irrespondíveis. Aqui está como eu esperaria que um israelita respondesse a algumas delas, à luz do resto do Antigo Testamento. É impossível imaginar que Deus intencionou o sacrifício da filha de Jefté, pois isso contradiz a própria **Torá**. Presume-se que Jefté tivesse ciência disso; é irônico que, um pouco antes, ele demonstrasse um íntimo conhecimento da história contada pela Torá sobre como os israelitas assumiram o controle do território a leste do Jordão. Se Israel estivesse funcionando apropriadamente, sua filha, sua mãe e outros na comunidade também saberiam que o sacrifício humano contraria a Torá. Todavia, obviamente, todos estão seguindo as presunções de outros povos que sacrificam os seus filhos. O Antigo Testamento, em geral, mostra que as promessas a Deus tendem a sair pela culatra. Além disso, se Jefté tivesse mais familiaridade com o Deus da Torá, decerto saberia que é possível renegociar uma promessa insensata com ele. Deus não interveio pelo mesmo motivo que ele, usualmente, não intervém quando (por exemplo) os pais abusam ou matam os seus filhos; Deus permite que nós, como seres humanos, exerçamos a nossa responsabilidade e não recorre, com frequência, a intervenções.

À luz da maneira pela qual a história em Juízes se desenvolve, há sentido em ver essa história como um aspecto da

JUÍZES 11:30—12:15 • O HOMEM CUJA PROMESSA FAZ O SANGUE GELAR

constante degeneração da vida de Israel que, no devido tempo, resultará no julgamento final de que o povo estava fazendo o que era certo aos seus próprios olhos (Juízes 21:25). É uma degeneração que afeta, especialmente, a posição das mulheres em Israel; a história em questão é doentia, e os relatos subsequentes são, pelo menos, tão doentios quanto ou mesmo piores.

Embora os leitores modernos possam ficar chocados pelo fato de o Antigo Testamento apresentar histórias como essa, na realidade parte de sua grandeza é devida a isso. Ele não é um livro que nos forneça uma forma de escapar da realidade deste mundo, mas uma obra que esfrega em nosso nariz a realidade como ela é. A ausência de juízos morais explícitos ("Jefté fez o que era mal aos olhos do Senhor") foca a nossa atenção na própria história e no horror de suas implicações no tocante à estupidez de Jefté e o sofrimento de uma garota. Isso pode ter a capacidade de fazer diferença em nossa vida com respeito a homens assim e à nossa preocupação com as suas vítimas.

Além do mais, a narrativa concede grande proeminência ao lamento da filha de Jefté junto às suas amigas e a maneira pela qual os israelitas estabeleceram uma prática de celebrar a memória dela. Isso oferece escopo para outras jovens mulheres se unirem, permanecerem juntas e refletirem sobre a sua situação de uma forma consciente, em meio a um mundo no qual os homens abusam de mulheres, como Jefté fez, e no modo em que elas lidam com as realidades de sua posição no mundo. Uma amiga, recentemente, esteve em um retiro de mulheres. Isso me leva a refletir: "Por que é necessário haver um retiro de mulheres?" Eu não quero ter um retiro de homens. Sobre o que elas estão falando lá para não desejarem a minha presença? (Aparentemente, alguns homens apreciam, de fato, estar em um retiro só para eles: acabei de ser convidado a palestrar em um deles.) Sem dúvida, existem inúmeros motivos, mas a facilidade com que nós, homens, nos silenciamos, diante de tantos "sacrifícios" de mulheres, é uma das respostas à questão.

JUÍZES **13:1–25**
ENTRETENDO ANJOS SEM SABER

[1]Os israelitas, novamente, fizeram o que era inaceitável aos olhos de *Yahweh*, e *Yahweh* os entregou nas mãos dos filisteus durante quarenta anos. [2]Havia certo homem de Zorá, da parentela de Dã, cujo nome era Manoá. Sua esposa era estéril; ela não tinha gerado filhos. [3]O ajudante de *Yahweh* apareceu à mulher e lhe disse: "Você é estéril, não gerou filhos, mas você ficará grávida e dará à luz um filho. [4]Então, agora, tenha cuidado, não beba vinho ou licor, nem coma qualquer coisa tabu, [5]porque você ficará grávida e dará à luz um filho, e nenhuma navalha deve passar pela cabeça dele, porque o menino será uma pessoa dedicada a Deus desde o ventre, e ele começará a libertar Israel das mãos dos filisteus."

[Os versículos 6-14 descrevem como a mulher conta o episódio ao seu marido, que ora para que o ajudante possa aparecer novamente; ele o faz, repetindo a mensagem.]

[15]Manoá disse ao ajudante de *Yahweh*: "Podemos detê-lo e preparar um cabrito diante de ti?" [16]O ajudante de *Yahweh* disse a Manoá: "Se você me deter, não comerei a sua comida, mas, se preparar uma oferta queimada, que você a ofereça a *Yahweh*" (porque Manoá não percebeu que ele era o ajudante de *Yahweh*). [17]Manoá disse ao ajudante de *Yahweh*: "Qual é o teu nome? Quando as tuas palavras se cumprirem, honraremos a ti." [18]O ajudante de *Yahweh* lhe disse: "Por que você pergunta o meu nome quando ele é impressionante?" [19]Manoá pegou o cabrito, a oferta de cereal e os ofereceu sobre uma rocha a

JUÍZES 13:1-25 • ENTRETENDO ANJOS SEM SABER

Yahweh, e ele fez algo incrível enquanto Manoá e sua esposa estavam olhando. ²⁰Quando a chama subiu do altar até os céus, o ajudante de *Yahweh* subiu na chama do altar enquanto Manoá e sua mulher estavam olhando. Eles prostraram com o rosto em terra. ²¹O anjo de *Yahweh* não apareceu novamente a Manoá e à sua esposa.

Manoá percebeu que tinha sido o ajudante de *Yahweh*. ²²Manoá disse à sua esposa: "Nós morreremos, nós morreremos, porque vimos Deus!" ²³Sua esposa lhe disse: "Se *Yahweh* quisesse nos matar, ele não teria recebido a oferta queimada e a oferta de cereal de nossa mão e não nos teria deixado ver todas essas coisas ou apenas agora nos contaria uma coisa como essa."

²⁴A mulher deu à luz um filho e o chamou de Sansão. O menino cresceu, e *Yahweh* o abençoou. ²⁵O espírito de *Yahweh* começou a impeli-lo no acampamento de Dã, entre Zorá e Estaol.

Amigos meus acabaram de engravidar. Não estou acostumado a usar esse verbo na primeira pessoa do plural; quando era mais jovem, apenas a mulher engravidava, mas, nos tempos atuais, é uma operação conjunta. Existe certa pertinência nisso, pois o evento requer a participação de duas pessoas. Quando um casal não pode engravidar, o problema pode estar na mulher, mas também pode estar no homem, e, presumidamente, os israelitas compreendiam isso. Se uma mulher não conseguisse engravidar, o seu marido tomava uma segunda esposa, na esperança de que ela pudesse lhe trazer melhor sorte. Mas, então, a segunda esposa também não conseguia conceber, e, assim, presume-se que eles somavam dois mais dois, ainda que não tocassem nesse assunto. Esse casal amigo passou por toda sorte de testes, e concluiu-se que o problema residia na mulher. Então, os médicos a fizeram passar por tratamentos estranhos, cujos detalhes nem mesmo desejo saber,

JUÍZES 13:1-25 • ENTRETENDO ANJOS SEM SABER

e, agora, ela está grávida de quatro meses. Eles formam um casal adorável, e ela é uma pessoa muito amorosa. Sem dúvida, será uma mãe maravilhosa. Assim, por inúmeros motivos sinto-me empolgado, mas, decerto, a minha empolgação nem chega perto do entusiasmo e da expectativa daquele casal e de seus pais.

A esposa de Manoá também será uma mãe maravilhosa. Igualmente, ela muito esperou e tentou, experimentando um desapontamento a cada mês, mas, agora, ela terá o seu bebê. Teria sido ela a lhe dar o nome, que faria as pessoas pensarem em raio de sol (de modo mais literal, o seu nome é *shimshon*, e a palavra hebraica para *sol* é *shemesh*). Alguns podem pensar no deus-Sol, porém dificilmente sua mãe pensaria nisso. Conheço outra mulher que esperou um longo tempo para engravidar. Quando o bebê nasceu, ela afirmou que o sol brilhou nos olhos de seu filho. Suspeito que a atitude da mãe de Sansão foi similar a essa.

Mais importante, ela será uma mãe maravilhosa por seu grande discernimento espiritual. Se, no caso de Jefté, ele não recebeu suficiente ensinamento sobre **Yahweh** e os caminhos divinos para saber como se relacionar com *Yahweh* e mesmo com sua filha (e se ela, por consequência, também não recebeu ensino suficiente nesse tema), não há o menor perigo de isso ocorrer de novo e aquele menino não aprender o suficiente com sua mãe. Por outro lado, o marido dela precisa aprender uma coisa ou duas. O **ajudante** de *Yahweh* sabia o que estava fazendo ao aparecer à esposa em lugar de aparecer ao marido.

Estranhamente, a história equilibra-se na tensão entre a visão divina, quanto a marido e esposa possuírem igual posição em relação a Deus, à sociedade e mutuamente, e a realidade patriarcal no mundo, por meio da qual os homens contam mais do que as mulheres. A narrativa jamais revela o nome da esposa, mas nomeia o marido; ela obtém o seu significado na sociedade com base no filho gerado por ela e o homem com o qual está casada (embora seja exagerado afirmar que isso expressa uma compreensão de propriedade quanto ao casamento). Ela também se diferencia do marido na maneira em que lida com o aparecimento do ajudante divino a ela. Talvez ela esteja naturalmente presa ao modo de pensamento patriarcal. Certamente, Manoá pensa dessa forma. O ajudante conta à sua esposa como eles devem tratar o bebê, mas isso não basta para Manoá. Pode ele acreditar que ela entendeu direito? Ele quer ouvir por si mesmo.

Evidentemente, Deus não está preso a esse modo de pensar, porque, na verdade, o ajudante aparece a ela. Claro que é ela que irá ter a criança e, usualmente, a mãe em potencial costuma ser o recipiente de tais revelações na Bíblia. Todavia, quando Manoá pede a Deus para enviar o ajudante uma vez mais, a fim de lhe contar diretamente o que fora dito à sua esposa, o ajudante aparece uma segunda vez diante dela, mas, então, se dispõe a esperar enquanto ela vai chamar o marido.

Nem o homem nem a sua esposa devem ser acusados por não perceberem que estavam diante de uma figura sobrenatural. Um ajudante ou um "anjo" não ostenta asas ou uma auréola sobre a cabeça. Nas histórias do Antigo Testamento, o ajudante ou anjo aparece como um ser humano. Somente quando algo extraordinário acontece é que as pessoas percebem que ele é mais do que aparenta ser. Por outro lado, quando o extraordinário ocorre, novamente a esposa de Manoá mostra que é uma pessoa com discernimento espiritual, ou apenas dotada de bom senso.

A palavra para alguém "dedicado" a Deus é *nazir*. Números 6 estabelece algumas regras para pessoas que queiram dedicar-se especialmente a Deus por um período de tempo; não é dito para qual propósito elas desejam fazer isso. A história de Sansão é distinta porque implica que o seu voto nazireu será para toda a vida. O voto envolve a abstinência de álcool e de deixar o cabelo crescer; a importância dessa última regra não é óbvia, mas sabemos que, na cultura ocidental, não cortar os cabelos ou raspá-los pode ser uma declaração cultural significativa. Também significa ser inflexível quanto ao tipo de tabus em relação à comida que pessoas como sacerdotes eram obrigadas a observar para não comprometer o seu ministério sacerdotal.

Um famoso versículo em Provérbios promete: "Instrua a criança segundo os objetivos que você tem para ela, e mesmo com o passar dos anos não se desviará deles" (Provérbios 22:6, NVI). Como outras promessas no livro de Provérbios, esta funciona quase sempre, mas nem sempre. Aliás, vocês podem ser os melhores pais do mundo, mas isso não garante no que o seu filho se tornará. O relato que iremos ler sobre Sansão deve ter sido doloroso para seus pais. Antes disso, o presente capítulo chega a um belo encerramento com a descrição do menino crescendo debaixo da bênção divina e o o **espírito** de Deus começando a movê-lo ao encontro de sua vocação. O versículo de abertura do capítulo nos leva a pensar que isso significa o início de uma ação para **libertar** o seu povo dos **filisteus**. Ele o faz, mas não da maneira que imaginamos.

JUÍZES **14:1—15:20**
QUERIDA, RESOLVEMOS O ENIGMA

¹Sansão desceu a Timna e viu uma mulher em Timna entre as mulheres filisteias. ²Ele subiu e disse ao seu pai e à sua mãe: "Vi uma mulher em Timna entre as mulheres filisteias; assim, agora, consiga-a para mim como esposa." ³O seu pai e a sua

mãe lhe disseram: "Não há uma mulher entre as mulheres de sua parentela ou entre todo o meu povo, para você ir e conseguir uma esposa dos filisteus incircuncisos?" Sansão disse ao seu pai: "Consiga aquela mulher para mim, porque ela é a certa aos meus olhos." *Seu pai e sua mãe não reconheceram que isso provinha de *Yahweh* porque ele estava buscando uma oportunidade dos filisteus (naquela época, os filisteus estavam governando sobre Israel). *Sansão, seu pai e sua mãe desceram a Timna e chegaram às vinhas de Timna. Lá, um jovem leão começou a rugir ao encontrá-lo. *O espírito de *Yahweh* apoderou-se dele, e ele o rasgou como alguém que rasga um cabrito; não havia nada em suas mãos. Ele não contou a seu pai e à sua mãe o que tinha feito.

*Então, ele desceu e falou com a mulher. Ela era certa aos olhos de Sansão. *Ele voltou, algum tempo depois, para buscá-la e virou-se para ver os restos do leão. Havia um enxame de abelhas na carcaça do leão e mel. *Ele colheu o mel com as mãos e continuou comendo. Ele foi ao seu pai e à sua mãe e lhes deu algum, e eles o comeram. Ele não lhes contou que tinha colhido o mel da carcaça do leão. *Então, o seu pai desceu à mulher, e Sansão fez um banquete ali, porque isso era o que os jovens costumavam fazer. *Quando eles o viram, eles conseguiram trinta companheiros, e eles estavam com ele.

[Na passagem de 14:12-18, Sansão desafia os companheiros a decifrar um enigma; o lado perdedor daria trinta vestes ao lado vencedor. O enigma dizia respeito ao incidente com o leão: "Do que come saiu algo para comer: de um forte saiu doçura." A noiva de Sansão o persuadiu a lhe revelar a resposta ao enigma e, por sua vez, ela a contou aos demais rapazes, de modo que eles venceram o desafio. Sansão ficou enfurecido.]

*O espírito de *Yahweh* apoderou-se dele, e ele desceu a Ascalom e derrubou trinta de seus homens. Ele pegou o que foi arrancado deles e deu as vestes para os homens que tinham decifrado o enigma. Sua ira se acendeu, e ele foi para a casa de seu pai, **20**e a esposa de Sansão veio a pertencer ao seu companheiro, que tinha sido seu padrinho.

[O texto de 15:1-20 relata que, mais tarde, Sansão descobre que não pode mais reivindicar a sua noiva e ele se vinga dos filisteus ao incendiar a colheita deles. Eles respondem matando a garota e o pai dela; Sansão, portanto, mata mais alguns deles. Os filisteus invadem Judá procurando por ele; os judaítas o entregam aos filisteus, mas ele consegue se livrar e matar outros mil.]

Em nosso casamento, apenas coisas triviais deram errado. Reconhecidamente, para Ann e para mim, não havia muito o que fazer. A certa altura, seu pai disse que não compareceria; isso mostrava o grau de sua desaprovação por mim. Como Sansão, eu possuía cabelos longos (ser um teólogo também significava ser bom com enigmas, mas não em enfrentar leões). Todavia, com seu jeito mais cativante, Ann lhe disse quanto ela gostaria de ser levada ao altar por seu pai (leia-se: eu ainda irei me casar, estando você presente ou não), e ele cedeu. O ministro esqueceu o nome do meio de Ann, o que foi vergonhoso porque os seus pais queriam muito que ele fosse incluído (creio que era o nome da avó dela). Por fim, provoquei a nossa primeira briga conjugal ao prender o casaco de seu belo traje de despedida na porta do carro em minha ânsia de escapar das possíveis pegadinhas de meus amigos (os britânicos são pródigos em trotes aos noivos, na mesma proporção que os norte-americanos não são).

Os problemas enfrentados por Sansão e sua noiva precisavam ser mais críticos dos que Ann e eu enfrentamos, mas Sansão não consegue fazer as coisas pela metade e não tem a capacidade de apenas dar de ombros. O seu nome do meio é excesso. Depois da natureza cativante da história sobre o seu

JUÍZES 14:1–15:20 • QUERIDA, RESOLVEMOS O ENIGMA

nascimento, seu histórico, a breve declaração sobre a crescente experiência da bênção de Deus em sua vida e o efeito do **espírito** de Deus sobre ele, chega a ser um choque quando o relato avança no tempo e descreve o período que, presumidamente, corresponde ao fim da adolescência de Sansão (em sociedades tradicionais, as pessoas se casavam muito cedo, de modo que é difícil imaginá-lo como um adulto pleno e ainda solteiro. Ainda, Sansão age como um adolescente, cheio de energia, mas dotado de pouca sabedoria).

Politicamente, o cenário é similar àquele da história de Jefté, embora os protagonistas sejam outros. A história de Jefté dizia respeito aos clãs situados a leste, para os quais Amom era o problema. Para Dã, no lado ocidental, o problema eram os **filisteus**. Enquanto povos como Amom, Moabe e Edom são todos relacionados com Israel e os conflitos entre eles são discussões familiares, os filisteus são estrangeiros. Eles nem mesmo praticam a circuncisão, como qualquer povo civilizado (a circuncisão era um rito ao qual Deus dava uma importância especial em Israel, mas não é um rito exclusivamente israelita, embora a sua aplicação na infância, não na puberdade, fosse um traço incomum). Eles são da Europa, pelo amor de Deus. Eles e outros grupos, oriundos do outro lado do Mediterrâneo, conhecidos coletivamente como os "Povos do Mar", estavam causando problemas em grande parte do Oriente Médio. Além disso, estavam entre aqueles que ganhavam terreno em **Canaã**, vindos do lado ocidental, no tempo em que Israel estava se tornando uma força a ser reconhecida nas montanhas (por esse motivo, com frequência, a narrativa fala em "descer" à Filístia e "subir" ao território israelita). Os desafortunados danitas estavam, então, sob a pressão desse povo mais sofisticado. Juízes, no entanto, não enxerga isso como uma questão de má sorte, mas como outro exemplo do uso comum que Deus faz de eventos políticos para disciplinar o povo inclinado a reverenciar outras divindades.

Sansão é a pessoa que Deus planeja usar para **libertar** Israel do domínio filisteu. Assim, a primeira coisa que ele faz é decidir se casar com uma garota filisteia. Nas sociedades tradicionais, os casamentos são usualmente "arranjados", mas isso não significa que os arranjos são definidos pelos pais sem a devida consulta aos jovens envolvidos. Ainda, outros relatos do Antigo Testamento deixam claro que a iniciativa pode partir do casal. O ponto é que a sociedade reconhece a importância dos casamentos e seu efeito sobre toda a comunidade; não se trata apenas de um arranjo particular entre duas pessoas. Dessa forma, não há nada de estranho no fato de Sansão enamorar-se de uma garota e pedir aos seus pais para começarem as tratativas desse arranjo conjugal. O problema reside no lugar em que ele a escolhe. Novamente, não é mera coincidência que ela seja uma filisteia. Outros filisteus, incluindo alguns da cidade filisteia de Gate, recebem uma honrosa menção na história do Antigo Testamento, mas a pressuposição, então, é de que eles vieram a conhecer **Yahweh**, o Deus de Israel. A difamação aos filisteus, em geral, pelo fato de eles serem "incircuncisos" está relacionada a isso. Um homem não pode participar da **aliança** se ele for incircuncidado.

Paradoxalmente, isso é algo mais no qual Deus está envolvido. Dizer que a fantasia de Sansão com relação a essa jovem filisteia veio de Deus não significa que isso ocorreu contra a vontade de Sansão. No comentário sobre Juízes 3, observamos como o Antigo Testamento aprecia ver muitos níveis de explicações nos eventos. Aqui, igualmente, há dois níveis de importância em razão do que acontece. Sansão faz o que deseja fazer; Deus está usando essa sua característica. Deus objetiva dar um fim à dominação dos filisteus sobre o clã de Dã e tenciona utilizar Sansão para lograr esse fim. Deus não insiste em ter pessoas honradas como agentes na realização de seus planos; como já observamos, isso poderia significar uma espera eterna. Deus utiliza pessoas com todas as suas deficiências humanas. Desse modo, quando o espírito de Deus vem sobre alguém, a sua preocupação é realizar algo poderoso, não imediatamente fazer algo moral, embora um evento como o leão sendo dilacerado por Sansão constitua parte do propósito moral de Deus na derrubada dos filisteus. O mesmo é verdadeiro quanto ao seu notável feito contra os filisteus em Ascalom. Pode-se dizer que Sansão agiu de modo errado, mas isso também contribuiu para a implementação da intenção divina com respeito aos filisteus.

Não obstante, o comportamento de Sansão segue um padrão que nega a sua vocação. Esse é um tema subjacente à sua história. A investigação sobre a carcaça do leão indica isso, pois ser dedicado a Deus significa evitar o contato com coisas mortas; Sansão ignora esse princípio. Aqui também, entretanto, Deus apenas faz esse ato contribuir para o cumprimento de seu propósito. Deus usará Sansão quer ele faça a coisa certa quer não.

JUÍZES **16:1–21**
AMOR DE VERDADE

[1]Sansão foi a Gaza, viu lá uma prostituta e dormiu com ela. [2]Os gazitas foram informados: "Sansão veio aqui." Eles se reuniram em redor e esperaram por ele durante toda a noite junto à porta da cidade. Ficaram imóveis por toda a noite, dizendo: "Quando a manhã vier, nós o mataremos." [3]Sansão ficou na cama até a meia-noite, levantou-se, agarrou a porta

JUÍZES 16:1-21 • AMOR DE VERDADE

da cidade e os dois batentes, arrancou-os com a tranca, colocou-os sobre seus ombros e os levou ao topo da montanha defronte de Hebrom.

⁴Depois disso, ele amou uma mulher no vale de Soreque, chamada Dalila. ⁵Os governantes dos filisteus subiram a ela e lhe disseram: "Cative-o e veja onde está a sua grande força e como podemos superá-lo e amarrá-lo, para subjugá-lo. Cada um de nós lhe dará 1.100 [siclos] de prata." ⁶Então, Dalila disse a Sansão: "Contar-me-á onde está a sua grande força e como você pode ser amarrado de modo que seja subjugado?"

[Nos versículos 7-14, Sansão primeiramente dá a ela três respostas falsas.]

¹⁵Então, ela lhe disse: "Como pode dizer que me ama se a sua alma não está comigo? Nessas três vezes, você me enganou e não me contou onde está a sua grande força." ¹⁶Por ela o pressionar com suas palavras, durante todo o tempo, suplicando-lhe, e seu espírito ficar morto de cansaço, ¹⁷ele contou a ela tudo em sua alma. Ele lhe disse: "Nenhuma navalha passou em minha cabeça, porque fui dedicado a Deus desde o ventre de minha mãe. Se o meu cabelo fosse cortado, minha força me deixaria e eu ficaria fraco. Eu seria como qualquer homem." ¹⁸Dalila viu que ele lhe tinha contado tudo e enviou uma convocação aos governantes dos filisteus, dizendo: "Subam mais uma vez, porque ele me contou tudo." Os governantes dos filisteus subiram até ela e trouxeram o dinheiro com eles. ¹⁹Ela o fez dormir em seu colo, chamou um homem e o fez cortar as sete tranças na cabeça dele e começou a afligi-lo; sua força o deixou. ²⁰Ela disse: "Os filisteus estão sobre você, Sansão!" Ele despertou de seu sono e disse: "Eu sairei como das outras vezes e me livrarei." Ele não percebeu que *Yahweh* o havia deixado. ²¹Os filisteus o agarraram e arrancaram os seus olhos. Eles o levaram a Gaza e o amarraram em algemas de bronze, e ele se tornou alguém que moía grãos na prisão.

JUÍZES 16:1-21 • AMOR DE VERDADE

Após o incidente de algumas semanas atrás, quando um homem a bordo de um avião com destino a Detroit tentou explodir a si mesmo e o avião como um ato de terrorismo contra os Estados Unidos e o mundo ocidental, em geral emergiu um extraordinário pedaço do histórico referente àquele evento. Algumas semanas antes, o pai desse homem (um respeitado líder em seu país) havia contatado a embaixada dos Estados Unidos e as agências de segurança em seu país para falar sobre as "extremadas visões religiosas" de seu filho e o temor de que ele estivesse "planejando algo". Um repórter comentou: "Quase senti pena daquele pobre pai." Minha reação foi: "Quase?" O que o pai deve ter sentido quanto ao curso que a vida de seu filho tinha tomado? O que sentiu a sua mãe? E como eles se sentiram quando a notícia sobre o frustrado ato de seu filho, que poderia resultar numa terrível calamidade, começou a ser veiculada?

De uma perspectiva feminina, toda a história de Sansão torna a sua leitura sombria. Primeiro, havia a mulher que o gerou, que conhecia a visão de Deus para a vida de seu filho, que se compromete com Deus e com seu filho, mas que, então, é obrigada a vê-lo tornar a sua própria vida numa grande confusão, mesmo que, inconscientemente, seja esse o meio de Deus colocar em prática a sua vontade. Decerto, era evidente para sua mãe que ele nunca estava feliz, e posso imaginar o sofrimento dela, dia e noite, por causa do destino de seu filho.

Segundo, havia a esposa. Já observei que não há suposição de que ela se tornou comprometida com Sansão contra a sua vontade e que ele, evidentemente, era um rapaz de boa aparência a quem muitas garotas considerariam um grande partido. Contudo, a história não diz nada disso. Ela, simplesmente, é uma vítima das circunstâncias e dos fatos. Sansão é que a vê, pede a ajuda de seus pais para consegui-la, fala

JUÍZES 16:1-21 • AMOR DE VERDADE

com ela e vai para tomá-la. Os compatriotas dela, então, a ameaçam para descobrir a resposta do enigma, o que, para ela, significa a perda de Sansão e o seu casamento com outro homem. Sansão não recebe permissão para vê-la, o que leva a outro conflito que resulta em sua morte. Ela é até uma vítima de Deus, pois Deus busca uma forma de causar problemas aos **filisteus**.

Terceiro, há a prostituta. Como notamos, no comentário sobre Raabe, em Josué 2, o que normalmente leva mulheres ao comércio sexual são circunstâncias que tornam a venda do próprio corpo para satisfazer os desejos sexuais dos homens o seu único meio de sobrevivência. Ainda, é razoável considerar que isso foi o que tornou essa mulher disponível a Sansão.

O nome de nenhuma dessas mulheres é revelado, exceto o de Dalila. Pelo menos Sansão está apaixonado por ela. E quanto a ela? Está apaixonada por Sansão? O texto não nos revela. A perspectiva dela é, novamente, irrelevante. O que importa é o papel que ela é forçada a desempenhar; ela também é uma vítima de seus compatriotas, e, como resultado, Sansão se torna uma vítima dela e deles. O seu cabelo é o último símbolo de sua promessa para ser alguém dedicado a Deus. O incidente envolvendo o leão e o mel significou trair a proibição de tocar em algo tabu; o grande banquete, no capítulo 14, certamente significou trair a proibição quanto ao consumo de álcool; o seu relacionamento com uma mulher filisteia significa a perda de seus longos cabelos, o símbolo permanente e visível de sua dedicação.

Com certa ironia, Sansão termina como a quinta mulher na história, porque ele passa a moer grãos. Não há nada humilhante ou desabonador no ato de moer grãos em si; era uma tarefa como arar ou semear, sempre necessária em Israel. Na verdade, era uma atividade sobremodo honrada. Contudo,

Israel tinha formas convencionais de dividir as tarefas entre os membros da família: os homens aravam enquanto as mulheres moíam os grãos. Não há muito o que os captores de um homem cego podem forçá-lo a fazer. O que podem obrigá-lo a fazer é o trabalho de uma mulher.

Em mais de uma ocasião, ele realizou algo extraordinário e parecia que podia fazer isso apenas por possuir um físico ímpar; por ser uma espécie de Rambo. Contudo, em três episódios ele fez algo extraordinário porque "o **espírito de Yahweh** apoderou-se dele", e parece justo considerar que a vaga declaração anterior sobre o espírito de *Yahweh* começar a impeli-lo (13:25) implica que todas as suas notáveis conquistas refletiram aquela dinâmica. Assim, ele não era afinal um brutamontes? Ele foi um rapaz franzino que fez coisas extraordinárias? Pode ser que sim, mas estou mais inclinado a concluir que as suas capacidades "naturais" e o estímulo sobrenatural de Deus operaram em conjunto. De todo modo, abrir mão do símbolo de seu comprometimento com Deus significava perder o envolvimento de Deus com ele.

JUÍZES **16:22–31**
MAS O CABELO DE SANSÃO COMEÇOU A CRESCER NOVAMENTE

22O cabelo de Sansão começou a crescer tão logo tinha sido cortado. **23**Ora, os governantes dos filisteus se reuniram para a oferenda de um grande sacrifício a Dagom, o deus deles, e para festividades. Eles disseram: "O nosso deus nos entregou o nosso inimigo, Sansão, em nossas mãos." **24**Quando o povo o viu, louvou o seu deus, porque (disseram): "O nosso deus nos entregou o nosso inimigo em nossas mãos, aquele que devastou a nossa terra e multiplicou os nossos mortos." **25**Segundo o que era bom em seu pensamento, disseram: "Tragam Sansão.

JUÍZES 16:22-31 • MAS O CABELO DE SANSÃO COMEÇOU A CRESCER NOVAMENTE

Ele deve nos entreter." Assim, chamaram Sansão da prisão, e ele os divertiu.

Eles o colocaram entre as colunas, [26]e Sansão disse ao rapaz que o estava segurando pela mão: "Solte-me e deixe-me sentir os pilares dos quais a casa depende para que me possa apoiar neles." [27]A casa estava cheia de homens e mulheres. Todos os governantes dos filisteus estavam lá, e na cobertura estavam cerca de três mil homens e mulheres olhando Sansão os divertir. [28]Sansão clamou a *Yahweh*: "Meu SENHOR *Yahweh*, estarás atento a mim? Dar-me-ás força apenas desta vez, Deus, para que possa obter reparação dos filisteus, uma reparação por meus dois olhos?" [29]Sansão agarrou os dois pilares do meio, dos quais a casa dependia, e se apoiou neles, um com sua mão direita e o outro com sua mão esquerda. [30]Sansão disse: "Eu mesmo posso morrer com os filisteus" e empurrou com toda a sua força. A casa caiu sobre os governantes e sobre todas as pessoas nela. As pessoas a quem ele causou a morte, ao morrer, foram mais do que as que ele causou a morte enquanto viveu. [31]Seus irmãos e todos os da casa de seu pai desceram, o levantaram, o levaram para cima e o enterraram entre Zorá e Estaol, no túmulo de Manoá, o seu pai. Ele liderou Israel durante quarenta anos.

Na primeira vez em que fui a Israel, participei de uma empolgante escavação arqueológica. Ao lado de um clube de tênis, na grandiosa e moderna cidade de Telavive, no Mediterrâneo, no qual as pessoas começavam a jogar às seis horas da manhã, pois a temperatura estaria muito elevada depois do meio-dia, está Tel Qasile. Como a *tel* de Jericó, mas em menor escala, o *tel* é uma colina artificial acidentalmente formada pelas ruínas de uma sucessão de cidades, construídas em cima da anterior (portanto, o nome *Tel Aviv*, "Colina da Primavera", sugere uma combinação entre o antigo e o novo). Como em Jericó, procuramos descobrir a história da cidade por meio de escavações (com espátula, não escavadeiras pesadas), explorando as camadas da colina como se fossem camadas de um bolo, mapeando cuidadosamente onde encontramos algo, além de lama. Também começamos essa operação às seis da manhã, pois a temperatura elevada impede as escavações após o meio-dia. Telavive está situada numa área originariamente alocada ao clã de Dã; esse é o nome da companhia de ônibus local. Nos dias de Sansão, portanto, fazia parte da região ocupada pelos **filisteus**, e Tel Qasile era uma cidade filisteia. Uma das grandes descobertas do ano, da qual participei ali, foi a descoberta de seu santuário. Não era um edifício grande ou impressionante, mas um detalhe característico e empolgante de sua construção, revelado pela descoberta, foram os dois pilares centrais que sustentavam o teto do local (os pilares em si teriam sido feitos de madeira e apodrecidos com o tempo; mas o que realmente descobrimos foram as suas bases de pedra). Um homem grande poderia ficar em pé e apoiar-se neles. Caso fosse capaz de derrubá-los, provocaria a queda do templo. Assim, posicionei-me no ponto central desse santuário e imaginei o clímax da história de Sansão.

Ler as histórias exóticas, lendárias e ousadas sobre Sansão nos faz pensar se elas, de fato, ocorreram. Não creio que haja algum meio de decidir se realmente ocorreram. Por um lado, presumo que Deus não teria nenhuma dificuldade em capacitar Sansão a empreender essas façanhas. Por outro, elas são contadas mais como histórias do Velho Oeste do que como história sóbria, e bem sei que Deus aprecia histórias ficcionais tanto quanto as factuais. Minha suposição de trabalho a esse respeito aplica-se a grande parte das narrativas do Antigo Testamento. De um lado, essas histórias são lidas como se

JUÍZES 16:22-31 • MAS O CABELO DE SANSÃO COMEÇOU A CRESCER NOVAMENTE

fossem, na verdade, destinadas a entreter, assim como a instruir. Elas parecem lendárias. De outro, quando as pessoas contam histórias desse tipo, penso que o mais provável é que elas tenham como base eventos que realmente ocorreram, com pessoas que, de fato, realizaram coisas extraordinárias, do que sejam apenas meras peças de ficção. São mais como histórias sobre Robin Hood ou Jane Calamidade do que estudos históricos sobre Abraham Lincoln ou a rainha Vitória; isto é, elas não constituem simplesmente história real e concreta. Igualmente, são mais como histórias sobre Robin Hood e Jane Calamidade do que sobre Rambo ou Lois Lane; ou seja, elas não constituem apenas ficção ou imaginação.

Estar no santuário filisteu em Tel Qasile encorajou-me a fazer essa avaliação. Lá estava exatamente o tipo de característica arquitetônica que tornaria possível a alguém como Sansão provocar a queda de toda a casa (esta é a origem daquela sentença?). Trata-se de um modo de construção característico dos filisteus; os israelitas não construíam santuários assim. Isso fornece evidência circunstancial suficiente para mostrar que a narrativa reflete um evento real. No entanto, o tamanho do santuário em questão não o credencia a abrigar toda a população de Gaza em seu interior ou na cobertura (o que, certamente, levaria a estrutura ao colapso, bem antes de Sansão tentar derrubar os seus pilares).

Desse modo, imagine que por trás das histórias existe um rapaz que, de fato, realizou alguns feitos extraordinários, se meteu em confusões e enfrentou os filisteus, bem como há uma mãe e algumas mulheres que foram vítimas dos meios patriarcais da cultura na qual elas viviam. Todavia, não há meios de obter os "fatos reais" por trás desses relatos. Não há nenhum problema nisso, pois o que os seus autores, aparentemente, almejavam era que tivéssemos histórias

JUÍZES 16:22-31 • MAS O CABELO DE SANSÃO COMEÇOU A CRESCER NOVAMENTE

dotadas de valor como entretenimento e interesse humano, que fossem do agrado de Deus como parte da Bíblia, que a comunidade judaica, responsável pela formação do texto bíblico utilizasse, bem como a igreja cristã, reafirmando a decisão da comunidade judaica. O entusiasmo e a tristeza, presentes nessas histórias, nos convidam à reflexão de como as mulheres (e homens) podem ser vítimas das expectativas e suposições culturais, além de nos levarem a considerar como nós, em nossos diferentes contextos, podemos estar sofrendo os efeitos das mesmas forças.

O cabelo de Sansão começou a crescer novamente. O fato em si nada significaria, mas a narrativa mostra que há uma ligação entre o físico e o espiritual e que o crescimento do cabelo de Sansão poderia ser compreendido como um sinal de que seu voto como uma pessoa dedicada a Deus não terminou. Isso não implica, necessariamente, que Sansão tenha logrado o seu ato de modo totalmente espiritual. Já sabemos que o uso de Sansão por parte de Deus não depende disso. Talvez mais significante seja a maneira pela qual os filisteus deram crédito ao poder de Dagom, o deus deles, pela **entrega** de Sansão (Dagom é o equivalente filisteu ao **Mestre**, Baal). *Yahweh*, às vezes, tem dificuldades em ser tolerante quando é ignorado dessa forma e quando vê um servo como Sansão ser tratado daquele modo. O fato de Sansão merecer aquela situação não está nem aqui nem lá; ele ainda é um servo de *Yahweh*, portanto *Yahweh* é humilhado por meio da humilhação imposta a Sansão.

Pode ser que Sansão tenha logrado mover os pilares um centímetro ou dois. No santuário de Dagom, Sansão está orando a *Yahweh*. Você pode pensar que não foi uma oração, mas Deus nem sempre está preocupado com o formato de nossas orações. Juízes nem mesmo diz que Deus respondeu à

JUÍZES 17:1-13 • TODOS FAZIAM O QUE ERA CERTO AOS SEUS PRÓPRIOS OLHOS

oração de Sansão; é possível questionar se ele não conseguiu derrubar o santuário com sua própria força. Contudo, eu consideraria que o comentário da história sobre quantos filisteus ele eliminou à custa de sua própria vida sugere que Sansão, em seu último suspiro, estava cumprindo a sua vocação de libertar Israel dos filisteus.

Sua história chega a um final pacífico, do tipo que qualquer um no Antigo Testamento almeja. Sua família resgata o seu corpo e o transporta de volta para sua casa, de volta ao território israelita, à sua própria cidade, na qual o túmulo de sua família está, para uni-lo ao seu pai e ao restante de sua família, ali sepultados, para descansar em paz.

O seu nome é citado apenas uma vez mais na Escritura, na lista dos heróis da fé, em Hebreus 11, no qual o escritor lamenta não dispor de mais tempo para falar de pessoas como Davi e Samuel — e Sansão (sem esquecer de Gideão, Baraque e Jefté). Isso sempre me entusiasmou, pois se há espaço para Sansão na lista de heróis da fé no Novo Testamento, decerto há espaço para mim.

JUÍZES **17:1-13**
TODOS FAZIAM O QUE ERA CERTO AOS SEUS PRÓPRIOS OLHOS

[1]Havia um homem das montanhas de Efraim, cujo nome era Mica. [2]Ele disse à sua mãe: "Os 1.100 [siclos] de prata que lhe foram tomados e que você jurou e também o disse aos meus ouvidos: bem, a prata está comigo. Eu sou aquele que a tomou." Sua mãe disse: "Que meu filho seja abençoado por *Yahweh*." [3]Ele devolveu os 1.100 [siclos] de prata à sua mãe, e sua mãe disse: "Eu definitivamente consagro a prata a *Yahweh* de minha mão ao meu filho, para fazer uma estátua e uma imagem fundida. Assim, agora, eu a devolvo a você." [4]Mas ele

JUÍZES 17:1-13 • TODOS FAZIAM O QUE ERA CERTO AOS SEUS PRÓPRIOS OLHOS

devolveu a prata à sua mãe, e ela tomou duzentos [siclos] de prata e a deu a um ferreiro. Ele fez uma estátua e uma imagem fundida, e ficaram na casa de Mica. ⁵O homem Mica tinha uma casa de Deus e tinha feito um éfode e efígies. Ele instalou um de seus filhos, que se tornou um sacerdote para ele. ⁶Naqueles dias, não havia rei em Israel. Todos faziam o que era certo aos seus próprios olhos.

⁷Havia um jovem, de Belém, em Judá, do clã de Judá. Ele era um levita e tinha residido ali, ⁸mas o homem saiu da cidade de Belém para residir onde pudesse encontrar [um lugar] e chegou à terra montanhosa de Efraim, até a casa de Mica, enquanto fazia o seu caminho. ⁹Mica lhe disse: "De onde você vem?" O levita lhe disse: "Sou de Belém, em Judá, mas estou viajando a fim de residir onde eu possa encontrar [um lugar]." ¹⁰Mica lhe disse: "Fique comigo. Você será um pai e um sacerdote para mim. Dar-lhe-ei dez [siclos] de prata por ano, um jogo de roupas e comida." Assim, o levita ficou. ¹¹O levita concordou em ficar com o homem; o jovem rapaz se tornou como um de seus filhos. ¹²Assim, Mica instalou o levita, e o jovem rapaz se tornou um sacerdote para ele. Ele ficou na casa de Mica. ¹³Mica disse: "Agora sei que *Yahweh* será bom comigo, porque o levita se tornou um sacerdote para mim."

Sou um sacerdote episcopal/anglicano, mas, na verdade, não creio em sacerdócio. Uma das primeiras coisas que Deus me indicou, no Sinai, foi que todo o povo de Deus é um sacerdote (veja Êxodo 19), e o Novo Testamento reafirma esse princípio (1Pedro 2). Deus não quer que um grupo restrito de pessoas reivindique o controle ao acesso a ele. O problema é que esse arranjo não funciona. Dentro da igreja que fora designada para ser um sacerdócio, as congregações já estavam saindo dos trilhos desde os tempos do Novo Testamento e necessitavam

JUÍZES 17:1-13 • TODOS FAZIAM O QUE ERA CERTO AOS SEUS PRÓPRIOS OLHOS

de alguém que exercesse alguma autoridade para recolocá-las nos trilhos. Logo, depois do período neotestamentário, a igreja estava inventando o "episcopado monárquico", a ideia de que um único "bispo" (como um pastor sênior ou reitor) possuísse uma posição-chave de liderança na congregação. A dificuldade nesse conceito é que ele apenas muda o problema de posição. E se o pastor sênior sair dos trilhos, como, em geral, ocorre?

Os cinco capítulos derradeiros de Juízes são crescentemente problemáticos; é grande a tentação de evitá-los e ir diretamente à história mais hollywoodiana de Rute. Eles esfregam em nosso nariz a realidade de como as coisas são entre o povo de Deus e no mundo. Por quatro vezes, citam que, naqueles dias, não havia rei em Israel, e no início e no fim acrescentam que todos (por conseguinte) estavam fazendo o que era certo aos seus próprios olhos. Israel necessita de um rei para frear o colapso da religião, da moralidade e da ordem social em Israel. Não obstante, trata-se apenas de um lado da atitude de Juízes em relação aos reis. O livro observou como um rapaz confuso como Gideão, num dia positivo, recusa-se a ser rei, e somente um tolo irresponsável como Abimeleque deseja ser. A história posterior dos reis deixará claro que eles constituem tanto uma bênção quanto uma maldição, a exemplo dos pastores. O livro de Juízes transmite uma mensagem confusa sobre reis. Isso não é uma fraqueza. Não há respostas para a questão que ele suscita, pois o reinado é apenas ambíguo.

Na presente narrativa, Mica, sua mãe e o levita são um pouco confusos, como Gideão. Primeiro, há o fato de Mica ter roubado toda aquela riqueza de sua mãe. Ao que parece, o seu pai está morto e, talvez, Mica seja o filho mais velho e, portanto, o cabeça da família e responsável pelos bens, de modo que isso facilitaria a sua ação. Pode ser que tenha

JUÍZES 17:1-13 • TODOS FAZIAM O QUE ERA CERTO AOS SEUS PRÓPRIOS OLHOS

racionalizado: "É melhor garantir que a minha mãe não faça algo tolo com aquela prata, como fazer uma imagem ou algo similar." Sua mãe o assustou e o fez confessar por meio de uma maldição. Teria essa maldição sido similar às maldições de Paulo? Isso foi uma expressão de fé? Levou Mica a recobrar o bom senso e se arrepender? Ou a maldição da mãe foi uma expressão de crença supersticiosa no poder das palavras, algo que nada teve a ver com Deus? A resposta de Mica foi a reação calculada de alguém que sabe ser tolice insistir no erro? Será que ele compartilha da questionável crença de sua mãe no poder de uma maldição? O que devemos fazer com sua oração posterior para que *Yahweh* abençoe o seu filho?

A mãe de Mica deseja dar os 1.100 siclos de prata a Deus, assim como os israelitas entregaram a sua prata a fim de construir a rica habitação de Deus no deserto, segundo a descrição em Êxodo 25—31. Contudo, na realidade, ela deseja investir essa prata na confecção de uma imagem ou duas (é difícil saber, com certeza, se a mãe está falando sobre uma imagem recoberta de prata ou duas imagens separadas e também a razão de o investimento mudar de 1.100 para duzentos siclos). Talvez a sua promessa quanto a fazer isso estivesse ligada à sua maldição ("Senhor, se fizeres a prata voltar para mim, farei uma imagem com ela" — ou "com parte dela"). Ela não é alguém que cultua outros deuses, a exemplo de alguns dignos de menção. Ela e o seu marido tinham dado ao filho o nome de "Mica", que significa "Quem é como *Yahweh*?" Todavia, cultuar *Yahweh* por meio de uma imagem não é melhor do que cultuar vários deuses. Isso implica pensar em *Yahweh* da mesma forma que os demais povos pensam a respeito de seus deuses e, com efeito, significa transformar *Yahweh* em outro deus.

É igualmente surpreendente que Mica tenha um santuário em sua casa, embora haja certa lógica nisso. *O* santuário

JUÍZES 17:1-13 • TODOS FAZIAM O QUE ERA CERTO AOS SEUS PRÓPRIOS OLHOS

israelita será localizado em um ponto central entre os clãs, mas, por definição, será distante de onde a maioria do povo está. Talvez o povo possa fazer peregrinações periódicas até lá, como diz a **Torá**. No entanto, como os israelitas se relacionarão com Deus durante os demais dias do ano? Não parece ser inerentemente questionável possuir um santuário no vilarejo ou mesmo nas dependências de uma propriedade. A "casa" de Mica ou "propriedade" será o lar de uma grande família estendida, como é o caso na história de Gideão; ela envolveria, na realidade, uma série de "residências" menores. Além disso, faz sentido que os levitas sejam espalhados pelo país, assim como os santuários. Os levitas são peritos em assuntos relativos a Deus, ao culto e a como Deus espera que o povo viva. A expectativa de Mica quanto a Deus ser bom para com ele por ter um levita vivendo em sua casa não está muito distante do alvo; ele estaria em melhor posição para constatar que a vida daquela família é vivida segundo as expectativas divinas. No entanto, torna-se evidente que o levita não compactua das presunções de Mica e de sua mãe quanto a imagens e afins.

A Torá deixa claro que os levitas estão em uma posição de vulnerabilidade. Eles não possuem terras e, portanto, não podem produzir o seu próprio alimento, de modo que são dependentes da provisão de outras pessoas (a exemplo dos órfãos e das viúvas, aos quais a Torá os associa). Ainda, dependem de um posto permanente em algum lugar. A palavra para "residir" é usada na Torá para designar um forasteiro residente, qualquer estrangeiro ou mesmo qualquer israelita que, por algum motivo, não está vivendo em sua própria terra. Eles constituem grupos que compartilham a mesma posição vulnerável, e a utilização do termo sublinha a vulnerabilidade das circunstâncias de um levita. Aquele rapaz deve ter imaginado que tirou a sorte grande quando Mica lhe ofereceu uma posição permanente, guarida e salário. Há um sentido no qual ele será um pai para a família, pois dará a ela uma orientação paternal (é mera coincidência que o pai verdadeiro de Mica esteja morto?). Em outro sentido, Mica é seu pai, pois irá tratá-lo como um membro da família por meio de sua provisão a ele e por não o considerar como um empregado.

Isso é o que origina o problema de supervisão, de pessoas agindo como lhes parece apropriado e natural; Mica e sua mãe estão fazendo isso, e tudo está bem. À imagem ou imagens, Mica acrescenta um éfode (talvez um manto para a imagem), que foi a forma de Gideão trazer problemas a Israel (Juízes 8). Ainda, ele adiciona "efígies". Uma teoria plausível sobre elas é que eram imagens de membros da família já falecidos, um pouco como as nossas fotografias de família, a quem os familiares vivos consultavam, na suposição de que eles pudessem revelar coisas (por exemplo, sobre o futuro) que os seus parentes vivos não soubessem. Este é mais um exemplo das práticas que outros povos seguiam, mas que eram proibidas aos israelitas, não porque não funcionassem, mas porque Israel estava numa posição de relacionamento direto com Deus e devia ficar satisfeito apenas com a revelação divina.

JUÍZES **18:1–31**
DÃ DESESPERADO

[1]Naqueles dias, não havia rei em Israel. Naqueles dias, o clã de Dã estava buscando uma possessão na qual pudessem viver, porque até aquele dia não lhes tinha caído nenhuma possessão entre os clãs de Israel. [2]Os danitas enviaram cinco homens de seu grupo de parentesco, homens capazes, de Zorá e de Estaol, para investigar a terra e explorá-la. Então, lhes disseram: "Vão e explorem a terra." Eles chegaram às montanhas de Efraim, até a casa de Mica, e passaram a noite ali. [3]Quando estavam

JUÍZES 18:1-31 • DÃ DESESPERADO

próximos à casa de Mica e reconheceram a fala do jovem levita, eles foram para lá e lhe disseram: "O que você está fazendo neste lugar? Para o que você está aqui?" **4**Ele lhes disse: "Mica fez isso e aquilo para mim. Ele me contratou e me tornei sacerdote para ele." **5**Eles lhe disseram: "Você inquirirá Deus por nós para podermos saber se a jornada na qual estamos indo será bem-sucedida?" **6**O sacerdote lhes disse: "Vão; sigam bem. A jornada na qual estão indo está sob os olhos de *Yahweh*."

[Os versículos 7-16 relatam como os homens encontraram um lugar plausível para ficar. Então, retornaram às suas casas em busca do reforço de seiscentos homens e, uma vez mais, chegaram à casa de Mica.]

17Os cinco homens que foram investigar a terra subiram e, quando chegaram lá, tomaram a estátua, o éfode, as efígies e a imagem fundida. O sacerdote ficou posicionado no portão de entrada, assim como os seiscentos homens equipados com armas de guerra. **18**Quando esses homens chegaram à casa de Mica e tomaram a estátua, o éfode, as efígies e a imagem fundida, o sacerdote lhes disse: "O que estão fazendo?" **19**Eles lhe disseram: "Quieto. Segure a sua língua. Venha conosco e seja um pai e um sacerdote para nós. É melhor para você ser um sacerdote para a casa de um homem ou ser um sacerdote para um clã, um grupo de parentesco em Israel?"

[Os versículos 20-29 descrevem como, após saírem, Mica os persegue; eles indicam que há mais homens deles do que os de Mica. Assim, continuam rumo ao norte, eliminam o desavisado e vulnerável povo de Laís, reconstroem a cidade e se instalam lá.]

30Os danitas erigiram a estátua para si mesmos, e Jônatas, filho de Gérson, filho de Moisés, e seus filhos foram sacerdotes para o clã de Dã até o tempo do exílio da terra. **31**Estabeleceram para si mesmos a estátua que Mica tinha feito, durante todo o tempo que a casa de Deus esteve em Siló.

JUÍZES 18:1-31 • DÃ DESESPERADO

Quando estávamos no meio do processo sobre vir para a Califórnia a fim de lecionar aqui, uma de minhas alunas do seminário, na Inglaterra, sentiu Deus lhe dizer, certo dia, na capela: "Diga ao John: 'Juízes 18:6.'" "Não sei o que esse versículo diz", ela replicou. "Não se preocupe", Deus disse. "Apenas diga ao John: 'Juízes 18:6.'" Foi o que ela fez. "Essa é a história sobre o levita e a sua concubina, não é?", lhe perguntei. Na verdade, essa história está em Juízes 19. Ambos abrimos o texto de Juízes 18 e vimos o versículo que aparece na tradução acima. Ele soou como uma maravilhosa confirmação de que eu poderia assumir o risco de trazer a minha debilitada esposa para esse cenário novo sem saber ao certo como uma série de aspectos da vida iria funcionar. Ainda tenho comigo o pequeno pedaço de papel no qual a aluna escreveu a referência bíblica.

A reafirmação dada a mim por Deus, por meio daquele texto, na verdade nada tem a ver com o significado inerente à passagem da Bíblia. Deus aprecia fazer isso com textos, e quem sou eu para discutir? Em seu contexto original, o texto é um elemento de outra história ambígua, ou melhor, da continuação da narrativa ambígua, iniciada no capítulo 17. A exemplo de muitas histórias do Antigo Testamento, você obterá algo ao lê-la do fim para o começo. Um aspecto de sua relevância para o Israel posterior é que ela explica como os danitas vieram a se instalar no extremo norte de Israel. Em nosso comentário sobre a história de Sansão, observamos que a terra alocada a Dã ficava a sudoeste, na área da moderna Telavive, não muito distante de Belém (talvez por essa razão tenham reconhecido o sotaque do levita). Mas esse era o território que os mais sofisticados **filisteus** tinham vindo ocupar. Os danitas jamais conseguiram se instalar ali.

Em consequência dessas dinâmicas é que Dã veio a ocupar o extremo norte de Israel. Quando o Antigo Testamento

JUÍZES 18:1-31 • DÃ DESESPERADO

discorre sobre as dimensões da Terra Prometida, ele vê o território estendendo-se "de Dã a Berseba." Ainda hoje, Dã fica bem na fronteira de Israel, Líbano e algum território pertencente à Síria, ocupado por Israel em 1967. Portanto, do alto da colina de Dã é possível ver três países, em meio a uma vegetação exuberante, pois a região é irrigada por magníficas correntes de água, que emergem do monte Hermon, visível a nordeste. À medida que se caminha pela colina, encontram-se várias trincheiras cavadas pelos soldados israelenses que defendiam a região nos anos anteriores à guerra de 1967. Foi a natureza destrutiva dessas trincheiras que estimulou a investigação arqueológica daquele *tel*. Avraham Biran, arqueólogo israelense, pesquisou a colina por cerca de trinta anos. Ele explicou que, quando as pessoas lhe perguntavam quando iria parar de escavar, ele respondia com uma antiga história judaica sobre um jovem que lutava desesperadamente com um urso. Seus amigos gritavam para que ele deixasse o urso ir. Ele responde: "Eu quero, mas é o urso que não me deixa ir." Não surpreende o fato desse impressionante urso não deixar Biran ir.

Além de ser um relevante ponto geográfico e político, Dã era de uma enorme importância religiosa. Geograficamente, era comparado a Berseba, mas, no âmbito religioso, sua comparação era com Betel. Como a narrativa do Antigo Testamento relata, quando a nação de Israel foi dividida, após o período de Salomão, e o Reino do Norte, **Efraim,** separou-se do templo de Jerusalém, em **Judá**, o rei Jeroboão estabeleceu dois santuários, um em Betel, no sul de Efraim, e outro em Dã, ao norte, e colocou imagens ali. No mais íntimo de seu coração, Biran diz, ele mantinha a esperança de poder encontrar o "bezerro de ouro" que foi erigido em Dã.

A história termina com uma referência ao povo indo para o **exílio**, quando a **Assíria** pôs fim à independência política de

JUÍZES 18:1-31 • DÃ DESESPERADO

Efraim e transportou muitos de seu povo. Posteriormente, os israelitas, ao ouvirem essa narrativa, se identificariam com ela. Pode-se imaginar os ouvintes dizendo: "Bem, considerando a origem da cidade de Dã, não surpreende o que aconteceu a ela." As pessoas podem ter simpatia pelos danitas por eles não lograrem ficar na área que lhes fora alocada, mas francamente! O fato de o Antigo Testamento, usualmente, não ser condescendente com os antigos habitantes de Canaã sublinha a simpatia que a presente narrativa demonstra pelo pobre e desavisado povo de Laís. Ali estavam eles, tocando sua vida em paz, cuidando apenas de seus próprios interesses e — bomba — eles são, repentinamente, atacados pelo desesperado povo de Dã, que, durante o caminho, tinha simplesmente roubado os elementos necessários para estabelecer um santuário e persuadido um sacerdote com uma oferta irrecusável.

Então, ao fim do relato, é revelado que o sacerdote sem nome, que cuida das imagens na casa de Mica e, então, em Dã, é, na verdade, um descendente de Moisés, o qual, provavelmente, deve ter se revirado no túmulo. (Em horror e descrença, o texto hebraico tradicional da Bíblia muda o nome do ancestral de Gérson, de Moisés para Manassés, diferenciados apenas por uma única letra no idioma hebraico, porém a referência original a Moisés é preservada em algumas versões da história. Ainda, havia um sentido no qual Gérson tinha sido um filho de Manassés — o rei Manassés que, mais tarde, levará Judá à apostasia.)

"Vão; sigam bem", Gérson lhes havia dito, e eles seguiram. "A jornada na qual estão indo está sob os olhos de *Yahweh*", ele continuou. Em certo sentido, sem dúvida, ele está certo, mas *Yahweh* realmente se alegrou com o que eles fizeram e como o fizeram? "Deus **entregou** a terra em nossas mãos", relataram os cinco espias quando retornaram a Zorá e Estaol.

Em certo sentido, sem dúvida, eles estavam certos, mas Deus realmente se alegrou com o que eles fizeram e como o fizeram? No entanto, uma vez mais, Deus é cúmplice dos resultados da ação deles, com sua violência gratuita. Novamente, tudo isso mostra a espécie de coisas que acontecem quando não existe rei em Israel (versículo 1).

JUÍZES **19:1–30**
A HISTÓRIA ATINGE O SEU PONTO MAIS BAIXO (I)

¹Naqueles dias, quando não havia rei em Israel, certo levita que residia nas partes remotas das montanhas de Efraim casou-se com uma mulher como uma esposa secundária para si, de Belém, em Judá, ²mas a sua esposa lhe foi infiel e fugiu dele para a casa de seu pai, em Belém, de Judá. Ela estava lá por quatro meses completos. ³Então, seu marido partiu e foi atrás dela para convencê-la e fazê-la voltar. Seu rapaz e um par de jumentos estavam com ele. Ela o deixou entrar na casa de seu pai, e, quando o pai da garota o viu, ficou contente em encontrá-lo. ⁴Seu sogro, o pai da garota, prevaleceu sobre ele, e ele permaneceu com o sogro por três dias. Eles comeram, beberam e passaram a noite ali.

[Os versículos 5-22a relatam como, eventualmente, eles partem para casa de tarde, no quinto dia, e alcançam Gibeá ao anoitecer, onde um homem lhes oferece um lugar para dormir à noite.]

²²ᵇEntão, os homens da cidade, homens inúteis, cercaram a casa, batendo na porta. Disseram ao homem que era o dono da casa, um homem velho: "Traga o homem que veio à sua casa para que possamos ter sexo com ele." ²³O homem que era o dono da casa saiu a eles e lhes disse: "Não, irmãos, não façam esse mal, depois de este homem vir à minha casa. Não cometam esse ultraje. ²⁴Aqui está a minha filha adolescente e a esposa dele. Deixem-me trazê-las para fora até vocês. Usem-nas. Façam a elas o que lhes parecer bom aos olhos. Mas a este homem vocês

JUÍZES 19:1-30 • A HISTÓRIA ATINGE O SEU PONTO MAIS BAIXO (I)

> não farão esta coisa que é um ultraje." **25**Mas os homens não o ouviram. Então, [o levita] agarrou a sua esposa e a fez sair para fora até eles. Eles tiveram sexo com ela e abusaram dela durante toda a noite até a manhã, deixando-a ir ao amanhecer. **26**Assim, a mulher voltou pela manhã e caiu à entrada da casa do homem na qual o seu marido estava, ficando ali até o dia amanhecer. **27**Quando o seu senhor se levantou de manhã, ele abriu a porta da casa e saiu para prosseguir viagem. Ali estava a mulher que era a sua esposa secundária, caída à entrada da casa, com as mãos na soleira. **28**Ele lhe disse: "Levante-se; vamos." Não houve resposta, e, então, ele a colocou sobre o jumento. O homem partiu e foi para o seu lugar. **29**Quando chegou à sua casa, ele pegou uma faca, segurou a sua esposa e a cortou, membro por membro, em doze partes e as enviou por todo o território de Israel. **30**Todos que viram isso disseram: "Coisa assim não tem acontecido ou não tem sido vista desde que os israelitas saíram do Egito até este dia. Apliquem-se a isto. Aconselhem-se. Falem."

No momento em que escrevo, um dos candidatos ao Oscar é o filme *Preciosa — uma história de esperança*, que conta a história de uma adolescente cuja vida é caracterizada pelo abuso sistemático no contexto familiar, incluindo estupro e incesto por parte de seu pai, bem como abuso físico e emocional por sua mãe irascível. Trata-se de um filme que obriga as pessoas a encarar verdades hediondas sobre como a vida de algumas pessoas pode ser. Apesar de ser produzido em Hollywood, não pode ser considerado um filme hollywoodiano, em termos de gênero. Embora contenha vislumbres de esperança, o filme trata mais de sobrevivência do que de triunfo. A película não desfaz a natureza horripilante de sua narrativa ao mostrar a vitória apoteótica de Preciosa contra todas as circunstâncias adversas de sua história e de sua experiência. Nesse sentido, não é um filme para fazer o espectador se "sentir bem", portanto os analistas comentaram que não deve ter grandes resultados de bilheteria ou mesmo na corrida ao Oscar (embora tenha ganhado uma estatueta). Não vamos ao cinema para ter a realidade esfregada em nossa cara. Isso ocorre do lado de fora do cinema. Vamos para escapar da realidade.

Recorremos à Bíblia pelas mesmas razões e, por conseguinte, não apreciamos o tipo de história contada em Juízes 19. Ontem, li um livro de memórias sobre uma mulher cuja mãe havia sido brutalmente morta durante a sua infância. A mulher, eventualmente, descobriu o que realmente tinha acontecido à sua mãe. "A verdade, não importa quão horrenda seja, era necessária", ela testemunhou. Ela tinha de saber a verdade sobre a sua mãe porque isso era parte da verdade sobre si mesma.

Por que precisamos saber a verdade sobre a mulher do levita, cujo nome nem é revelado? Alguns motivos são de ordem prática. A história começa com aquele mantra: "Não havia rei em Israel." Essa repetida expressão implica que era necessário haver alguma autoridade governamental para diminuir a prevalência do caos moral e social descrito pela história. Deveria haver, pelo menos, duas formas de isso ocorrer. Primeira, os reis eram responsáveis por conhecer a **Torá** e por assegurar que o povo também a conhecesse. O Antigo Testamento os descreve enviando equipes de ensino por todo o país para garantir que o povo conheça a Torá. Outra responsabilidade dos reis é garantir proteção aos mais vulneráveis, apoio aos mais fracos, **libertação** dos oprimidos das mãos de seus opressores, bem como a destruição dos que oprimem (veja Salmos 72). É uma visão de governo magnífica, pois apresenta como responsabilidades primárias o ensino e a proteção.

JUÍZES 19:1-30 • A HISTÓRIA ATINGE O SEU PONTO MAIS BAIXO (I)

No contexto social do antigo Israel, entretanto, há pouco espaço para um "grande governo". As comunidades locais são necessariamente muito mais autossuficientes e autorresponsáveis do que no Ocidente urbanizado. Assim, a história mostra um espelho às cidades e vilas, desafiando-as a ver o potencial que possuem para a espécie de abuso que a narrativa descreve. Além disso, alerta os indivíduos e famílias sobre como as comunidades podem desenvolver uma personalidade corporativa demoníaca. Os indivíduos e as famílias precisam estar cientes disso.

A história lembra os homens da capacidade que possuem de agir da maneira descrita por ela. Após o que aconteceu, o sogro do levita, o seu anfitrião e o próprio levita estavam em posição de dizer: "Se apenas não tivesse agido da maneira que agi. Se somente tivesse percebido o que estava por vir." É possível que, de qualquer modo, o seu pai não estivesse disposto a recebê-la de volta; era incomum (para não dizer socialmente inaceitável) ter filhas solteiras morando na casa dos pais, quanto mais o retorno de uma filha rebelde. O levita, certamente, estaria menos disposto a permanecer para apenas mais uma bebida. A mulher era a sua **esposa secundária**. Será que desejava voltar por possuir uma esposa de "primeira classe" ressentida por não receber a devida assistência? A palavra utilizada para descrevê-lo nos versículos 26 e 27 é relevante. Quando se refere a "sua esposa" ou a "seu marido", o Antigo Testamento, normalmente, utiliza as palavras comuns para "sua mulher" e "seu homem" ("Bess, agora você é minha mulher"). Isso poderia sugerir um compromisso mútuo, igualitário. Os termos hebraicos que denotam, especificamente, marido e esposa, descrevem literalmente o marido como amo, senhor ou proprietário e a esposa como alguém que é possuído. O Antigo Testamento, raramente, usa esses termos, porém uma dessas raras ocasiões aparece nos versículos 26 e 27. É a mesma palavra usada para descrever a relação do levita com "seu rapaz", isto é, o seu servo.

A história também serve de alerta às mulheres sobre a capacidade de os homens se comportarem como aqueles homens. O Antigo Testamento propicia às mulheres modelos e exemplos de mulheres que não estavam dispostas a viver segundo as suposições patriarcais da sociedade na qual viviam; Josué e Juízes nos revelam algumas delas (as filhas de Zelofeade, Acsa, Débora e Jael). Talvez a disposição da esposa do levita em sair de casa, revelada no começo da história (essa é a "infidelidade" à qual a história se refere), indica que ela era uma mulher desse tipo; talvez ser a esposa secundária daquele levita fosse pior do que morar na casa dos pais ou retornar para lá. Decerto, seria aumentar o sofrimento dessa mulher caso culpássemos a vítima pelo que lhe ocorre, mas seria ultrapassar o limite apenas um pouco, caso ela inspirasse outras mulheres a se recusarem a ser expulsas de casa.

É possível obter tudo isso com histórias como *Preciosa*. Nesse sentido, não precisamos que a Bíblia nos conte histórias assim. O que a Bíblia acrescenta ao que podemos aprender com os filmes e com a nossa própria experiência? O que ela acrescenta deriva de outro aspecto do significado de seu mantra. O episódio em questão é parte de uma história maior, e mesmo o livro de Juízes não está sozinho. Ele é parte de uma história que remonta a Gênesis e segue adiante, em Samuel e Reis. É, portanto, parte da abrangente história da criação do mundo por parte de Deus e de seu envolvimento com o povo de Israel, um envolvimento cujo compromisso é alcançar o propósito divino de abençoar o mundo. Se deixarmos Deus de fora, não temos como saber se o horror da história de *Preciosa* ou da esposa do levita é a verdade final. A humanidade é deixada aos seus próprios dispositivos para garantir que não seja assim; e quem pode dizer se estaremos à altura desse desafio? Todavia, Juízes considera Deus e sabe que a história dessa mulher não foi e não será o fim da história humana, da história de Israel ou da história das mulheres.

JUÍZES **20:1–48**
A HISTÓRIA ATINGE O SEU PONTO MAIS BAIXO (II)

¹Todos os israelitas saíram, e a comunidade se reuniu como uma só pessoa, de Dã a Berseba e de Gileade, diante de *Yahweh*, em Mispá. ²Os líderes de todo o povo, todos os clãs de Israel, apresentaram-se como a assembleia da companhia de Deus, quatrocentos mil homens a pé, carregando a espada. ³Os benjamitas ouviram que os israelitas tinham subido a Mispá. Os israelitas disseram: "Expliquem como essa coisa maligna aconteceu."

[Os versículos 4-7 relatam como o levita responde e desafia os israelitas a fazer algo sobre isso.]

⁸Toda a companhia se levantou como um só homem, dizendo: "Nenhum de nós irá à sua tenda ou retornará para casa. ⁹Isso é o que nós, agora, faremos a Gibeá, contra ela, por sorteio. ¹⁰Nós separaremos dez homens por cem, de todos os clãs de Israel, cem por mil, mil por dez mil, para conseguir provisões para a companhia em [sua] tomada de ação, indo a Gibeá, em Benjamim, de acordo com todo o ultraje que cometeu em Israel." ¹¹Assim, todos os israelitas se reuniram contra a cidade, unidos como um só homem. ¹²Os clãs israelitas enviaram homens a todos os clãs de Benjamim, dizendo: "O que é essa coisa maligna que aconteceu entre vocês? ¹³Agora, nos entreguem os homens inúteis em Gibeá. Nós os mataremos e consumiremos o mal de Israel." Mas os benjamitas não ouviram as palavras de seus irmãos israelitas.

JUÍZES 20:1-48 • A HISTÓRIA ATINGE O SEU PONTO MAIS BAIXO (II)

[Os versículos 14-34a descrevem como Benjamim e os outros clãs se preparam para a batalha. Os israelitas procuram a orientação de Deus para a luta, mas sofrem uma derrota. Então, são derrotados novamente. Na terceira tentativa, parece que sofrerão outra derrota, mas os israelitas armam uma emboscada para os benjamitas.]

[34b]Eles não perceberam que a desgraça estava caindo sobre eles [35]quando *Yahweh* dominou os benjamitas diante de Israel. Naquele dia, os israelitas mataram 25.100 homens em Benjamim, todos os homens que carregavam uma espada. [36a]Os benjamitas viram que foram dominados.

[Os versículos 36b-48 relatam como os israelitas perseguiram o resto das forças benjamitas e matam todos os homens, com exceção de seiscentos, que conseguiram escapar, e também matam os benjamitas não combatentes e destroem as suas cidades.]

De alguns anos para cá, tem havido uma tensão contínua entre a Rússia e a Geórgia. Às vezes, o conflito parece aberto a ser caracterizado por certa comicidade; a Rússia baniu a importação de vinho georgiano alegando que a sua produção não cumpria os padrões adequados, enquanto os georgianos responderam que os russos nada sabiam sobre vinho. Todavia, em certas ocasiões, a tensão ameaçou entrar no confronto militar, e isso, então, de modo interessante, causou consternação entre os cristãos ortodoxos presentes nos dois países, porque abriu a possibilidade de eles serem forçados a lutar uns contra os outros, o que jamais esteve em perspectiva. Os cristãos no resto do mundo, claro, não têm sido, usualmente, obrigados a lutar uns com os outros; a sua cidadania nacional possui prioridade sobre a sua unicidade em Cristo. Uma "Proposta Modesta para a Paz", elaborada pelo Comitê Central Menonita, sugeria que os cristãos do mundo concordassem em não

JUÍZES 20:1-48 • A HISTÓRIA ATINGE O SEU PONTO MAIS BAIXO (II)

matar uns aos outros. Um acordo assim teria reduzido, de modo substancial, a mortandade em guerras no século XX. A nossa unidade no corpo de Cristo, de fato, torna impossível que nos matemos uns aos outros?

Igualmente, parece impossível imaginar os clãs israelitas guerreando uns contra os outros, porém é isso o que eles acabam fazendo. Se a história sobre o levita e sua esposa é excessivamente perturbadora, de algumas maneiras, a narrativa sobre o que ocorre a seguir é perturbadora de outras formas. O mantra sobre as consequências de não haver rei continua pairando sobre o próximo capítulo.

A história ilustra quão facilmente uma coisa leva a outra. Devem os israelitas simplesmente ignorar o horror daquilo que os homens de Gibeá fizeram à esposa do levita? Devem enviar representantes a Gibeá para protestar? Se esses enviados tivessem sorte, seriam apenas humilhados, como ocorreu aos mensageiros enviados por Davi a Amom (veja 2Samuel 10); o mais provável é que misteriosamente jamais retornassem. Desse modo, os israelitas agem com uma cenoura e uma vara. O exército exige que os benjamitas entreguem os homens que causaram a morte da mulher. Caso se recusem a entregá-los, serão associados com aqueles atos e compartilharão da culpa deles. Mas um ato maligno perpetrado contra uma única pessoa passa, agora, a ser motivo de uma guerra civil total. Os homens de Gibeá, como Acã, no início do livro de Josué, agiram como os **cananeus**, cujo comportamento é condenado pela **Torá** e, portanto, são merecedores de perderem a sua terra. Eles merecem ser tratados como os cananeus, como Acã foi tratado. Isso é exatamente o que ocorre. Mas e quanto à maneira com que a Torá limita a punição a olho por olho e vida por vida? Trata-se de uma expressão poética, como a fala de Jesus sobre cortar a própria mão caso ela cometa ofensas, mas ela levanta a questão sobre qual o limite da punição a ser imposta pelos israelitas.

Quando os benjamitas se recusam a entregar os culpados, certamente Deus irá apoiar os demais clãs na imposição da justiça sobre eles. Decerto, é isso o que Deus está fazendo; quando eles vão ao santuário pedir a orientação divina sobre como empreender a batalha, Deus lhes responde. Então, o que Deus está fazendo por meio de sua orientação, já que o resultado não foi o esperado pelos israelitas? Será que não seguiram a orientação de Deus com suficiente precisão? Caso esse fosse o problema, o normal seria Deus lhes indicar o erro quando eles protestam e/ou que a narrativa fornecesse alguma explicação.

Em lugar disso, quando os israelitas se apresentam para prantear a derrota diante de Deus e pedir o auxílio divino novamente, por que Deus, uma vez mais, lhes oferece uma orientação que os levará a nova derrota? Seria porque eles fizeram a pergunta errada ao pressupor que deveriam guerrear contra Benjamim? E/ou a guerra civil e a orientação enganosa faziam parte do julgamento de Deus sobre o povo como um todo, que não tinham motivos para agir daquela maneira e não eram melhores do que os benjamitas? Seria como Jesus agindo para tornar as pessoas moral e espiritualmente cegas como um ato de juízo contra elas (Marcos 4)? A história não oferece respostas a tais perguntas. Ela, pelo menos, nos fornece o estranho conforto de retratar Israel vivendo os mesmos enigmas com os quais vivemos quando, às vezes, fazemos de tudo para descobrir a vontade de Deus e cumpri-la, mas, então, tudo dá errado. Ou, ainda, quando não poupamos esforços para conhecer a vontade de Deus a fim de cumpri-la e, então, descobrimos que Deus tem uma agenda diferente. No entanto, como ocorre com a história da esposa do levita, precisamos, uma vez mais, nos lembrar de que este não é o fim da história sobre o trabalho de Deus para cumprir um propósito em Israel e no mundo.

JUÍZES **21:1–25**
COMO NÃO SALVAR A SITUAÇÃO

1Ora, os israelitas tinham jurado em Mispá: "Nenhum de nós dará sua filha a um benjamita como esposa." **2**O povo foi a Betel e assentou-se ali, diante de Deus, até a noite. Eles elevaram as suas vozes e choraram copiosa e amargamente. **3**Eles disseram: "Por que *Yahweh*, Deus de Israel, isso ocorreu em Israel, que um clã esteja faltando hoje em Israel? **4**No dia seguinte, o povo se levantou cedo, construiu um altar ali e sacrificou ofertas queimadas e ofertas de comunhão. **5**Os israelitas disseram: "Quem, de todos os clãs de Israel, não veio a *Yahweh* na assembleia? (porque havia tido um grande juramento com respeito a quem não viesse a *Yahweh*, em Mispá). "Definitivamente, ele será morto."

[Os versículos 6-17 reportam como eles identificam que o povo de Jabes-Gileade não tinha comparecido à assembleia e, por conseguinte, vão e matam todos, com exceção das mulheres virgens, para entregá-las aos benjamitas e, assim, preservar esse clã; mas não há mulheres suficientes para os sobreviventes benjamitas.]

18"Não podemos lhes dar nenhuma de nossas filhas como esposas", porque os israelitas tinham jurado: "Maldita seja a pessoa que der uma esposa a Benjamim." **19**Eles disseram: "Bem, há um festival anual de *Yahweh*, em Siló" (ao norte de Betel, a leste da estrada que vai de Betel a Siquém, e ao sul de Lebona). **20**Eles instruíram os benjamitas: "Vão e fiquem à espera nas vinhas **21**e olhem. Então, quando as garotas de Siló saírem para se unir às danças, saiam das vinhas, e cada um de vocês capture uma esposa para si das garotas de Siló e partam

JUÍZES 21:1-25 • COMO NÃO SALVAR A SITUAÇÃO

para Benjamim. [22]Quando os pais ou irmãos delas vierem argumentar conosco, nós lhes diremos: 'Sejam graciosos com eles, porque não conseguimos [para] cada homem a sua esposa durante a batalha, [e] porque vocês mesmos não as deram a eles na época, quando seriam culpados." [23]Os benjamitas assim fizeram e carregaram esposas, de acordo com o número deles, das dançarinas a quem roubaram. Então, saíram e retornaram às suas posses, construíram cidades e se assentaram nelas. [24]Os israelitas saíram de lá, naquele tempo, cada um para o seu clã e para o seu grupo de parentesco. Eles saíram de lá, cada pessoa, à sua possessão.

[25]Naqueles dias, não havia rei em Israel. Cada pessoa fazia o que era certo aos seus próprios olhos.

Conta a história que, em 1941, na véspera da entrada dos Estados Unidos na guerra de 1939-1945, dois jovens adolescentes, operadores de rádio amador, que tinham se alistado na Guarda Nacional dos Estados Unidos, foram convocados ao Exército e treinados em "cifrar" mensagens para tentar evitar que fossem compreendidas pelo inimigo, caso interceptadas. Isso envolvia utilizar grupos randômicos de cinco letras, os quais, por diversão, os jovens soldados transformavam em acrônimos. Certo dia, as letras formaram SNAFU, que instantaneamente se tornou "Situation normal, all fouled up" [Situação normal, tudo ferrado] (exceto que a penúltima palavra não era, na verdade, "fouled", mas um palavrão iniciado com a letra f). A sigla se tornou uma descrição padrão da situação militar antes e depois de Pearl Harbor. Na guerra, é comum as coisas não saírem conforme o predito pelas áreas de inteligência, e não é possível antever as implicações das ações implementadas.

JUÍZES 21:1-25 • COMO NÃO SALVAR A SITUAÇÃO

É uma descrição justa da situação em Israel após a batalha, cujo relato é apresentado no capítulo 20. É como se os israelitas fossem estúpidos e não tivessem antevisto as óbvias implicações de sua belicosa ação, ao praticamente eliminar o clã benjamita: Israel terá um clã a menos (claro!). Muito menos, pensaram na clara consequência de seu voto em Mispá: de que não seriam capazes de redimir a situação permitindo que as suas filhas fossem dadas em casamento aos benjamitas sobreviventes. Novamente (a exemplo da história de Jefté), o Antigo Testamento ilustra como os votos podem meter a pessoa em confusão. Com uma obtusidade absurda, os israelitas perguntam a Deus por que as coisas deram tão errado, a ponto de eliminar um clã de Israel. Existem duas respostas possíveis e ambas podem ser verossímeis: porque eles foram muito estúpidos (claro!) e porque Deus está trazendo juízo sobre eles. Decerto, quando os israelitas perguntam a Deus "Por quê?", usualmente não é um pedido de informação, mas uma súplica implícita para Deus fazer algo a respeito (o motivo apresentado na história de Gideão).

Desse modo, eles vão ao santuário e lá ficam sentados diante de Deus durante todo o dia, elevam suas vozes a Deus e pranteiam, questionam, edificam um **altar** e oferecem sacrifícios adequados como expressão de sua busca e de seu compromisso. No entanto, o texto não revela se Deus estava ouvindo e se concordou em agir para **libertá-los** da confusão em que se meteram, o tipo de declaração que aparece em outras narrativas de Juízes. Na história em questão, Deus está ausente. Na realidade, Deus tem estado ausente nessa história por um longo tempo. A última ocasião na qual Deus é o sujeito de um verbo foi na parte inicial da saga de Sansão, mas ele desapareceu depois do capítulo 15. Inúmeras pessoas conversaram com Deus e avaliaram que ele lhes respondia,

JUÍZES 21:1-25 • COMO NÃO SALVAR A SITUAÇÃO

contudo a história não afirma que Deus estava, de fato, envolvido nos eventos ou que tenha dito alguma coisa. A assustadora exceção à última declaração é o modo de Deus falar no capítulo 20, no qual, em duas ou três ocasiões, Deus fornece direção, mas o resultado não é o esperado pelos israelitas. É como se Deus tivesse se afastado de Israel e falasse mais como um ato de julgamento do que de graça.

O Novo Testamento adverte as igrejas sobre cometer os mesmos erros cometidos por Israel, e esses capítulos derradeiros do livro de Juízes mostram exemplos aterradores dos equívocos que podemos cometer à medida que consultamos Deus, mas, então, agimos à nossa própria maneira. É pouco provável que esses israelitas tenham percebido as dinâmicas de sua experiência. Muito menos que tenham esperado por uma resposta às suas indagações, seja qual for o que pretendessem ouvir como resposta. Eles, simplesmente, seguiram tentando solucionar o problema por si mesmos. Ainda bem que não fazemos isso, não é mesmo? Como resultado, exatamente quando pensamos que a história não poderia piorar, em seu retrato sobre o modo pelo qual os homens tratam uns aos outros e, especialmente, tratam as mulheres, ela apresenta uma derradeira tentativa. A narrativa chama a nossa atenção para outro voto de aparência duvidosa, que leva os homens a assassinar todos os habitantes de Jabes-Gileade, com exceção das jovens virgens. Então, há o sequestro de esposas dentre as dançarinas que celebram um festival em honra a Deus.

Em nossa reação ao que ocorre com as garotas de Jabes e de Siló, precisamos considerar certas diferenças culturais. Na cultura ocidental, trata-se de um artigo de fé ter o direito de escolher o nosso próprio cônjuge; olhamos com horror para o conceito de casamentos arranjados. No entanto, o testemunho de nossa cultura é que mesmo essa liberdade de escolha não funciona muito bem; metade dos matrimônios acaba em divórcio, embora ainda apreciemos tomar as nossas próprias decisões. Em nosso comentário sobre a história de Sansão, observamos que o costume de casamentos arranjados não significa que os jovens envolvidos não tenham a prerrogativa da recusa, e o testemunho de pessoas de sociedades tradicionais é que eles funcionam muito bem. Por tudo o que sabemos, as garotas de Jabes e de Siló podem ter vivido felizes para sempre. Todavia, a maneira pela qual chegaram lá foi, de fato, terrível.

"Naqueles dias, não havia rei em Israel. Cada pessoa fazia o que era certo aos seus próprios olhos." Este é o fim de um livro, mas não é o fim da história mais ampla.

RUTE

RUTE **1:1–9**
COMO A VIDA DE NOEMI DESMORONA

¹Na época dos líderes, houve fome na terra, e um homem saiu de Belém, em Judá, para residir em terra moabita, ele, sua esposa e seus dois filhos. ²O nome do homem era Elimeleque, o nome de sua esposa era Noemi, e os nomes de seus filhos eram Malom e Quiliom, efrateus de Belém, em Judá. ³Elimeleque, marido de Noemi, morreu, e ela foi deixada com seus dois filhos. ⁴Eles tomaram para si esposas moabitas; o nome de uma era Orfa, e o da outra, Rute. ⁵Mas os dois homens, Malom e Quiliom, também morreram, e a mulher foi deixada sem o seu marido e os seus dois filhos. ⁶Então, essa mulher e as suas duas noras partiram da terra moabita porque tinham ouvido, na terra moabita, que *Yahweh* tinha prestado atenção ao seu povo, dando-lhes pão. ⁷Ela deixou o lugar no qual estava, suas duas noras com ela, e seguiram na estrada para retornar a Judá. ⁸Mas Noemi disse às suas duas noras: "Cada uma de vocês vá e retorne à casa de sua mãe. Que *Yahweh* mantenha o compromisso com vocês, assim como vocês mantiveram o compromisso com os homens mortos e comigo. ⁹Que *Yahweh* conceda que cada uma de vocês encontre um lugar estabelecido na casa de seu marido." Ela as abraçou, e elas elevaram as suas vozes e choraram.

Certo domingo, na igreja à qual pertencia na Inglaterra, essa história era a passagem do Antigo Testamento escolhida no dia que eu deveria pregar. Meu instinto padrão é sempre olhar para a passagem do Antigo Testamento como aquela a ser pregada (alguém tem que fazer isso), mas naquela ocasião, ao ler a história, minha reação imediata foi pensar que não havia como esse relato sobre mulheres do campo falar à nossa

RUTE 1:1–9 • COMO A VIDA DE NOEMI DESMORONA

congregação urbana. Então, compreendi que a diferença era apenas superficial. As questões de vida com as quais a história lida eram as mesmas impostas em nosso cenário urbano. Os dois contextos envolvem pessoas às voltas com experiências similares, como enfrentar mudanças em razão do desemprego, migrar para um país estrangeiro em busca de melhores condições de vida, a perda do cônjuge, o lidar com a viuvez, a submissão a um casamento transcultural e inter-religioso e o constante questionamento quanto a que cultura pertencer.

Rute inicia-se onde Juízes termina: ainda estamos no tempo dos **líderes**. O livro começa relatando as coisas indo de mal a pior; mas, enquanto Juízes fala sobre a piora da situação por influência de Deus, quando os próprios israelitas agem errado, aqui não há sugestão de que a fome seja um ato de julgamento divino. É apenas uma daquelas coisas que podem ocorrer naturalmente, como as ondas de fome, citadas em Gênesis, que afetaram as famílias de Abraão e Sara, Isaque e Rebeca, bem como de Jacó e suas esposas. Num bom ano, deve haver uma boa colheita em Israel, porém num ano ruim pode haver escassez de chuva no período errado ou uma nuvem de gafanhotos. A terra está sempre a um passo da fome. O que Elimeleque deve fazer? A sua própria produção não é suficiente para alimentar a sua família e, decerto, a fome atinge os demais produtores da área, de modo que eles não podem simplesmente resolver entre si (os efrateus seriam um dos grupos de parentesco dentro do clã de **Judá**, o grupo que vivia na região de Belém). De algum modo, ele precisa prover para a sua família. Aparentemente, outros fazendeiros em Belém apenas nutrem a esperança de conseguir sobreviver de alguma forma. Talvez tenham conseguido armazenar grãos nos anos de boas colheitas e podem, agora, usar o excedente durante os anos magros, mas obviamente Elimeleque não logrou fazer isso. Ele ouve que a situação está melhor em Moabe. De Belém, ele pode olhar na direção das terras situadas a leste, do outro lado do profundo vale do Jordão, com o mar Morto ao fundo, e ver as montanhas de Moabe despontando no horizonte. A história sobre Eúde e Eglom, em Juízes 3, mostra que Moabe não morre de amores por Israel e vice-versa. Desse modo, seria humilhante e até mesmo perigoso mudar para lá, mas é preciso alimentar a sua família. Ele não ficará sentado em Belém, renovando as esperanças, como outros efrateus que conhece. Então, eles fazem a mudança.

Será que a morte de Elimeleque foi causada por um coração partido, por um sentimento de fracasso como provedor e chefe de família? A narrativa não nos revela a causa, em parte porque é o relato da vida de uma mulher. Elimeleque é citado na história apenas por ser o marido de Noemi. Por seu turno, ela observa os filhos tomarem mulheres moabitas como esposas. A escolha dos filhos ameaça partir o seu coração e impor a ela um sentimento de fracasso e vergonha como mãe? O que há de positivo no fato de jovens israelitas desposarem mulheres moabitas? Todos conhecemos a respeito das mulheres moabitas. Relembre a origem delas (veja Gênesis 19:30-38). Agora, pense no modo pelo qual os homens israelitas foram atraídos por elas e terminaram servindo a outros deuses (veja Números 25). E, então, o que ocorre quando os dois jovens filhos de Noemi morrem? (O relato não nos fornece uma noção de tempo, mas, evidentemente, Rute ainda não possui filhos, é jovem e elegível, quando ela e Noemi retornam a Belém. Desse modo, imagino Noemi com cerca de quarenta anos de idade, seus filhos com cerca de vinte e o casamento delas com pouca duração.) Trata-se do juízo divino? É possível imaginar esse questionamento remoendo a mente dos futuros ouvintes dessa história.

A história de Noemi faz lembrar a história de Jó. A vida dela é devastada por um golpe atrás do outro. Ela tinha se casado com expectativas elevadas quanto a ela e Elimeleque trabalharem no campo e formar uma família. Todavia, ela é privada de sua fazenda, de sua família estendida, de sua terra natal, de seu marido e de seus filhos. Além de tudo isso, é deixada sozinha, numa terra estranha, com duas noras estrangeiras.

Então, ela ouve que a onda de fome passou. Pela primeira vez, a narrativa cita Deus, mas, durante todo o relato, ela será reticente quanto a essa menção. A história traça um paralelo com a forma pela qual experimentamos a nossa vida, reconhecendo a importância das coincidências e das iniciativas humanas visíveis e crendo no envolvimento de Deus nos bastidores. Contudo, usualmente, não há indicação de como Deus está agindo. O narrador não sabe como ou mesmo se Deus está envolvido na relação de eventos negativos com os quais a história principia — a fome, a mudança, os casamentos, as mortes. Mas o narrador sabe como a fome chegou ao fim; Deus "tinha prestado atenção ao seu povo." A versão Revista e Corrigida Fiel fala sobre Deus "visitando" o seu povo. Esse é, na verdade, um verbo preocupante, pois, com frequência, as "visitas" de Deus são como as visitas feitas pela Máfia, ou seja, elas significam um julgamento. É mais seguro quando Deus não nos visita ou presta atenção em nós, porém essa visita é diferente. Deus decidiu se envolver com Israel, dando-lhe pão. A chuva havia chegado, fazendo crescer o grão e levando a uma boa colheita. A fome estava superada. Belém está, de novo, vivendo à altura de seu nome (isto é, "casa do pão"; a região em torno de Belém é grande produtora agrícola).

Portanto, Noemi pode voltar para sua casa, e, na realidade, não existe alternativa: afinal, o que uma viúva e suas duas noras podem fazer? Tudo o que lhe resta é retornar a Belém, onde a fazenda abandonada ainda está, com uma mão na frente e outra atrás, tão humilhada e triste em seu retorno quanto em sua partida, constituindo um prato cheio para os mexericos das demais mulheres: "Para você ver; eles pensaram que estavam sendo muito inteligentes ao decidir ir para Moabe a fim de escapar da fome e, agora, veja onde isso os levou."

As duas jovens mulheres que retornaram com Noemi a Belém — "retorno" para Noemi, mas as noras jamais tinham estado na terra de seus maridos. Afinal, as três constituem uma família, ainda que uma família incomum, agora que os homens tinham morrido. Paradoxalmente, as duas noras, que pareciam ser o símbolo de tudo o que tinha dado errado, são, na verdade, as duas pessoas capazes de ajudar Noemi em sua cura. No entanto, às vezes, quando a tribulação atinge alguém, é possível que essa pessoa tenha receio de confiar em algo positivo existente em sua vida. Caso tivesse perdido a sua fazenda, a sua terra natal, a sua família estendida, o seu marido e os seus filhos, decerto, pensaria que há uma maldição sobre você. Se permanecer ligado a essas duas garotas estrangeiras, também não as perderá? É melhor agir antes da maldição. As noras possuem alternativas que ela própria não tem. Ambas possuem famílias moabitas às quais podem retornar. Noemi se refere a elas como "a casa de sua mãe". Trata-se de uma das inúmeras formas por meio das quais a história encoraja os leitores a resistir aos estereótipos patriarcais que, em geral, prevalecem nas culturas. Não são apenas os homens que estão à frente dos destinos da família. Noemi era "a esposa de Elimeleque", porém ele também era "o marido de Noemi"; se ele a "possuía", ela também o "possuía".

Qual é o tom de sua voz, e o que está ocorrendo no íntimo de seu coração, quando ela expressa a esperança de que Deus possa cuidar das noras e que cada uma delas encontre outro marido? Em geral, é uma tarefa difícil tentar "ler" Noemi. Ela soará profundamente deprimida e desiludida com Deus quando está tentando persuadir as duas noras a permanecer em Moabe e quando ela mesma retorna para Belém. Em certo nível, ela, de fato, é verdadeira no que diz, mas quanto espera que as suas esperanças se cumpram? Não podemos acusá-la de nada, caso a sua resposta seja negativa.

RUTE **1:10–19**A
A ESCOLHA

[10]Elas lhe disseram: "Não, porque retornaremos ao seu povo com você." [11]Noemi disse: "Retornem, minhas filhas, por que deveriam ir comigo? Por acaso ainda tenho filhos dentro de mim que poderiam se tornar seus maridos? [12]Retornem, minhas filhas; vão, porque também estou muito velha para pertencer a um homem. Se eu dissesse que há esperança para mim, se realmente pertencesse a um homem esta noite e, de fato, desse à luz filhos, [13]vocês esperariam, então, por eles, até que fossem adultos e se manteriam afastadas de pertencer a um homem? Não, minhas filhas, porque as coisas são muito mais difíceis para mim do que para vocês, porque a mão de *Yahweh* se estendeu contra mim." [14]Elas levantaram as suas vozes e choraram novamente, e Orfa abraçou a sua sogra, mas Rute se agarrou a ela. [15]Então, ela disse: "Ora, a sua cunhada está retornando para o seu povo e os seus deuses. Volte com a sua cunhada" [16]Rute disse: "Não me pressione a deixar-te e retornar com ela, porque aonde quer que fores, irei, e onde quer que te hospedares, também me hospedarei. O teu povo será o meu povo, e o teu Deus será o meu Deus. [17]Onde quer que morras, morrerei, e ali serei sepultada. Assim, que *Yahweh* faça comigo, e ainda mais, caso [mesmo] a morte me separe de ti." [18]Quando [Noemi] viu que ela estava determinada a ir com ela, Noemi parou de lhe falar, [19a]e as duas seguiram até chegar a Belém.

Quando a esclerose múltipla da minha esposa foi primeiramente diagnosticada, escrevi para informar ao seu pastor, que também havia sido o meu mentor. Lembro-me de ter lido a sua resposta. Ele nos contou como, naquela manhã, ocorreu de estar estudando a história sobre Jesus transformar a água em vinho, presente em João 2, que inclui o surpreendente comentário do responsável pelo casamento de que o noivo havia reservado o melhor vinho para o final. "Deus sempre faz isso", nosso pastor comentou; de alguma forma, isso seria verdade para nós. À medida que a enfermidade afetava Ann de modo crescente a cada ano, com frequência eu refletia sobre essas palavras e perguntava-me o que poderiam significar. Claro que são verdadeiras, no sentido de que Ann se levantará para uma nova vida no dia da ressurreição, mas há algo mais por trás delas do que isso? Que esperança poderíamos nutrir? Tais palavras se tornaram reais, no sentido de que Deus nos propiciou uma estranha, porém boa, vida a dois, e, por eu ter de lidar com aquela experiência, Deus me transformou numa pessoa menos questionável do que seria, caso não tivesse passado por ela. Poderia haver algo mais além disso? Agora que Ann está morta, sei que a resposta é "não".

O que a esperança significa? Noemi perdeu a dela, e não podemos acusá-la. Isso também significa que ela não considera com a devida seriedade a expressão de suas noras em relação a ela. Em certo sentido, as suas noras estão lhe oferecendo esperança, mas ela não consegue reconhecer dessa forma. O efeito do luto torna impossível ao enlutado imaginar que ainda haverá algum futuro para ele. A maneira pela qual a pessoa sempre imaginou o futuro envolvia outras pessoas — no caso de Noemi, envolvia a presença de três outras pessoas, seu marido e seus dois filhos. No seio de uma sociedade tradicional, uma esposa sabe que é possível perder o marido com

RUTE 1:10-19A • A ESCOLHA

vinte, trinta ou quarenta anos, ou que um de seus filhos possa morrer antes da mãe. Todavia, perder todos eles, marido e filhos, é um cenário muito pior do que o imaginável. Rute e Orfa estão oferecendo a Noemi outro olhar para o futuro; as três formarão uma família permanente. Será, claro, um tipo incomum de família, mas ainda assim será uma família, e que tem esperança. Contudo, Noemi não consegue enxergar isso. Para ela e para as suas noras, Noemi só consegue vislumbrar uma forma de família, e não há nada que a faça ter aquele núcleo familiar novamente. As duas garotas deveriam recomeçar e fazer isso longe dela.

Noemi diz: "As coisas são muito mais difíceis para mim do que para vocês, porque a mão de *Yahweh* se estendeu contra mim." O Antigo Testamento fala, com frequência, sobre a mão de Deus ser estendida para agir. Não muito distante do lugar no qual Noemi e suas noras estão naquele momento, a mão de Deus havia se estendido para conduzir o povo na travessia do Jordão, conforme a história relatada em Josué. Todavia, a mão divina também havia sido estendida nos relatos apresentados em Juízes, quando ela se voltou contra Israel. Pelo que ela e nós sabemos, Noemi e Jó possuem algo em comum, pois ambos nada fizeram para merecer o mesmo tipo de tratamento que Deus dispensou aos infiéis israelitas, em Juízes, mas é dessa maneira que Noemi tem sido tratada. Quando foram tratados daquela forma, os israelitas puderam se arrepender, receber o perdão de Deus e ser restaurados. Quando não há razão para a sua vida colapsar, não há nada que você possa fazer, exceto protestar. Jó e o livro de Salmos exibem maneiras pelas quais é possível oferecer tal protesto, mas Noemi não atingiu o ponto no qual é capaz de elevar a sua voz em protesto diante de Deus. Ela até fala muito *sobre* Deus, ao expressar os seus desejos com relação às suas noras e a sua compreensão quanto ao que lhe tem ocorrido, mas não consegue falar *a* Deus sobre isso.

Agora, Orfa e Rute têm duas escolhas diante de si. Elas podem retornar à casa materna, como instou Noemi, ou podem insistir em acompanhar a sogra. Orfa concorda em seguir a primeira opção. (A propósito, talvez você já tenha ouvido sobre alguém com o nome de Oprah; conta-se que o seu nome originariamente deveria ser Orpah, em homenagem ao nome da nora de Noemi, como grafado na Bíblia no idioma inglês, mas, dada a pronúncia errada das pessoas, os pais desistiram do nome original e o mudaram para Oprah.) Isso não significa que Orfa tenha feito uma má escolha e que seja, de algum modo, inferior a Rute. Ela simplesmente deu prioridade ao seu próprio povo, conforme sugerido por Noemi. Ela respeitou a maneira pela qual os valores de uma família tradicional funcionavam. Ela é um pouco como Naamã, o general sírio, que foi até Israel para ser purificado de sua doença de pele e reconhece *Yahweh*, mas, então, é obrigado a retornar para a sua casa, na Síria, ou como os três sábios que chegam para conhecer o menino Jesus, porém voltam para as suas casas, no Oriente, de onde tinham vindo. Reconhecidamente, Noemi fala de modo ambíguo quanto ao que isso significará para Orfa. "Que *Yahweh* mantenha o **compromisso** com vocês", ela tinha dito. "Que *Yahweh* conceda que cada uma de vocês encontre um lugar estabelecido na casa de seu marido." Agora, para Rute, Noemi diz: "A sua cunhada está retornando para o seu povo e para os seus deuses."

Se Noemi está confusa, Rute parece bem lúcida, com uma determinação extraordinária. Ela não irá desistir de seguir com Noemi, para o povo e o Deus de sua sogra, "até que a morte nos separe" — exceto que, na verdade, ela afirma que nem mesmo a morte as separará. A morte não separa os

RUTE 1:10-19A • A ESCOLHA

membros de uma família; pois são sepultados ao lado de outros familiares, na tumba da família, de modo que a morte significa, na realidade, unir-se aos ancestrais (tal como expressado pelo Antigo Testamento). Rute transmite um compromisso radical à membresia na família de Noemi. Na realidade, os intérpretes judaicos têm considerado o termo "compromisso" como palavra-chave no livro de Rute. A própria Noemi usou a palavra ao expressar o desejo de *Yahweh* manter o compromisso com Orfa e Rute, assim como elas haviam mantido o compromisso com seus maridos e com ela. Rute não faz uso desse termo aqui, mas as suas palavras a Noemi indicam que está declarando um compromisso dessa espécie: ela não é obrigada a fazer isso, mas é o que deseja fazer.

É impossível adivinhar os motivos pelos quais Rute assume esse compromisso. A própria Noemi a está mandando embora. O povo de Noemi olha com superioridade para o povo de Rute. O Deus de Noemi é aquele que parece ter abandonado as três mulheres à própria sorte. Não obstante, é a esse Deus que Rute apela em seu juramento de fidelidade a Noemi. Como Raabe e Acã confundem a diferença entre **cananeus** e israelitas no livro de Josué, Rute e Noemi confundem a distinção entre moabitas e israelitas. Noemi fala como moabita, enquanto Rute fala como israelita. Caso fosse a cena de um filme, Noemi poderia, agora, irromper em lágrimas por ter sido subjugada pelo compromisso de Rute. Mas nem tanto. Ela apenas desiste e para de tentar persuadir Rute. "Que seja", podemos imaginá-la dizendo.

Rute não aparece na lista de heróis da fé em Hebreus, como Raabe, Sansão e Abraão, mas figura, na verdade, como heroína da fé na relação dos ancestrais de Jesus em Mateus 1. Como Abraão, Rute se apresenta disposta a deixar a sua terra natal e seguir rumo a Canaã, quando ainda não tem como saber que lá *Yahweh* cuidará dela. Sua fé será justificada.

RUTE **1:19b—2:9**
ELA É MOABITA, PELO AMOR DE DEUS!

[19b]Quando chegaram a Belém, toda a cidade se alvoroçou por causa delas, dizendo: "Esta é Noemi?" [20]Ela lhes disse: "Não me chamem Noemi [Agradável], mas Mara [Amarga], porque *Shadday* tem sido muito duro comigo. [21]Eu era cheia quando parti. *Yahweh* trouxe-me de volta vazia. Por que me chamar de Noemi, quando *Yahweh* tem me afligido, quando *Yahweh* tem me tratado tão mal?"

[22]Assim, Noemi retornou da terra moabita com a sua nora Rute, a moabita. Elas chegaram a Belém no início da colheita da cevada.

CAPÍTULO 2

[1]Ora, Noemi tinha um parente de seu marido, um homem rico e poderoso, da parentela de Elimeleque, cujo nome era Boaz. [2]Rute, a moabita, disse a Noemi: "Posso ir aos campos e colher entre as espigas de grãos atrás de alguém em cujos olhos eu encontre favor?" Ela lhe disse: "Vá, minha filha." [3]Então, ela foi. Ela veio e colheu nos campos atrás dos ceifeiros, e o acaso a levou à porção dos campos pertencentes a Boaz, que era da parentela de Elimeleque. [4]E, ali, Boaz estava vindo de Belém. Ele disse aos ceifeiros: "*Yahweh* esteja com vocês", e eles lhe disseram: "*Yahweh* te abençoe." [5]Boaz disse ao seu rapaz, que estava a cargo dos ceifeiros: "A quem pertence aquela garota?" [6]O rapaz que estava a cargo dos ceifeiros disse: "Ela é uma garota moabita que retornou com Noemi da terra moabita. [7]Ela disse: 'Posso colher e reunir entre os feixes, atrás dos ceifeiros?' Ela veio e ficou desde a manhã até agora; ela parou na casa por um pouco." [8]Boaz disse a Rute: "Ouça bem, minha filha. Não vá colher em outro campo. Não, você não passará daqui. Fique aqui com as minhas garotas [9]com os seus olhos sobre o campo que está sendo ceifado. Siga-os. Ordenei aos rapazes para não tocarem em você. Quando estiver com sede, vá aos vasos e beba do que os rapazes tirarem."

Acabei de ler a história de um homem chamado Maxo, que morreu durante o terremoto no Haiti, algumas semanas atrás, quando a casa na qual estava desmoronou sobre ele. Seu primo, morador de Nova York, o chamou de incansável, e sua história mostrou como ele era mesmo incansável em benefício de outras pessoas. No último telefonema que recebera de Maxo, três dias antes do terremoto, seu primo soube que ele estava tentando levantar fundos para reconstruir uma escola na vila em que morava, nas montanhas. Antes disso, ele tentou levantar dinheiro para a compra de um caixão para um vizinho que tinha morrido. Em 2004, Maxo levou o seu idoso pai, um pastor, a Miami em busca de tratamento médico, mas eles foram detidos, e seu pai morreu ali. No momento do terremoto, a sua casa estava cheia de gente, como as crianças das quais ele cuidava após a escola e os pais que foram falar sobre o trabalho escolar de seus filhos. As pessoas que se importavam com Maxo cavaram os escombros durante dias, na esperança de encontrá-lo com vida, mas, no fim, encontraram somente o seu corpo já inerte.

Maxo era um homem que sabia o significado de **compromisso**. O relato não utiliza essa palavra a respeito de Boaz, porém ele também é assim. Boaz não é um homem que precisa forçar as coisas, em seu próprio benefício ou de outras pessoas. Ele é um grande sujeito. Paradoxalmente, há a suspeita pelo fato de ele ser uma pessoa importante na vila. A história em Josué relata como a terra deveria ser distribuída entre os clãs e as famílias. Supostamente, não deveria haver grandes latifundiários (os profetas irão falar contra isso), assim como não deveriam existir os chamados "garotos" ou empregados de outras pessoas. Talvez Boaz tenha se saído bem com a onda de fome. Pode ser que fosse um fazendeiro melhor que os outros ou que tenha logrado economizar dinheiro quando a colheita não foi boa, o que resultou no controle das terras de outros fazendeiros menos eficientes, cuidadosos ou bafejados pela sorte. O que a sua história, então, mostra é que o poder e os recursos são coisas que podem ser usadas de um modo egoísta ou de uma forma que expresse compromisso pelo próximo. Há uma pista disso no cumprimento inicial entre ele e os seus trabalhadores. Talvez a bênção mútua fosse apenas um cumprimento convencional, mas creio que tenha sido mencionada na história como uma indicação do relacionamento de Boaz com Deus e de sua boa relação com os seus empregados.

Sua pergunta sobre a quem aquela garota pertence parece mais ambígua. Poderia ser uma pergunta típica de um rapaz; ele gosta daquela garota desconhecida e deseja saber se ela é comprometida. Todavia, talvez essa seja uma forma ocidental demais de ver a cena. A história retrata Boaz como um homem honrado que jamais pensaria nesses termos. De todo modo, isso levanta a questão sobre a situação conjugal de Boaz. Seria muito improvável que um membro sênior da comunidade, como Boaz, fosse solteiro. A família, decerto, lhe teria arranjado uma esposa adequada. O mais provável é que um homem proeminente como Boaz estivesse interessado em ter uma esposa extra, porque esse é um sinal de posição social. Contudo, essa ideia não nos parece muito romântica e, assim, outra possibilidade é que ele seja viúvo. Ao nos falar sobre Elimeleque, Malom e Quiliom, a história já nos recordou de que, numa sociedade tradicional, muitas pessoas morrem quando ainda são jovens, e o perigo envolvido no parto torna essa possibilidade ainda mais verdadeira para as mulheres.

O pano de fundo da história é o tipo de preocupação que a **Torá** demonstra por pessoas necessitadas, ou seja, viúvas como Noemi e Rute. Em nossa cultura, assumimos que tudo deve ser feito com a máxima eficiência econômica. Quando

RUTE 1:19B—2:9 • ELA É MOABITA, PELO AMOR DE DEUS!

as condições financeiras se tornam difíceis, as empresas dispensam os empregados, e eles precisam se defender sozinhos. O que mais as empresas podem fazer? Se falharem nessa tomada de ação, as próprias empresas irão afundar. A necessidade de tomar essa atitude está embutida no sistema. Ele produz crescimento e conquista, mas também sofrimento. O sistema, em uma sociedade tradicional, possui vantagens e desvantagens opostas. Um aspecto é que os ceifeiros que estão colhendo os grãos não tentam fazer isso de maneira muito eficiente. Eles deixam algo para trás, visando abastecer as pessoas que não pertençam a famílias regulares e que, portanto, não possuam campos nos quais possam cultivar, não dispondo, desse modo, de meios para assegurar alimento suficiente para sua subsistência e a dos seus.

O contraste entre Noemi e Rute, que emergiu quando elas estavam em Moabe, persiste agora que estão em Belém. Rute é uma pessoa dotada de energia e iniciativa, visando fazer algo para assegurar que elas tenham com que se alimentar. Noemi está muito desanimada e não tem a menor intenção de encobrir a sua amargura pelo modo com que a vida a tem tratado — ou, melhor, por como Deus a tem tratado. Uma vez mais, ela fala como Jó, que também descreve o tratamento de Deus a ele como severo e duro. Outra similaridade com Jó é a transição feita por Noemi aqui, ao se referir a Deus como *Shadday*. As traduções, em geral, apresentam o termo "Todo-poderoso" como tradução equivalente. Não sabemos o que a palavra *Shadday* significa, mas o termo "Todo-poderoso" transmite algo da noção correta. *Shadday* é um nome que, às vezes, surge em Gênesis e constitui o nome que um não israelita, como Jó ou Balaão, utilizaria. ***Yahweh*** é o nome israelita especial para Deus; ele sugere o envolvimento de Deus com o povo de Israel. *Shadday* sugere o poder e a transcendência de Deus; é um pouco menos pessoal que *Yahweh*. Assim, é sugestivo que Noemi utilize esse nome.

No livro de Jó, somos informados quanto aos bastidores da história; sabemos o que há por trás de seu sofrimento, embora Jó não o soubesse. No caso do livro de Rute, não há informações sobre os bastidores. Deus apenas permite que a vida de Noemi desmorone, e ela não tem receio de dizer isso. Os Salmos irão sugerir que não há problemas em falar da forma pela qual ela se expressa, embora também possam sugerir que é uma vergonha ela não estar falando *a* Deus, mas apenas *sobre* Deus. Um aluno lembrou que, certa feita, eu afirmei em sala de aula: "Não reclamem a outras pessoas. Tenham certeza de reclamarem a Deus. Ele é grande o suficiente e pode lidar com isso." Espero mesmo ter dito isso, pois é verdade.

O fato de Noemi ter dito que Deus a trouxe de volta a Belém vazia é, igualmente, algo insultuoso a Rute, mas a sua nora parece relevar isso. Uma vez mais, o contraste entre as duas mulheres é evidenciado. A história segue sublinhando que Rute é de Moabe, portanto uma moabita; esta passagem repete a ênfase, notadamente quando o rapaz responde à pergunta de Boaz: "Ela é uma garota moabita que retornou com Noemi da terra moabita." É como se a história destacasse: "VOCÊ ENTENDEU? ELA É UMA MOABITA!" Na realidade, era muito fácil aos israelitas olharem os moabitas com desdém. Esse sentimento seria especialmente comum nos dias de Esdras e Neemias, quando **Judá** era apenas uma pequena e fragilizada colônia da **Pérsia** e corria o risco de ser dominado por povos vizinhos como Moabe. Pessoas como Esdras e Neemias sabem que os israelitas devem evitar casamentos mistos com os moabitas, pois essa união poderia colocar em risco o compromisso familiar a *Yahweh*. A história de Rute lembra as pessoas de que essa preocupação religiosa não deve se tornar um preconceito étnico. Etnicamente, Rute é moabita, mas, como Raabe, ela se comprometeu com *Yahweh*.

RUTE **2:10–23**
O DEUS DAS COINCIDÊNCIAS

[10]Ela se prostrou, curvando-se com o rosto em terra, e lhe disse: "Por que achei favor a seus olhos, ao prestar atenção em mim quando sou uma estrangeira?" [11]Boaz lhe respondeu: "Tenho sido informado sobre tudo o que você tem feito por sua sogra, após a morte de seu marido. Você deixou o seu pai, a sua mãe, a terra de seu nascimento e veio a um povo que não conhecia antes. [12]Que *Yahweh* recompense os seus feitos. Que lhe seja rica a recompensa de *Yahweh*, o Deus de Israel, sob cujas bainhas veio buscar refúgio." [13]Ela disse: "Que eu ache favor aos seus olhos, senhor, porque confortou e encorajou a sua serva, embora eu não seja uma de suas servas."

[14]Boaz lhe disse na hora da refeição: "Venha aqui, coma alguma comida e mergulhe o seu pedaço no vinagre." Então, ela se sentou ao lado dos ceifeiros, ele lhe passou os grãos tostados, e ela comeu, ficou satisfeita e ainda teve algumas sobras. [15]Quando ela se levantou para colher, Boaz ordenou aos seus rapazes: "Ela pode colher entre os feixes; não a reprimam. [16]Na verdade, podem retirar um pouco para ela dos feixes também, e deixem--na colher. Não a repreendam." [17]Ela colheu nos campos até a noite e debulhou o que tinha colhido. Chegou a um efa de cevada. [18]Ela a pegou e foi para a cidade, e sua sogra viu o que ela tinha colhido. [Rute] tirou e lhe deu o que havia sobrado de quando ela ficou satisfeita.

[19]Sua sogra lhe disse: "Onde você colheu hoje? Onde você trabalhou? Abençoado seja o homem que prestou atenção em você." Ela contou à sua sogra com quem tinha trabalhado e disse: "O nome do homem com o qual trabalhei hoje é Boaz." [20]Noemi disse à sua nora: "Seja ele abençoado por *Yahweh*,

> que não abandona o seu compromisso com os vivos e com os mortos." Noemi lhe disse: "O homem é nosso parente. Ele é um de nossos resgatadores próximos." ²¹Rute, a moabita, disse: "Ele também me disse: 'Fique perto dos meus rapazes até que eles tenham terminado toda a minha colheita.'" ²²Noemi disse a Rute, sua nora: "Minha filha, será bom se você sair com as garotas dele e os homens não se aproximem de você em outro campo." ²³Assim, ela ficou perto das garotas de Boaz, enquanto colheu até que a colheita de cevada e de trigo tinham acabado, mas viveu com a sua sogra.

Certo dia, com treze anos de idade, enquanto caminhava para a escola, encontrei uma professora da escola dominical que eu costumava frequentar, mas que havia abandonado, dois anos atrás, para ir para outra igreja. Ela me contou que a minha antiga igreja estava começando uma nova comunidade de jovens e me perguntou se eu não gostaria de ir. Então, aceitei o convite, e isso mudou a minha vida, especialmente porque o ministro era um teólogo muito hábil, e adquiri o seu entusiasmo e interesse pela teologia. É possível que não estivesse escrevendo a série *O Antigo Testamento para todos* caso esse encontro acidental não tivesse ocorrido. Então, sete anos mais tarde, participei de uma conferência de estudantes cristãos e, em certo desjejum, casualmente sentei-me ao lado de uma jovem e comecei a conversar com ela. Terminamos casados por quarenta anos. Foi o encontro que mais influenciou a minha vida e ocorreu por mera casualidade.

A história de Rute nos alerta quanto ao papel da coincidência ou do acaso no desenrolar dos acontecimentos ao comentar que o acaso a tinha levado a colher na parte dos campos que pertenciam a um parente de seu sogro. A implicação dessa coincidência é agora tornada explícita. Noemi e Rute tinham orado para que esta fosse levada ao campo certo, mas "aconteceu" de Rute ir ao melhor campo possível. Não foi apenas por ter sido muito bem tratada e ter colhido uma significativa quantidade de grãos, embora isso, de fato, tenha ocorrido. A quantidade colhida por ela é quase o limite de peso da bagagem por pessoa permitido pelas companhias aéreas e, por conseguinte, entre outras qualidades, Rute mostrou que não era fraca. Além disso, havia ainda as "sobras" da significativa quantidade que ela consumira no almoço.

É o suficiente para transformar Noemi. Ela pode orar e louvar novamente. Isso mostra que, no fim das contas, Deus não desistiu do **compromisso** com elas. Eis aquela palavra de novo. Isso se aplica não somente às relações dentro de sua família e entre Boaz e elas, mas ao relacionamento de Deus com elas. Isso é expresso no fato de Boaz ser um de seus "resgatadores próximos", o que o torna também num potencial "guardião", "redentor" ou **restaurador** delas.

Todas essas formas de traduzir a palavra hebraica transmitem algo que o termo denota. Refere-se a uma pessoa fora de sua família imediata — da sua "casa", segundo a forma de falar do Antigo Testamento. No livro de Rute, a casa agora compreende apenas Noemi e Rute. Dentro de sua família estendida (por exemplo, entre os irmãos de Elimeleque), haverá pessoas que são relativamente próximas a você por nascimento. Quando a dificuldade surge, caso tenha sorte, pode haver dentre elas alguém que seja o cabeça de outra casa e que esteja em melhores condições financeiras que você, alguém que tenha se saído melhor como fazendeiro ou cuja família esteja com melhor saúde que a sua, quando os seus familiares são atingidos por doenças ou acidentes que coloquem em perigo a capacidade de subsistência de sua família. Tal pessoa tem a obrigação moral e social de ajudar você e a sua casa, de uma forma ou de outra — por exemplo, evitando que você abra mão da administração de sua fazenda e/ou que seus filhos se tornem servos contratados, por tempo determinado, de outro fazendeiro. (Ironicamente, "ajudar" as pessoas contratando os filhos delas como servos é, talvez, o processo que tem beneficiado Boaz.) Essa pessoa é um resgatador próximo ou parente íntimo, um potencial guardião de sua liberdade, bem como um redentor capaz de usar parte de seus recursos para livrá-lo dos problemas. O bom homem que se tem importado tanto com Rute é alguém nessa posição em relação a Noemi e a Rute.

Na realidade (Noemi diz), ele é uma pessoa nessa posição em relação aos mortos — Elimeleque, Malom e Quiliom, aqueles com os quais está diretamente relacionado —, assim como em relação aos vivos, isto é, Rute e Noemi. Lembre-se de que o modo esperado de o sistema funcionar era que a terra de Israel fosse distribuída entre os clãs e famílias, portanto às mãos do cabeça masculino da família, responsável pela fazenda. Para manter o sistema e evitar que a terra caísse no domínio de grandes latifundiários, a terra tinha que permanecer sob o controle da família (no caso em questão) de Elimeleque e, então, de Malom e Quiliom. Havia exceções; a história das filhas de Zelofeade (veja Josué 17) estabeleceu que um homem sem filhos poderia passar a terra da família para as suas filhas. Contudo, Elimeleque e Noemi não tiveram filhas. Ao que parece, Elimeleque e Noemi foram obrigados a passar a sua terra a alguém em virtude do fracasso da colheita e da onda de fome com a qual a história começou. Assim, eles não têm a quem reclamar a terra de volta, nem meios de fazê-lo.

Da mesma forma que Noemi usa essa relevante expressão para descrever a posição de Boaz em relação à família delas, Boaz utiliza uma significativa expressão ao explicar

RUTE 2:10-23 • O DEUS DAS COINCIDÊNCIAS

a sua generosidade a Rute. "Por que você se importa com uma estrangeira como eu?", ela pergunta. Rute espera ser tratada da mesma forma que tratamos os estrangeiros na Grã-Bretanha ou nos Estados Unidos. No entanto, a **Torá** estabelece expectativas sobre como os israelitas devem tratar estrangeiros necessitados que chegam a Israel em busca de refúgio, quando os israelitas estão em melhor situação que os refugiados. O modo pelo qual Boaz expressa isso é falar da vinda de Rute em busca de refúgio com *Yahweh*, sob as bainhas de *Yahweh*. O termo hebraico para as "bainhas" de um manto é também a palavra para "asas" de um pássaro (que são como suas bainhas), como a lembrar pintinhos se escondendo sob as penas da sua mãe, bem como crianças se protegendo debaixo da saia da mãe. As traduções, em geral, consideram que Boaz se refira a "asas", mas no capítulo seguinte Rute devolve as palavras dele e, ali, ela usa a palavra que significa "bainhas".

Como Rute, Boaz assume uma ligação entre o relacionamento com Israel e com Deus. Uma estrangeira residente em Israel não é alguém que simplesmente aceita asilo e aproveita ao máximo a generosidade israelita; é alguém que se une à comunidade e que compartilha do relacionamento com Deus. Se tudo o que você deseja é refúgio e apoio prático, continuará sendo apenas mais um estrangeiro que trabalha ali; você não se torna um membro associado da comunidade. Essa jamais foi a intenção de Rute. Ela afirmou a Noemi: "O teu povo será o meu povo, e o teu Deus será o meu Deus." Boaz ouviu sobre como ela se comprometeu com Noemi e sabe que ela buscou refúgio tanto debaixo da "bainha" de Deus quanto de Israel. Isso é o que os israelitas fazem; eles oram: "Esconde-me à sombra das tuas asas/bainhas" (Salmos 17:8; a expressão é recorrente em Salmos).

RUTE 3:1–18
COMO NÃO DEIXAR A INICIATIVA PARA O HOMEM

¹Noemi, sua sogra, lhe disse: "Minha filha, devo realmente buscar um lar para você onde as coisas lhe possam ser boas. ²Assim, agora, Boaz é, de fato, o nosso parente próximo. Você tem estado com as garotas dele. Eis que ele está limpando a cevada na eira esta noite. ³Banhe-se, maquie-se, vista a sua melhor roupa e desça até a eira. Não se faça conhecida ao homem até que ele tenha terminado de comer e de beber. ⁴Quando ele se deitar, observe o lugar no qual ele se deita. Vá, descubra os pés dele e deite-se. Ele dirá a você o que fazer." ⁵Ela lhe disse: "Tudo o que você me diz, farei."

⁶Ela desceu à eira e agiu de acordo com tudo o que a sua sogra lhe tinha dito. ⁷Boaz comeu e bebeu, e seu espírito estava bom. Ele foi se deitar à beira da pilha. Ela se aproximou silenciosamente, descobriu os pés dele e se deitou. ⁸No meio da noite, o homem acordou assustado e se virou: ali, uma mulher estava dormindo a seus pés! ⁹Ele disse: "Quem é você?" Ela disse: "Sou sua serva, Rute. Estenda a sua bainha sobre a sua serva, porque o senhor é um resgatador próximo." ¹⁰Ele disse: "Que seja abençoada por *Yahweh*, minha filha. Você fez o seu último ato de compromisso melhor do que o seu primeiro, ao não ir atrás dos homens jovens, sejam pobres ou ricos. ¹¹Então, agora, minha filha, não tema, tudo o que diz farei por você, porque todos os anciãos de meu povo reconhecem que você é uma mulher de valor. ¹²Mas, agora, porque é verdade que sou um resgatador próximo, porém há também um resgatador mais próximo que eu, ¹³passe a noite, e de manhã, se ele agir como um resgatador, muito bem, que ele aja como um resgatador. Mas, se ele não quiser agir como resgatador, eu mesmo agirei como resgatador, tão certo como Deus vive. Deite-se até de manhã."

¹⁴Assim, ela deitou aos pés dele até de manhã, mas levantou-se antes que qualquer pessoa pudesse reconhecer o seu vizinho. Ele disse [para si mesmo]: "Não deve ser conhecido que a

mulher veio à eira", **15**mas ele disse: "Traga o xale que você está usando e segure-o." Ela o segurou, e ele pesou seis [medidas] de cevada e as pôs sobre ela. Ele foi para a cidade, **16**e ela foi para sua sogra. [Noemi] disse: "Como foi para você, minha filha?" Ela lhe contou tudo o que o homem tinha feito a ela **17**e disse: "Ele me deu essas seis [medidas] de cevada, porque disse: 'Não vá para a sua sogra de mãos vazias.'" **18**[Noemi] disse: "Fique aqui, minha filha, até saber como o assunto termina, porque o homem não descansará até lidar com o assunto hoje."

Certa ocasião, conversei com um rapaz que havia namorado uma pessoa por um longo tempo, mas, então, ela o abandonou e partiu o seu coração. Por um período, ele se manteve afastado de novos relacionamentos. Ele já havia saído com inúmeras amigas, algumas delas mútuas, que conheciam a sua história, e ambos os lados sabiam que aqueles encontros não eram românticos. Então, o seu coração recuperou-se, e ele se sentiu pronto a recomeçar. Havia mais de uma mulher com a qual ele podia se imaginar namorando, mas sentir-se pronto não é o mesmo que ter coragem de propor: "O que você acha de transformar este relacionamento "amigável" em algo mais?" Assim, ele me disse: "Não é justo que a iniciativa tenha sempre de ser do homem." Parece que, nesse contexto, quase sempre aderimos a relacionamentos de gênero estereotipados. Muitos homens e mulheres esperam que a iniciativa parta do homem, e, na maioria dos casos, é o homem que propõe. Conheço mulheres que desejariam que fosse o oposto, mas elas raramente quebram essa tradição.

Tais convenções seriam muito mais fortes numa sociedade tradicional como a de Israel, mas Noemi e Rute decidem não se deixar limitar por elas. Evidentemente, há mais de uma pessoa no grupo de parentesco de Noemi que poderia estar fazendo algo para assegurar o futuro dela e de Rute, bem como o futuro da terra que ainda esteja no nome de Elimeleque, Malom e Quiliom. Considerando que nenhum deles está tomando alguma medida prática, Noemi decide iniciar algo. É igualmente notório que ela percorreu um longo caminho na justificada escuridão com a qual retornou a Belém; ela recuperou a sua fibra. Suas palavras também sugerem que ela também mudou em sua atitude com respeito a Rute. Pouco tempo atrás, ela estava dando de ombros à tola insistência da nora em acompanhá-la a Belém e falando sobre Deus tê-la feito voltar de mãos vazias, implicando, portanto, que Rute nada significava. De algum modo, o encontro "casual" de Rute com Boaz e a generosidade dele acionaram um interruptor no espírito de Noemi. Isso resultou em sua preocupação por encontrar um "lar" para Rute, mais literalmente um lugar de descanso. Em outras palavras, ela não fala sobre o destino da terra pertencente à família ou de sua própria segurança, mas sobre o próprio destino e a segurança de Rute. Pode-se dizer que Noemi está começando a ser uma pessoa de **compromisso**, como Rute e Boaz.

Os campos nos quais as plantações crescem ficam fora da "cidade" (que apenas era o que chamaríamos de um vilarejo, com talvez uma centena de pessoas pertencentes a dois ou três grupos de parentesco distintos). Poderiam ficar a uma ou duas horas de caminhada, dado ser esse o principal meio de transporte, e, na época da colheita, as pessoas, às vezes, preferiam ficar acampadas nos campos. Isso também possibilitava que elas mantivessem os olhos sobre a sua cevada e evitava que os ladrões de outras vilas a roubassem; eis a razão de Boaz dormir próximo à sua pilha de cevada, arma na mão, por assim dizer.

Claro que o plano de Noemi resulta da presunção de não haver costume pelo qual ela e Rute possam ir à procura de Boaz na mercearia da vila e questionar sobre um namoro, porém o plano e a execução de Rute parecem arriscados. Há inúmeras ambiguidades sobre a maneira pela qual a história é contada que refletem a dubiedade do que Rute devia fazer. Arrumar-se como Rute se arrumou poderia significar vestir-se de uma forma parecida com uma noiva no dia do casamento, mas poderia também significar vestir-se de forma sedutora. Descobrir os pés de alguém poderia significar apenas o que a expressão diz, porém "descobrir a nudez de alguém" é um eufemismo para ter relações sexuais com ela, e "pés" pode ser um eufemismo para genitais. Se um homem acorda no meio da noite e encontra uma mulher deitada perto dele, dificilmente ele poderá ser acusado de pensar que ela esteja se oferecendo a ele, embora seja sábio de sua parte lembrar que aceitar a oferta pode significar ter que se casar com ela. Expressando de outra forma, dormir com uma mulher não comprometida pode implicar o compromisso de desposá-la. Pelo que sabemos, não há, em Israel, um serviço de casamentos ou cartório de registro. Tais coisas pertencem a culturas móveis e organizadas. Portanto, mesmo se Rute estiver se oferecendo a Boaz sexualmente, pode parecer, por este ato, que ela está propondo algo mais sério, não apenas se insinuando. Simplesmente, oferecer a Boaz uma noite de sexo seria prejudicial ao futuro dela com qualquer outro homem. E, pelo que conhecemos de Rute e de Boaz, seria improvável que qualquer um deles estivesse interessado somente em passar a noite com alguém.

Na realidade, Rute deixa claro que ela está propondo casamento. Ela toma a iniciativa não apenas de abordá-lo, mas de falar sobre casamento. Boaz, mais cedo, falou sobre ela buscar proteção sob a bainha de *Yahweh*. Aqui, Rute está indicando que a vida humana também funciona com base em nossa busca por proteção debaixo da bainha de outro ser humano. Isso é o que o casamento envolve. Não obstante, a referência de Rute ao fato de Boaz ser o seu resgatador reflete a maneira pela qual a obrigação particular de aceitar uma pessoa sob as asas de sua proteção se aplica a um homem como Boaz, dada a sua posição na comunidade. Rute está apelando a Boaz para que ele se torne o seu protetor, por sua posição como resgatador próximo. Todavia, arrumar-se para parecer atraente, como alguém que vai a um encontro romântico, mostra que ela não está somente apelando ao senso moral e obrigação social de Boaz. Rute deseja ser alguém por quem Boaz sinta atração, que exceda a sua obrigação. Esta é outra indicação de como os costumes conjugais, diferentes daqueles do Ocidente urbanizado, não excluem a atração física e o amor sexual.

Qualquer comédia romântica decente, contudo, necessita incluir ameaças à união do casal principal, caso contrário o filme terminará rapidamente. Aqui, o elemento da trama para manter o suspense é a existência de outro resgatador que possui as mesmas obrigações morais e sociais que Boaz e tem prioridade para assumir Noemi, Rute e a terra da família. O presente de seis medidas de cevada é outro sinal da honra e da generosidade de Boaz. Contudo, mais relevantemente, logo ao romper do dia, ele parte para a cidade visando iniciar o processo que irá decidir com quem Rute ficará. Noemi tem convicção de que Boaz é um homem em quem se pode confiar para agir quando a ação é necessária. As mulheres podem fazer o possível para contornar as presunções patriarcais da cultura, mas elas também precisam trabalhar dentro delas. Aguarde pelas fortes emoções dos próximos capítulos.

RUTE **4:1–10**
COMO NÃO SE SOBRECARREGAR COM IMÓVEIS

¹Assim, Boaz subiu ao portão e ali se sentou. E, então, o resgatador de que Boaz tinha falado estava passando. [Boaz] disse: "Venha e sente-se aqui, fulano." Ele veio e sentou-se. ²[Boaz] conseguiu dez homens dentre os líderes da cidade e disse: "Sentem-se aqui", e eles sentaram-se. ³Ele disse ao resgatador: "A partilha na terra que pertence ao nosso irmão Elimeleque: Noemi, que voltou da terra moabita, a está dispondo. ⁴Eu disse [a mim mesmo]: 'Devo informá-lo e dizer: "Você pode adquiri-la na presença das pessoas que estão assentadas aqui, na presença dos anciãos de meu povo. Se você irá agir como resgatador, o faça. Se não, diga-me, para que eu possa saber, porque não há ninguém para agir como resgatador senão você e, depois de você, eu."' Ele disse: "Eu agirei como resgatador." ⁵Boaz disse: "Quando você adquirir a terra da mão de Noemi e de Rute, a moabita, terá de adquirir também a esposa do homem morto, para estabelecer o nome do homem morto sobre a sua propriedade." ⁶O resgatador disse: "Não posso agir como resgatador por mim mesmo ou arriscarei a minha própria posse. Aja você como resgatador por si mesmo com respeito à minha posição de resgatador, porque não posso agir como resgatador."

⁷Ora, anteriormente em Israel, em relação a agir como resgatador e com transferências, para estabelecer qualquer assunto, um homem tirava o seu sapato e o dava ao seu colega. Este era o processo de atestação em Israel. ⁸Assim, o resgatador disse a Boaz: "Você pode adquiri-la", e tirou o seu sapato. ⁹Boaz disse aos anciãos e a todo o povo: "Vocês são testemunhas hoje de que eu adquiri da mão de Noemi tudo o que pertence a Elimeleque e tudo o que pertence a Quiliom e Malom. ¹⁰Também adquiri Rute, a moabita, esposa de Malom, como esposa para mim, para estabelecer o nome do homem morto sobre a sua propriedade, de modo que o nome do homem morto não seja cortado dentre os seus irmãos e do portão de seu lugar. Vocês são testemunhas hoje."

RUTE 4:1-10 • COMO NÃO SE SOBRECARREGAR COM IMÓVEIS

O fim da primeira década do século XXI testemunhou o colapso nos preços imobiliários nos Estados Unidos, na Grã--Bretanha e em outros lugares, além do aumento no número de pessoas "despejadas" dos imóveis que "possuíam", por não conseguirem pagar as respectivas hipotecas; tais pessoas também souberam que o valor total a ser pago por elas passou a ser muito mais elevado do que o valor real de suas casas. A princípio, essa crise envolveu principalmente pessoas que não conseguiram honrar seus pagamentos, em alguns casos pela perda dos seus empregos. Nesta semana, os jornais veicularam reportagens sobre o aumento de casos nos quais pessoas simplesmente abandonaram as suas casas, mesmo tendo condições financeiras de fazer os pagamentos e estar em dia com as prestações. É que, estrategicamente, não fazia mais sentido permanecer na casa. Um homem, em Miami Beach, havia acertado a compra de um pequeno apartamento por 215 mil dólares, mas soube que, agora, apartamentos similares estão sendo vendidos por 90 mil dólares. Seria melhor ele abandonar o apartamento e alugar uma casa mais ampla na praia. Assim, ele se vê diante de um dilema ético: por ele ter assumido um compromisso, certamente deveria mantê-lo.

O dilema do resgatador é similar a esse, e a história faz bem em mantê-lo anônimo; isso o livra e à sua família da vergonha. Ele é tratado apenas como "fulano". A história mostra o modo pelo qual as decisões são tomadas numa vila situada em uma sociedade tradicional; não existe uma classe profissional de advogados; tudo é resolvido pelos anciãos reunidos na praça próxima ao portão da cidade. Os anciãos serão os membros mais idosos das respectivas famílias na vila (no capítulo anterior, a expressão "todos os anciãos de meu povo" seria, mais literalmente, "todo o portão de meu povo"). Junto ao portão da cidade, Boaz consegue abordar o outro resgatador; talvez

RUTE 4:1-10 • COMO NÃO SE SOBRECARREGAR COM IMÓVEIS

devamos considerar outra "coincidência" encorajadora aqui, pois "aconteceu" de o homem passar por ali e facilitar a missão de Boaz, abreviando o período de espera de Noemi e de Rute e a nossa ansiedade quanto a tudo ocorrer da forma esperada. Ele, então, reúne um número suficiente de anciãos que estavam, casualmente, nas imediações. Talvez a implicação disso seja que, no começo do dia, seria uma boa hora para reunir as pessoas enquanto elas estavam a caminho dos campos para retomar a colheita, isto é, caso elas não estivessem dormindo junto às plantações, como Boaz.

Pela primeira vez, a história faz referência explícita a uma porção de terra pertencente a Elimeleque, à sua "partilha" — ou seja, a sua alocação dentro da terra pertencente ao seu clã. Não é esclarecido o que aconteceu à terra desde que Elimeleque e sua família saíram de **Judá** para morar em Moabe alguns anos atrás, embora seja possível supor que ele a tenha cedido como garantia ou arrendado a alguém que lhe tenha feito um empréstimo durante a onda de fome. Aparentemente, a terra, então, permanece numa espécie de limbo: o seu destino a longo prazo ainda não foi decidido, mas alguém que quisesse ter a posse da terra em uma base mais permanente teria que "redimi-la" — isto é, pagar a dívida deixada por Elimeleque. Enquanto isso não acontece, Noemi, a esposa de Elimeleque, aparentemente, é presumida como a proprietária legal, embora não haja, na **Torá**, referência a viúvas nessa posição

Trata-se de um importante princípio da lei e da tradição israelita, presente também na lei e na tradição de outras sociedades tradicionais, que a terra não pode ser comprada e vendida (embora esse princípio venha a ser ignorado, futuramente, quando a sociedade se torna mais desenvolvida. Por essa razão, vemos o ataque dos Profetas ao modo de as pessoas ignorarem esse princípio e se transformar em grandes latifundiários). A terra pertence a Deus e pela vontade divina é colocada sob a mordomia de famílias capazes de cultivá-la e de usar o que cultivam. Portanto, Noemi não estará exatamente "vendendo" a sua terra, e ninguém a estará "comprando", como algumas traduções expressam esse processo. Muito menos Rute será comprada ou vendida; em Israel, as esposas não são consideradas propriedades que podem ser comercializadas. Noemi não possui recursos para pagar o empréstimo sobre a terra e, assim, redimi-la. Dessa forma, ela está se comprometendo a renunciar a esse direito em favor de outra pessoa, que obterá, então, o controle sobre ela e decidirá como cultivá-la e o que fazer com a sua produção.

Nesse caso, há uma complicação. Assim como outras sociedades tradicionais, Israel possuía um procedimento para lidar com uma situação que envolvesse a morte de um homem sem que ele gerasse um filho para herdar o controle da terra pertencente à família. O processo envolvia o casamento do irmão do falecido com a sua viúva, na esperança de que essa união gerasse um filho que, do ponto de vista legal, contasse como filho do falecido e, portanto, fosse o seu herdeiro. O que acontece em Rute é uma variação desse procedimento, descrito em Gênesis 38 e Deuteronômio 25:5-10. O que há de comum entre os casos é a existência de uma viúva sem filhos. (A princípio, pode-se imaginar que a esposa do homem morto seja Noemi, mas presume-se que ela não irá mais ter filhos. Além disso, a situação é ainda mais complexa pelo fato de Elimeleque ter tido um filho, cuja esposa é Rute.)

Para o resgatador anônimo, o problema é que, ao redimir a terra, desposar Rute e gerar um filho que, eventualmente, herdará a terra, irá significar uma grande despesa, sem um ganho de longo prazo. Como as pessoas que tem condições de pagar a hipoteca com a qual se comprometeram, mas que têm ciência de que perderão dinheiro ao fazer isso, aquele homem enfrenta um dilema. Ele não corre o risco de deixar de ganhar dinheiro rápido, mas arrisca-se a pôr em perigo a posse segura de sua própria terra, ameaçando, por conseguinte, a posição da família que ele já possui. Ele tem diante de si um conflito de responsabilidades e escolhe dar prioridade à responsabilidade que já tem. Talvez essa decisão não seja passível de críticas, tanto quanto a decisão de Orfa em retornar para a sua casa materna. Ambas eram decisões subjetivas e difíceis. De todo modo, suspiramos aliviados, pois desejamos que essa comédia romântica tenha o desfecho projetado por nós.

A regra sobre o casamento do cunhado em Deuteronômio 25 também envolve a retirada de um sapato, porém, nesse caso, é a viúva que remove os sapatos do cunhado e cospe em seu rosto, porque a cerimônia inclui envergonhar o homem que se recusa a cumprir a sua obrigação. No caso de Rute, a situação não parece envolver vergonha pela renúncia. O "fulano" não é cunhado de Noemi nem de Rute. Nos dois exemplos, a cerimônia simboliza a renúncia pública e formal de um homem quanto aos seus direitos ou deveres e a devida "transferência" deles a outra pessoa, embora a razão pela qual essa cerimônia particular deveria ser feita seja desconhecida.

RUTE **4:11–22**
COMO DAVI GANHOU UM AVÔ

[11]Todo o povo no portão e os anciãos disseram: "Somos testemunhas. Que *Yahweh* faça a mulher que está vindo para a sua casa como Raquel e Lia que, juntas, construíram a casa de Israel. Vá bem em Efrata; tenha um nome em Belém! [12]Que a sua casa seja como a casa de Perez, que Tamar deu à luz Judá, por meio da descendência que *Yahweh* lhe der por meio desta garota." [13]Assim, Boaz tomou Rute, e ela se tornou a sua esposa. Ele dormiu com ela, e *Yahweh* a capacitou a ficar

RUTE 4:11-22 • COMO DAVI GANHOU UM AVÔ

> grávida. Ela deu à luz um filho, **14**e as mulheres disseram a Noemi: "*Yahweh* seja louvado, pois não deixou você sem um resgatador hoje. Que seu nome seja reconhecido em Israel! **15**Por você, ele será aquele que renova a sua vida e sustenta a sua velhice, porque a sua nora, que se importou com você, deu-lhe à luz, ela, que tem sido melhor para você do que sete filhos." **16**Noemi tomou a criança, a colocou em seus braços e se tornou a sua enfermeira. **17**As vizinhas o nomearam, dizendo: "Um filho nasceu a Noemi"; elas o nomearam Obede. Ele foi pai de Jessé, pai de Davi.
>
> **18**Esta é a história da família de Perez. Perez gerou Hezrom. **19**Hezrom gerou Rão. Rão gerou Aminadabe. **20**Aminadabe gerou Naassom. Naassom gerou Salmá. **21**Salmá gerou Boaz. Boaz gerou Obede. **22**Obede gerou Jessé. E Jessé gerou Davi.

Ontem, eu conversava com uma amiga que por longo tempo se interessou em pesquisar a história de sua família. Ela me contou como descobrira que ambos os seus pais tinham se divorciado duas vezes antes de se casarem um com o outro. Uma amiga dela havia descoberto que seus próprios pais haviam se divorciado e, então, se casado novamente. Isso me lembrou de outro amigo que descobriu que seu pai deve ter sido concebido quando os avós ainda não eram casados. É possível idealizarmos impressões sobre nossos pais e avós, desde os tempos de sua meia-idade e velhice, mas pode ocorrer de a vida pregressa deles ter sido muito mais complexa ou colorida do que a nossa idealização. Investigar a história familiar é uma atividade bem arriscada. Pode ser que a família respeitável que você sempre imaginou seja diferente da realidade que venha a descobrir.

Por outro lado, é possível que você descubra que a sua família é tão respeitável quanto as gerações anteriores. A genealogia de Davi alimenta a genealogia de Jesus em Mateus 1. As pessoas menosprezaram a honra da mãe de Jesus, que engravidou antes de estar casada, mas a genealogia de Jesus mostra que Deus, há muito tempo, tem trabalhado por meio de mulheres que foram vítimas do preconceito ou de mulheres que não contavam com a aprovação de pessoas respeitáveis. Tamar está presente na genealogia de Cristo (veja a história dela em Gênesis 38). Raabe está lá (veja a sua história em Josué 2). Bate-Seba está lá (veja a sua história em 2Samuel 11). E Rute também está lá. Jesus possui uma ancestral moabita.

A história de Rute, Noemi e Boaz também termina como uma história sobre Davi. Caso fosse filho de um dos inúmeros casamentos de Davi, incluindo os adúlteros e assassinos, você poderia se sentir encorajado ao descobrir que seu pai tinha a história de **Judá**, de Tamar, de Perez e também de Rute em sua ancestralidade. Generalizando, você pode bem ser um israelita inclinado a idolatrar e idealizar Davi, mas o encerramento do livro de Rute lhe dará algo a refletir. Isso serve de alerta quanto a santificar Davi. Igualmente, o faria pensar duas vezes sobre a sua atitude preconceituosa contra pessoas como os moabitas. Dificilmente será tão preconceituoso quanto poderia ser ao saber que a avó de Davi era de Moabe.

A comunidade de Belém, o povo da cidade na qual Davi irá nascer, assim como Jesus, são pessoas que oram para que Rute contribua para a edificação da casa de Israel, como um todo, que seja equivalente à contribuição de Raquel e Lia! (Eles terão em mente os doze clãs e, portanto, todos os que pertençam a Israel, porque os filhos nascidos de Zilpa e Bila, servas que Raquel e Lia encorajaram Jacó a tratar como **esposas secundárias** quando elas próprias não podiam engravidar, também serão considerados como de Raquel e de Lia.) Igualmente, oraram para que Rute fizesse uma contribuição comparável àquela

RUTE 4:11-22 • COMO DAVI GANHOU UM AVÔ

da descendência da incestuosa união entre Judá e Tamar, que resultou na origem do próprio povo de Belém como parte do clã de Judá. E Deus respondeu às suas orações.

Não sei se os israelitas também sorriram ao ouvir as últimas palavras das mulheres de Belém. Lembro-me de haver refletido, quando nos casamos, que aquele evento, na realidade, não era nosso; ele pertencia aos pais dos noivos. Afinal, eles é que estavam pagando. (Hoje, tudo é um pouco diferente.) Mais tarde, descobri que, quando o primeiro filho do casal nasce, esse é outro evento que não pertence aos pais da criança. "Um filho nasceu a *Noemi*." No entanto, esse comentário complementa um importante tema na história como um todo. Pode-se argumentar que o título desse livro deveria ser *Noemi* em vez de *Rute*. Afinal, o parágrafo inicial do livro relata a tragédia quádrupla de sua família (o exílio e a morte do marido e de seus dois filhos). O restante do livro, então, narra a história de como a sua vida é reconstruída pelo **compromisso** de uma nora e de um resgatador. Todavia, muito tempo antes, Noemi já havia feito a melhor declaração teológica, a melhor declaração de fé, no livro: Deus "não abandona o seu compromisso com os vivos e com os mortos" (2:20). Esse comentário de Noemi reflete que essa é a mais pura verdade.

Podemos colocar a questão de outra forma. Uma das contribuições do livro de Rute ao Antigo Testamento é a sua ilustração concreta, na pessoa de Boaz, do que significa ser um **restaurador**, um resgatador, um guardião, um redentor. A importância desse retrato reside não apenas em como Israel assume a figura do resgatador e a ação dele como uma imagem para Deus e para a ação restauradora de Deus. A vocação do resgatador era aceitar uma obrigação de cuidar dos membros de sua família a fim de expressar a disposição de gastar suas energias e seus recursos para possibilitar a reconstrução da

RUTE 4:11-22 • COMO DAVI GANHOU UM AVÔ

vida deles quando fosse necessário. Isso foi o que Deus fez por Israel, tratando os israelitas como membros da família, não questionando sobre se eles merecem estar na condição em que se encontram e gastando energia e recursos para a reconstrução da vida deles quando fosse preciso. A imagem emerge, com mais frequência, em Isaías 40—55, no contexto do **exílio**, quando Israel necessita de restauração. O livro de Rute não descreve, de modo explícito, Deus como o resgatador, ou guardião, ou restaurador, ou redentor de Noemi, mas, por trás da ação de Boaz no cumprimento desse papel, Deus está.

O encerramento do livro aponta para a sua significância teológica, ao ligar a história de Rute à de Davi. (Os nomes Salmá e Salmom, presentes em sucessivos versículos, são variantes do mesmo nome.) Até o parágrafo derradeiro, você poderia pensar que estava meramente lendo uma breve narrativa sobre a vida trivial de pessoas comuns e o envolvimento de Deus nela. Contudo, é típico das histórias bíblicas sobre indivíduos comuns mostrar como eles estão relacionados com o propósito mais amplo e longevo de Deus. Trata-se, na verdade, de um relato sobre o envolvimento de Deus na história de Israel como um todo, a história que chega a um clímax com Jesus Cristo (como indica a genealogia de Mateus). Ela encoraja os leitores a ponderar sobre como o envolvimento de Deus em seu viver diário está relacionado com um propósito muito maior; os encoraja a elevar os olhos em direção a um horizonte mais amplo. Igualmente, constitui um dos recorrentes lembretes, presentes no Antigo Testamento, de que Deus preocupa-se com todo o mundo; a preocupação de Deus com Israel está interligada a essa preocupação mundial. Reconhecidamente, isso ocorre de forma paradoxal. O interesse divino por Israel não é apenas em prol dos israelitas, mas também dos moabitas; e, assim, o próprio povo de Moabe contribui para o cumprimento do propósito de Deus.

⌐ GLOSSÁRIO ⌐

Ajudante. Um agente sobrenatural por meio do qual Deus pode aparecer e operar no mundo. As traduções, em geral, referem-se a eles como "anjos", mas essa designação tende a sugerir figuras etéreas dotadas de asas, ostentando vestes brancas e translúcidas. Os ajudantes são figuras semelhantes aos humanos; por essa razão, é possível agir com hospitalidade sem perceber quem são (Hebreus 13:2). Ainda, eles não possuem asas; por isso, necessitam de uma rampa ou escadaria entre o céu e a terra (Gênesis 28). Eles surgem com a intenção de agir ou falar em nome de Deus e, assim, representá-lo plenamente, falando como se fossem Deus (Juízes 6). Eles, portanto, trazem a realidade da presença, da ação e da voz de Deus, sem trazer aquela presença real que aniquilaria os meros mortais ou danificaria a sua audição. Isso pode ser uma garantia quando Israel é rebelde e a presença de Deus pode representar, de fato, uma ameaça (Êxodo 32—33), mas eles mesmos podem ser meios de implementar o castigo, assim como a bênção de Deus (Êxodo 12).

Aliança. Contratos e tratados presumem um sistema jurídico de resolver disputas e ministrar justiça, que pode ser usado no caso da quebra de compromisso por uma das partes envolvidas. Em contraste, num relacionamento que não funciona em uma estrutura legal, a pessoa que falha em manter o compromisso assumido não pode ser levada a uma corte por essa falha. Assim, uma aliança envolve algum procedimento formal que confirme a seriedade do compromisso solene que as partes assumem uma com a outra. Quanto às alianças estabelecidas entre Deus e a humanidade, a ênfase em Gênesis reside no compromisso de Deus com os seres humanos, em particular com Abraão. Com base no fato de Deus ter começado a cumprir aquele compromisso da aliança, o restante da **Torá** também coloca alguma ênfase no compromisso responsivo de Israel, no Sinai e em Moabe, na fronteira da terra prometida.

GLOSSÁRIO

Altar. Uma estrutura para oferta de sacrifício (o termo vem da palavra para sacrifício), feita de terra ou pedra. Um altar pode ser relativamente pequeno, como uma mesa, e o ofertante deve ficar diante dele. Ou pode ser mais alto e maior, como uma plataforma, e o ofertante tem de subir nele. O altar sacrificial deve ser distinguido daquele altar muito menor, dentro do santuário, sobre o qual queimava-se incenso para que a sua fumaça aromática ascendesse a Deus.

Amorreus. O termo é usado de inúmeras maneiras. Pode denotar um dos grupos étnicos originais em **Canaã**, especialmente a leste do Jordão. Também pode ser usado como referência ao povo daquele território como um todo. Fora do Antigo Testamento, a palavra se refere a um povo que vive em uma área muito mais extensa da Mesopotâmia. Portanto, "amorreus" é uma palavra semelhante a "América", uma referência comum aos Estados Unidos, mas que pode denotar uma área muito mais ampla do continente do qual os Estados Unidos fazem parte.

Apócrifos. O conteúdo principal do Antigo Testamento cristão é o mesmo das Escrituras judaicas, embora estas sejam dispostas em uma ordem diferente, como a Torá, os Profetas e os Escritos. Seus limites precisos, como Escritura, vieram a ser aceitos em algum período nos anos anteriores ou posteriores a Cristo. Por séculos, as igrejas cristãs, em sua maioria, utilizaram uma coleção mais ampla de textos judaicos, incluindo livros como Macabeus e Eclesiástico, que, para os judeus, não faziam parte da Bíblia. Esses outros livros passaram a ser chamados "apócrifos", os livros que estavam "ocultos" — o que veio a implicar "espúrios". Agora, com frequência, são conhecidos como "livros deuterocanônicos", um termo mais complexo, porém menos pejorativo. Isso simplesmente indica que esses livros detêm menos autoridade que a Torá, os Profetas e os Escritos. A lista exata deles varia entre as diferentes igrejas.

Assíria, assírios. A primeira grande superpotência do Oriente Médio, os assírios expandiram o seu império rumo ao Ocidente, até

HISTÓRICOS PARA TODOS · JOSUÉ, JUÍZES E RUTE

a Síria-Palestina, no século VIII a.C., no tempo de Amós e Isaías. Primeiro, eles anexaram **Efraim** ao seu império; então, quando Efraim persistiu tentando retomar a sua independência, os assírios invadiram Efraim e, em 722 a.C., destruíram a sua capital, Samaria, levando cativo grande parte de seu povo e substituindo-os por pessoas oriundas de outras partes do seu império. Invadiram também **Judá** e devastaram uma extensa área do país, mas não tomaram Jerusalém. Profetas como Amós e Isaías descrevem o modo pelo qual Deus estava, portanto, usando a Assíria como um meio de disciplinar Israel.

Babilônia, babilônios. Um poder menor no contexto da história primitiva de Israel, no tempo de Jeremias, os babilônios assumiram a posição de superpotência da **Assíria**, mantendo-a por quase um século, até ser conquistada pela **Pérsia**. Profetas como Jeremias descrevem como Deus estava usando os babilônios como um meio de disciplinar **Judá**. Eles tomaram Jerusalém em 587 a.C. e transportaram muitos dentre o povo. Suas histórias sobre a criação, os códigos legais e os textos mais filosóficos nos ajudam a compreender aspectos de escritos equivalentes presentes no Antigo Testamento, embora sua religião astrológica também constitua o cenário para polêmicos aspectos nos Profetas.

Baú. O "baú da **aliança**" é uma caixa com pouco mais de um metro de comprimento e cerca de setenta centímetros de altura e de largura. A Almeida Corrigida Fiel, bem como outras versões, em geral, fazem referência a uma "arca", mas a palavra significa uma caixa, embora seja apenas usada ocasionalmente para expressar baús usados para outros fins. É denominado de baú da *aliança* porque contém as tábuas de pedra inscritas com os dez mandamentos, expectativas-chave que Deus estabeleceu em relação à aliança do Sinai. É mantido, regularmente, no santuário, mas há um sentido no qual o baú simboliza a presença de Deus (considerando que Israel não possui imagens para representar isso). Dado esse simbolismo, os israelitas, algumas vezes, carregam o baú com eles. Às vezes, também é denominado de "baú da declaração", com o

GLOSSÁRIO

mesmo significado: as tábuas "declaram" as expectativas da aliança de Deus.

Canaã, cananeus. Como designação bíblica da terra de Israel como um todo, e referência a todos os povos autóctones daquele território, "cananeus" não constitui, portanto, o nome de um grupo étnico em particular, mas um termo genérico para todos os povos nativos da região. Veja também **amorreus**.

Chorar, clamar. Ao descrever a reação dos israelitas quando eles estão sob a opressão dos inimigos, Juízes utiliza a mesma palavra que o Antigo Testamento usa para descrever o sangue de Abel clamando a Deus, o clamor do povo de Sodoma debaixo da opressão dos perversos, o grito dos israelitas no Egito, bem como o clamoroso lamento das pessoas injustamente tratadas dentro de Israel nos últimos séculos. O termo denota um choro urgente que pressiona Deus por **libertação**, um grito que Deus ouve, mesmo quando as pessoas merecem a experiência pela qual estão passando.

Compromisso. O termo corresponde à palavra hebraica *hesed*, que as traduções expressam de diferentes maneiras: amor inabalável, benignidade ou bondade. Trata-se do equivalente, no Antigo Testamento, à palavra para amor no Novo Testamento, isto é, *agapē*. O Antigo Testamento utiliza a palavra "compromisso" em referência a um ato extraordinário por meio do qual uma pessoa se dedica a alguém, mais num ato de generosidade, lealdade ou graça, quando não há um relacionamento prévio entre as partes, de modo que alguém estabelece um compromisso que não está obrigado a firmar. Portanto, em Josué 2, Raabe apropriadamente fala de sua proteção aos espias israelitas como um ato de compromisso. Pode também referir-se a um ato extraordinário similar que ocorre quando há uma relação prévia, na qual uma das partes decepciona a outra e, assim, não tem o direito de esperar qualquer fidelidade da outra parte. Caso a parte que foi ofendida continue sendo fiel, trata-se de uma demonstração desse compromisso. Em resposta a Raabe, os espias israelitas declaram que irão se relacionar com ela dessa maneira.

Devotar, devoção. Devotar algo a Deus significa entregar a Deus de modo irrevogável. As traduções usam verbos como "aniquilar" ou "destruir" e, em geral, essa é a implicação correta, porém isso não expressa o ponto distintivo do ato. É possível devotar uma terra, ou um animal como um jumento e pessoas (com efeito, Ana irá devotar Samuel); o jumento ou o ser humano, então, pertence a Deus e está comprometido a servi-lo. Na verdade, os israelitas devotaram muitos **cananeus** ao serviço de Deus dessa maneira; eles se tornaram pessoas que cortavam madeira e retiravam água para o **altar**, para as ofertas e os rituais do santuário. Devotar pessoas a Deus, matando-as como uma espécie de sacrifício, era uma prática conhecida de outros povos, que Israel adota por sua própria iniciativa, mas que Deus valida. Israel sabe que é assim que a guerra funciona em seu mundo e passa a operar da mesma forma, com a concordância divina.

Efraim, efraimitas. Após os reinados de Davi e Salomão, a nação de **Israel** foi dividida. A maioria dos doze clãs israelitas estabeleceu um Estado independente ao norte, separado de **Judá** e Jerusalém, bem como da linhagem de Davi. Por ser o maior dos dois Estados, politicamente manteve o nome de Israel, o que é confuso porque Israel ainda é o nome do povo que pertence a Deus. Portanto, o nome "Israel" pode ser usado em ambas as conexões. O Estado do norte, contudo, é referido pelo nome de Efraim, por ser este o seu clã dominante. Assim, uso esse termo como referência ao Estado independente ao norte, na tentativa de minimizar a confusão.

espírito. A palavra hebraica para espírito é a mesma para fôlego e para vento, e o Antigo Testamento, às vezes, sugere uma ligação entre eles. Espírito sugere um poder dinâmico; o espírito de Deus sugere o poder dinâmico de Deus. O vento, em sua força e capacidade para derrubar árvores poderosas, constitui uma incorporação do poderoso espírito de Deus. O fôlego é essencial à vida; quando não há fôlego, inexiste vida. E a vida provém de Deus, de modo que o fôlego de um ser humano, e mesmo o de um animal, é extensão do fôlego divino. O livro de Juízes relata uma série de conquistas militares e políticas extraordinárias por meio de inúmeros líderes que

GLOSSÁRIO

resultam da vinda do Espírito de Deus sobre eles, capacitando-os a realizar coisas que parecem humanamente impossíveis.

Esposa secundária. As traduções usam a palavra "concubina" para descrever mulheres como a mãe de Abimeleque e a esposa do levita, mas o termo usado em relação a elas não sugere que não sejam adequadamente casadas. Ser uma esposa secundária indica possuir uma posição diferente das outras esposas. Talvez implique que seus filhos tenham direitos limitados ou mesmo nenhum direito sobre a herança do pai. É possível a um homem rico ou poderoso ter inúmeras esposas com plenos direitos e muitas esposas secundárias, ou mesmo apenas uma de cada. Pode ter apenas a esposa principal ou apenas a esposa secundária.

Exílio. No final do século VII a.C., a **Babilônia** se tornou o maior poder no mundo de **Judá**, mas Judá estava determinado a se rebelar contra a sua autoridade. Como parte de uma campanha vitoriosa para obter a submissão de Judá, em 597 a.C. e 587 a.C. os babilônios transportaram muitos israelitas de Jerusalém para a Babilônia, particularmente pessoas em posições de liderança, como membros da família real e da corte, sacerdotes e profetas. Essas pessoas foram, portanto, compelidas a viver na Babilônia durante os cinquenta anos seguintes ou mais. Pelo mesmo período, as pessoas deixadas em Judá também viviam sob a autoridade dos babilônios. Assim, não estavam fisicamente no exílio, mas também viveram em exílio por um período de tempo.

Filístia, filisteus. Os filisteus eram um povo oriundo do outro lado do Mediterrâneo para se estabelecer em **Canaã**, na mesma época do estabelecimento dos israelitas na região, de maneira que os dois povos formaram um movimento acidental de pressão sobre os habitantes já presentes naquele território, bem como se tornaram rivais mútuos pelo controle da área.

Grécia, gregos. Em 336 a.C., forças gregas, sob o comando de Alexandre, o Grande, assumiram o controle do Império **Persa**, porém após a morte de Alexandre, em 333 a.C., o seu império foi dividido.

A maior extensão, ao norte e a leste da Palestina, foi governada por Seleuco, um de seus generais, e seus sucessores. **Judá** ficou sob o controle grego por grande parte dos dois séculos seguintes, embora estivesse situado na fronteira sudoeste desse império e, às vezes, caísse sob o controle do Império Ptolomaico, no Egito, governado por sucessores de outro dos generais de Alexandre.

Israel. Originariamente, Israel era o novo nome dado por Deus a Jacó, neto de Abraão. Seus doze filhos foram, então, os patriarcas dos doze clãs que formam o povo de Israel. No tempo de Saul, Davi e Salomão, esses doze clãs passaram a ser uma entidade política. Assim, Israel significava tanto o povo de Deus quanto uma nação ou Estado, como as demais nações e Estados. Após Salomão, esse Estado foi dividido em dois Estados distintos, **Efraim** e **Judá**. Pelo fato de Efraim ser maior, manteve como referência o nome de Israel. Desse modo, se alguém estiver pensando em Israel como povo de Deus, Judá está incluído. Caso pense em Israel politicamente, Judá não faz parte. Uma vez que Efraim não existe mais, então, para todos os efeitos, Judá *é* Israel, como o povo de Deus.

Judá, judaítas. Um dos doze filhos de Jacó e, portanto, o clã que traça a sua ancestralidade até ele e que se tornou dominante no sul do território, após o reinado de Salomão. Mais tarde, como província ou colônia **persa**, Judá ficou conhecido como Jeúde.

libertar, libertador, libertação. Traduções modernas do Antigo Testamento, com frequência, usam as palavras "salvar", "salvador" e "salvação", mas elas transmitem uma impressão equivocada. No contexto cristão, elas usualmente se referem ao nosso relacionamento pessoal com Deus e ao deleite do céu. O Antigo Testamento, de fato, fala sobre a nossa relação com Deus, porém não utiliza esse grupo de palavras nessa conexão. Antes, elas fazem referência à intervenção prática de Deus para tirar Israel ou um indivíduo de algum tipo de dificuldade, como, por exemplo, acusações falsas por membros da comunidade ou a invasão de inimigos.

Líder. O livro de Juízes é assim denominado por causa dos líderes cujas histórias são relatadas nele. O termo tradicional é "juiz", de modo que são pessoas que também dão nome ao período de tempo entre Josué e Saul, o "Período dos Juízes". Todavia, esses "juízes", usualmente, não atuavam na resolução de casos legais, portanto "líderes" transmite melhor a ideia concernente ao papel deles. Eles são pessoas sem uma posição oficial, como os reis posteriores, mas que surgem e tomam a iniciativa de trazer **libertação** aos clãs das dificuldades nas quais eles estão envolvidos. Veja a introdução ao livro de Juízes, no começo desse comentário.

Mar de Juncos. O "mar" no qual Deus finalmente libertou os israelitas das mãos egípcias pode ser um dos braços ao norte do que denominamos mar Vermelho, em ambos os lados do Sinai, ou pode ser uma área de lagos pantanosos dentro do Sinai. Significa, literalmente, "mar de juncos" (o nome que aparece em Êxodo 2, quando Miriã deixa Moisés entre os juncos, à margem do Nilo).

Mestre, mestres. *Baal* é um termo hebraico comum para designar um mestre, senhor ou proprietário, mas também é utilizado para descrever um deus **cananeu**. É, portanto, similar ao termo para *Senhor*, usado para descrever *Yahweh*. Na verdade, "Mestre" pode ser um nome adequado, como "Senhor". Para deixar essa distinção clara, em geral, o Antigo Testamento usa *Mestre* para um deus estrangeiro e *Senhor* para o verdadeiro Deus, *Yahweh*. A exemplo de outros povos antigos, os cananeus cultuavam inúmeros deuses e, nesse sentido, o Mestre era apenas um deles, embora fosse um dos mais proeminentes. Além disso, um título como "o Mestre de Peor" sugere que o Mestre era crido como manifesto e conhecido de diferentes maneiras em lugares distintos. O Antigo Testamento também usa o plural, *Mestres*, como referência aos deuses cananeus, em geral.

Paz. A palavra *shalom* pode sugerir paz após um conflito, mas, com frequência, indica uma ideia mais rica, ou seja, da plenitude de vida. A Almeida Corrigida Fiel, às vezes, a traduz por "bem-estar", e as traduções modernas usam palavras como "segurança" e "prosperidade". De qualquer modo, a palavra sugere que tudo está indo bem para você.

Pérsia, persas. A terceira superpotência do Oriente Médio. Sob a liderança de Ciro, o Grande, eles assumiram o controle do Império **Babilônico** em 539 a.C. Isaías 40–55 vê a mão de Deus levantando Ciro como um instrumento para restaurar **Judá** após o **exílio**. Judá e os povos vizinhos, como Samaria, Amom e Asdode, eram províncias ou colônias persas. Os persas permaneceram por dois séculos no poder, até serem derrotados pela **Grécia**.

Restaurar, restaurador. Um restaurador é uma pessoa em posição de agir em nome de alguém dentro de sua família estendida, que está em necessidade, a fim de restaurar a situação à qual esse familiar deveria estar. A palavra é sobreposta com expressões como "parente" "próximo", "guardião" e "redentor". "Parente próximo" indica o contexto familiar que o "restaurador" pressupõe. "Guardião" indica que o restaurador está na posição de responsável pela proteção e defesa da pessoa. "Redentor" indica a posse de recursos que o restaurador está preparado a despender em prol da pessoa a ser redimida. O Antigo Testamento usa o termo como referência ao relacionamento de Deus com Israel, bem como à ação de um ser humano em relação a outro, para implicar que Israel pertence à família de Deus e que Deus age em seu benefício da mesma maneira que um restaurador faz.

Torá. A palavra hebraica para os cinco primeiros livros da Bíblia. Eles, em geral, são referidos como a "Lei", mas esse termo propicia uma impressão equivocada. No próprio livro de Gênesis, não há nada como "lei", bem como Êxodo e Deuteronômio não são livros "jurídicos". A palavra *torah*, em si, significa "ensino", o que fornece uma impressão mais correta da natureza da Torá. Com frequência, a Torá nos fornece mais de um relato do mesmo evento (como a comissão de Deus a Moisés), de modo que, quando a igreja primitiva preservou o ensinamento de Jesus e contou a sua história de diferentes maneiras, em diferentes contextos e de acordo com o discernimento dos diferentes escritores do Evangelho, ela estava seguindo o precedente pelo qual Israel contava as suas histórias mais de uma vez, em diferentes contextos. Embora Reis e Crônicas

GLOSSÁRIO

mantenham versões separadas, como ocorre com os Evangelhos, na Torá as versões foram combinadas.

Yahweh. Na maioria das traduções bíblicas, a palavra "Senhor" aparece em letras maiúsculas ou em versalete, como ocorre, às vezes, com a palavra "Deus". Na realidade, ambas representam o nome de Deus, *Yahweh*. Nos tempos do Antigo Testamento, os israelitas deixaram de usar o nome *Yahweh* e começaram a usar "o Senhor". Há duas razões possíveis. Os israelitas queriam que outros povos reconhecessem que *Yahweh* era o único e verdadeiro Deus, mas esse nome de pronúncia estranha poderia dar a impressão de que *Yahweh* fosse apenas o deus tribal de Israel. Um termo como "o Senhor" era mais facilmente reconhecível. Além disso, eles não queriam incorrer na quebra da advertência presente nos Dez Mandamentos sobre usar o nome de *Yahweh* em vão. Traduções em outros idiomas, então, seguiram o exemplo e substituíram o nome de *Yahweh* por "o Senhor". O lado negativo é que isso obscurece o fato de Deus querer ser conhecido por esse nome. Por essa razão, o texto utiliza *Yahweh*, com frequência, não algum outro nome (assim chamado) deus ou senhor. Essa prática dá a impressão de que Deus é muito mais "senhoril" e patriarcal do que ele o é na realidade. (A forma "Jeová" não é uma palavra real, mas uma mescla das consoantes de *Yahweh* e das vogais da palavra *Adonai* [Senhor, em hebraico], com o intuito de lembrar às pessoas que na leitura da Escritura elas deveriam dizer "o Senhor", não o nome real.)

⌐ SOBRE O AUTOR ⌐

John Goldingay é pastor, erudito e tradutor do Antigo Testamento. Ele é professor emérito David Allan Hubbard de Antigo Testamento no prestigiado Seminário Teológico Fuller em Pasadena, Califórnia. É um dos acadêmicos de Antigo Testamento mais respeitados do mundo com diversos livros e comentários bíblicos publicados. O autor possui o livro *Teologia bíblica* publicado pela Thomas Nelson Brasil.

Livros da série de comentários

O ANTIGO TESTAMENTO PARA TODOS

JÁ DISPONÍVEIS pela **Thomas Nelson Brasil**

Pentateuco para todos: Gênesis 1—16 • Parte 1
Pentateuco para todos: Gênesis 17—50 • Parte 2
Pentateuco para todos: Êxodo e Levítico
Pentateuco para todos: Números e Deuteronômio
Históricos para todos: Josué, Juízes e Rute
Históricos para todos: 1 e 2 Samuel
Históricos para todos: 1 e 2 Reis
Históricos para todos: 1 e 2 Crônicas
Históricos para todos: Esdras, Neemias e Ester

Livros da série de comentários

O NOVO TESTAMENTO PARA TODOS

JÁ DISPONÍVEIS pela **Thomas Nelson Brasil**

Mateus para todos: Mateus 1—15 • Parte 1

Mateus para todos: Mateus 16—28 • Parte 2

Marcos para todos

Lucas para todos

João para todos: João 1—10 • Parte 1

João para todos: João 11—21 • Parte 2

Atos para todos: Atos 1—12 • Parte 1

Atos para todos: Atos 13—28 • Parte 2

Paulo para todos: Romanos 1—8 • Parte 1

Paulo para todos: Romanos 9—16 • Parte 2

Paulo para todos: 1Coríntios

Paulo para todos: 2Coríntios

Paulo para todos: Gálatas e Tessalonicenses

Paulo para todos: Cartas da prisão

Paulo para todos: Cartas pastorais

Hebreus para todos

Cartas para todos: Cartas cristãs primitivas

Apocalipse para todos